LE CARNET B

PUBLICATIONS DE L'UNIVERSITÉ DE PARIS X NANTERRE

———————— Série A : *Thèses et Travaux* : N° 19 ————————

Déjà parus :

1. Paul-François Dubois (1793-1874), Universitaire, journaliste et homme politique, par Paul GERBOD, 1967, 320 p.

2. Vie spirituelle et vie sociale entre Rhin et Baltique au XVIIe siècle (de J. Arndt à P. J. Spener), par J.-B. NEVEUX, 1967, 934 p.

3. La correspondance de Charles Brunellière, socialiste nantais, 1880-1917, publiée par Claude WILLARD, 1968, 278 p.

4. Cent dix-neuf lettres d'Emile Guillaumin (dont 73 inédites) 1894-1951, autour du mouvement littéraire bourbonnais, éditées par Roger MATHÉ, 1969, 320 p.

5. L'adaptation des Romans courtois en Allemagne au XIIe et au XIIIe siècle, par Michel HUBY, 1968, 500 p.

6. Fénelon et la prédication, par Marguerite HAILLANT, 1969, 246 p.

7. L'acquisition des structures tonales chez l'enfant, par Michel IMBERTY, 1969, 226 p.

8. Banque et crédit en Italie au XVIIe siècle, par José-Gentil DA SILVA.
   Tome I : Les foires de change et la dépréciation monétaire, 1969, 776 p.
   Tome II : Sources et cours des changes, 1969, 296 p.

9. Lope de Vega, El Acero de Madrid. Texte établi avec une introduction et des notes par Aline BERGOUNIOUX, Jean LEMARTINEL et Gilbert ZONANA, 1971, 172 p.

10. Vulci étrusque et étrusco-romaine, par Alain HUS, 1971, 268 p.

11. Phénomène et différence. Essai sur l'ontologie de Ravaisson, par François LARUELLE, 1971, 268 p.

12. La sémantique du discontinu dans l'Allegria d'Ungaretti, par Gérard GENOT, 1972, 284 p.

13. Poly-Olbion on l'Angleterre vue par un Elisabéthain, par Alice d'HAUSSY, 1972, 188 p.

14. Une affinité littéraire : le Titan de Jean-Paul et le Docteur Faustus de Thomas Mann, par Stéphane MOSES, 1972, 144 p.

15. Le revenu agricole et la rente foncière en Basse-Normandie. Etude de croissance régionale, par Maurice LÉVY-LEBOYER et collaborateurs. Préface de E. LABROUSSE, 1972, 224 p., 62 tableaux et 18 fig.

16. Langage et métaphysique dans la philosophie anglaise contemporaine, par Pierre DUBOIS, 1972, 164 p.

17. L'homme-objet chez Colette, par Marcelle BIOLLEY-GODINO, 1972, 172 p.

18. Les langages de JARRY. Essai de Sémiotique littéraire, par Michel ARRIVÉ, 1972, 384 p.

JEAN-JACQUES BECKER

Maître Assistant à l'Université de Paris X Nanterre

LE CARNET B

Les Pouvoirs Publics
et l'Antimilitarisme avant la guerre de 1914

ÉDITIONS KLINCKSIECK
11, rue de Lille — Paris VIIe
1973

ISBN 2-252-01519-5

© Editions Klincksieck, 1973.

PRÉFACE

Que le ministre de l'Intérieur, le 1ᵉʳ août 1914 à une heure du matin — quelques heures à peine après l'assassinat de Jaurès —, ait décidé de faire confiance aux suspects dont l'arrestation devait avoir lieu en cas de mobilisation générale, et que cette initiative ait largement contribué à maintenir dans la masse de la population urbaine un climat favorable, voilà un événement qui, depuis un demi-siècle, a retenu l'attention de tous les historiens de la « grande guerre » (*). Mais qu'était donc le « carnet B » ? Une liste de 2.500 noms, dont 500 environ étaient des étrangers vivant en France. Le document a disparu ; il a été détruit en 1940. Est-il possible de remédier partiellement à cette destruction ? Monsieur J.J. BECKER s'y est employé. Il a obtenu deux résultats : retrouver la plupart des textes relatifs à la matière, et reconstituer, pour quelques départements, le contenu même du carnet.

C'est en 1886 qu'ordre avait été donné à la gendarmerie de soumettre à une surveillance étroite tous les individus qui étaient soupçonnés d'activités d'espionnage : c'étaient, le plus souvent, des étrangers qui cherchaient à entrer en relations avec des militaires. Il n'était pas question d'incarcérer préventivement ces suspects en cas de mobilisation générale. L'affaire fut reprise, en mai 1897, dans une instruction ministérielle dont le texte n'a malheureusement pas été retrouvé. C'est seulement à partir de 1909 que ces instructions deviennent fréquentes et précises : 18 février 1910, 18 septembre 1911, 1ᵉʳ novembre 1912. Elles prescrivent d'inscrire au carnet B les anti-militaristes, « partisans de l'action directe » qui pourraient tenter d'entraver la mobilisation. Elles décident que ces suspects seront mis en état d'arrestation au moment où sera décidée la mobilisation générale. Pourtant une instruction nouvelle, en novembre 1913, prévoit qu'une procédure d'enquête devra précéder la décision d'inscription, et recommande aux préfets la prudence. Pour interpréter

---

(*) La meilleure étude critique des circonstances dans lesquelles a été prise cette décision se trouve dans « *Origines du Communisme Français* » de Mme A. KRIEGEL, tome I, p. 57-58, Paris, 1964.

ces textes, M. J.J. Becker a pensé, à juste raison, qu'il était nécessaire de connaître quelle image les pouvoirs publics se formaient des activités anti-militaristes. Il a donc été amené à examiner les poursuites engagées, en 1902, contre le « Manuel du Soldat », en 1913-1914 contre l'organisation du « Sou du Soldat », et à étudier les rapports de police sur les projets de sabotage des voies ferrées ou des réseaux de transmission. Cette étude l'a conduit à se demander quelle part il convenait de faire, dans ces mouvements, au romantisme ou au verbalisme, mais aussi à étudier l'état d'esprit des militants : l'hostilité manifestée à l'égard de l'armée, parce qu'elle était, en fait, un instrument de répression des revendications sociales, ne signifiait pas le refus de participer en cas de guerre à la défense du territoire. Mais l'administration tendait à confondre anti-militarisme et anti-patriotisme.

Quant au contenu du carnet B, il est possible de s'en faire une idée assez précise par des recherches dans les Archives départementales : J.J. BECKER a recueilli, dans dix-sept dépôts, des indications fragmentaires ; dans quelques départements, il a pu retrouver tous les dossiers des inscrits. Le *Finistère* compte 98 inscrits, dont 73 sont des ouvriers de l'arsenal de Brest, et 22 avaient déjà subi des condamnations pour divers délits ; les militants anarchistes tiennent une place importante. *L'Aube* a 27 inscrits : 5 sont détenus à la prison centrale de Clairvaux ; les autres sont des ouvriers qui font une propagande anti-militariste. Les 23 inscrits du *Cher* sont des ouvriers, qui travaillent pour la plupart à la Pyrotechnique de Bourges. La *Loire-Inférieure,* où se trouvent les chantiers d'Indret, a 67 inscrits ; mais, en 1913, le préfet estime que la liste a été dressée trop légèrement et procède à de nombreuses radiations. Les dossiers montrent en somme que l'inscription au carnet B sanctionnait non pas des actes, mais de simples propos, et que pourtant l'enquête avait été faite avec soin : ce sont les cadres ouvriers du syndicalisme révolutionnaire qui avaient été surtout visés ; ni les intellectuels, ni les instituteurs n'avaient, semble-t-il, retenu l'attention de l'administration. Encore faut-il noter que cette administration ne paraît pas avoir fait grand effort pour garder le secret de ses décisions : les cas où l'intéressé connaissait son inscription au carnet n'étaient pas rares. Peut-être même était-ce un procédé d'intimidation. Telles sont les conclusions générales qui se dégagent de cette étude.

Les recherches de M. J.J. BECKER étaient difficiles, puisqu'elles portaient sur des « résidus », épars dans les dépôts d'archives. Elles ont été conduites avec une méthode très sûre, et une large curiosité d'esprit. Peut-être n'ont-elles pas épuisé le sujet, car les Archives de la Gendarmerie (si décevantes qu'elles soient pour cette période) et les archives judiciaires (rapports de synthèse des Procureurs généraux) pourront, me semble-t-il, apporter quelques renseignements complémentaires. Mais les résultats acquis sont importants. Les interprétations, bien que je ne les partage pas toutes, m'ont toujours paru intéressantes. Ce livre neuf et original mérite, sans nul doute, l'attention des historiens.

Pierre RENOUVIN.

AVANT-PROPOS

Il est bien rare de consulter un ouvrage sur les débuts de la guerre de 1914 sans y trouver une allusion au « fameux Carnet B » ; et puis on s'en tient là, sauf à ajouter que les arrestations prévues n'eurent pas lieu. Ce manque apparent de curiosité n'implique pas une méconnaissance de l'intérêt de la question, surtout lorsqu'il s'agit de spécialistes de l'histoire ouvrière, mais seulement un défaut d'informations.

L'étude du « Carnet B » a été en effet entravée par plusieurs types de difficultés. La réglementation française sur la communication des archives publiques devient particulièrement contraignante lorsque le sujet intéresse la Défense nationale et que de surplus il risque de mettre en cause les personnes. La recherche de la documentation rencontre donc des réticences semblables à celles qui ont longtemps empêché l'analyse des mutineries de 1917 (*). Une seconde difficulté à surmonter est celle de la dérision : « le Carnet B », cela n'a jamais été sérieux. Ce sont les policiers qui ont monté de toutes pièces cette machine à faire peur, composant avec la plus parfaite fantaisie des listes de soi-disant suspects, afin de complaire aux autorités supérieures.

Sujet « tabou » ou dérisoire, faire entrer le « Carnet B » dans l'histoire pouvait paraître hasardeux. Il nous a semblé pourtant que l'enjeu était d'importance, car, le « Carnet B » est moins lui-même en cause que l'attitude des pouvoirs publics face à un phénomène dont on ne sait trop s'il fut seulement un courant d'opinion ou aussi un courant d'action, l'antimilitarisme avant la guerre de 1914 ; le « Carnet B » en est seulement le symbole.

Mais le principal obstacle à cette entreprise risquait d'être la disparition des sources : il est apparu cependant qu'avec un peu de

---

(*) Le refus de certains préfets d'autoriser les directeurs des services départementaux d'archives à nous communiquer les dossiers du « Carnet B » est un témoignage de ce que nous avançons ici. Ajoutons qu'existe une tendance à identifier l'historien à ses « héros », ce qui dans ce cas provoque quelques craintes sur l'usage qu'il pourrait faire des renseignements recueillis.

persévérance, et beaucoup de complaisance de la part des directeurs des services départementaux d'archives, il était possible de glaner une partie des documents qui dormaient et dont d'autres doivent encore dormir dans les dépôts provinciaux.

Au moment de publier le résultat de nos recherches, il nous faut tout particulièrement remercier M. Jacques DROZ qui les a dirigées avec tant de bienveillance, Mme Annie KRIEGEL qui en fut l'inspiratrice, M. Pierre RENOUVIN qui nous a fait l'honneur de les préfacer et l'Université de Nanterre qui en a rendu possible l'édition.

PRINCIPAUX SIGLES ET ABRÉVIATIONS UTILISÉS

A.N.   Archives Nationales

A.D.   Archives Départementales

A.M.   Archives Militaires

C.A.   Commission administrative

C.E.   Commission exécutive

c-r.   compte-rendu

C. Sp.   Commissaire spécial

C. pol.   Commissaire de police

C.G.T.   Confédération Générale du Travail

J.O.   Journal Officiel

P.P.   Préfecture de police.

INTRODUCTION

Dans les jours précédant la guerre de 1914, les milieux gouvernementaux et les milieux ouvriers sont également agités par l'existence d'un document plus ou moins mystérieux, le « Carnet B ».

Comment en était-on arrivé à cette situation étonnante que dans le cas d'une guerre européenne, l'arrestation préventive d'un certain nombre de Français inscrits à ce Carnet semblait indispensable ? Etait-ce l'expression d'une nation coupée en deux, d'un divorce entre les classes dirigeantes et le mouvement ouvrier, entre l'armée, c'est-à-dire les officiers, et les travailleurs qui devaient justement être une partie des soldats de cette armée ? Une guerre extérieure risquait-elle, en France, de se confondre avec une guerre civile ?

Il y avait longtemps que, sous la douceur de vivre de la « Belle Epoque », une guerre tantôt sournoise, tantôt ouverte, était déclarée entre ceux dont le métier était de se préparer à la guerre et ceux qui entendaient, le cas échéant, s'y opposer. Comment et pourquoi ?

Les relations entre la France et son armée, entre les Français et l'institution militaire donnent une première explication.

Au XIXe siècle, jusqu'aux réformes provoquées par la défaite de 1870, l'armée composée en majeure partie de professionnels formait un corps, sinon étranger à la nation, du moins fortement original.

La loi de 1873, en établissant le principe du service militaire pour tous, même si subsistaient des privilèges et des dispenses, provoqua de profonds changements : depuis cette époque, l'armée est dans sa masse composée d'anciens civils qui vont bientôt le redevenir et qui, de ce fait, n'ont pas leur avenir lié à celui de l'institution militaire.

Pendant en gros vingt ans, l'armée connaît dans l'opinion publique une extrême popularité. La ferveur populaire à son égard est très vive et, lors de la revue du 14 juillet 1886, l'enthousiasme qui salue le Général

Boulanger s'adresse tout autant à l'armée qu'il symbolise qu'à la personne du ministre de la Guerre. L'esprit cocardier, voire chauvin, n'a jamais été plus vif.

Mais déjà se dessine une évolution défavorable : le souvenir de 1870 s'estompe, la « Revanche » paraît plus aléatoire, les servitudes de la vie militaire sont lourdes, surtout aux enfants de la bourgeoisie, lorsque les justifications de ces sacrifices paraissent moins claires ou moins péremptoires, d'autant plus que les officiers installés dans la carrière militaire, recrutés maintenant sur concours, sont de plus en plus loin de leurs hommes, ces pseudo-civils pour qui ils n'ont qu'une médiocre considération. Comme le dit excellement, Raoul GIRARDET (1) :

« Si l'Armée demeure toujours dans les dernières années du XIXᵉ siècle, au premier plan des préoccupations françaises, ce n'est plus comme élément majeur d'union et de cohésion, mais au contraire comme l'un des facteurs suprêmes de division et de discorde. C'est autour d'elle que se produit une cassure définitive de la conscience française, autour d'elle que deux France ennemies se dressent avec violence l'une contre l'autre... »

L'Affaire Dreyfus traduit ce nouveau climat. D'un côté chez les nationalistes une exaltation sans mesure de l'armée, considérée de plus en plus comme le dernier rempart de l'ordre social, de l'autre les attaques les plus vives contre les institutions militaires.

Il n'est pas de notre propos d'étudier l'antimilitarisme en lui-même, ce qui excéderait les limites du sujet que nous nous sommes proposés. Il est possible cependant d'essayer de le caractériser en quelques mots, nous reportant ici encore pour l'essentiel aux indications formulées par R. GIRARDET qui distingue de 1890 à 1914, trois courants antimilitaristes.

Le premier eût surtout une forme littéraire : Abel HERMANT publie en 1887 « Le cavalier Miserey », qui fût suivi bientôt des « Sous-Offs » (2) de Lucien DESCAVES. Le thème central de cet ouvrage est la dégradation morale provoquée par la caserne. Il s'agit en bref du

---

(1) GIRARDET Raoul : *La Société militaire dans la France contemporaine* (1815-1939). Paris, Plon, 1953, 330 p., p. 194.

(2) Dédicace des « Sous-off. » (1889)
            « A TOUS CEUX
            « dont la PATRIE prend le sang
            « non pour le verser, mais pour le soumettre
            « dans l'obscure paix des chais militaires,
            « aux tares du mouillage et de la sophistication
            « Je dédie
            « ces analyses de laboratoire. »
Paris, Tresse et Stock, 1889, in 16ᵉ, 522 pages.

refus de la vie militaire par des milieux intellectuels issus de la bourgeoisie. Ce courant est issu à la fois de l'établissement du service militaire obligatoire et de l'affaiblissement du sentiment patriotique. Comme l'écrit Rémy DE GOURMONT (3) :

> « Le jour viendra peut-être où l'on nous enverra à la frontière, nous irons sans enthousiasme ; ce sera notre tour de nous faire tuer, mais nous nous ferons tuer avec un réel déplaisir. »

Une deuxième vague d'antimilitarisme est de nature assez différente : elle est l'héritière de l'idéologie humanitaire qui s'était développée à la fin du Second Empire. La guerre doit faire place aux idées de fraternité universelle, de rapprochement entre les peuples. Au demeurant la vie de caserne est un fléau social qui favorise entre autres les progrès de l'alcoolisme et des maladies vénériennes. L'originalité de cette deuxième vague est d'être liée au développement du socialisme qui lui donne sa base sociale et politique. Jaurès devait en être le plus éloquent porte-parole : sans rejeter tous les types de guerre, en acceptant par exemple l'éventualité d'une guerre de Défense nationale, il se déclare partisan de la suppression des armées permanentes auxquelles il entend substituer les « milices ».

La troisième vague prend le relai et se superpose à la seconde : elle et plus systématiquement et plus radicalement antimilitariste en ce sens qu'elle s'attaque à l'armée comme principe de la société bourgeoise et en considère la destruction comme nécessaire à l'écrasement de cette société.

> « L'antimilitarisme est né le jour où le gouvernement a méconnu la neutralité qui s'imposait à lui et a amené dans les grèves l'armée pour protéger les exigences capitalistes. Les soldats doivent dans ce cas refuser leurs services à ceux qui les commandent » :

le commissaire de police a relevé ces propos dans un discours prononcé en 1909 à la Bourse du Travail d'Angers, par Léon JOUHAUX, bientôt secrétaire général de la C.G.T.

Définition intéressante parce qu'elle donne à l'antimilitarisme une signification particulière : celui-ci n'est qu'une des formes de la lutte des classes et la forme la plus spécifiquement ouvrière. En fait l'antimilitarisme marié à l'antipatriotisme a été une formule complexe aux dosages variés et fluctuants, où sont mêlées la haine qu'a suscitée dans une partie de l'opinion la caste militaire identifiée, lors de l'Affaire Dreyfus, à

---

(3) *Mercure de France*, 1891.
(4) A.N. F 7 13961.

l'esprit le plus conservateur, la haine du capitalisme sur le plan intérieur parce qu'il utilise l'armée pour défendre ses privilèges contre les revendications ouvrières, la haine du capitalisme sur le plan extérieur parce qu'il suscite des impérialismes dont les rivalités risquent de provoquer une guerre européenne, la haine de la guerre enfin hissée à une dimension presque métaphysique.

Cette complexité explique que ce troisième courant puisse à son tour être subdivisé dans le temps : Jacques JULLIARD distingue trois périodes (5).

De 1900 à 1906, un antimilitarisme corporatif traduit l'hostilité des milieux syndicaux à une armée qui était utilisée couramment pour briser les grèves ; puis, de 1906 à 1909, l'antimilitarisme devient « total » : la C.G.T. est particulièrement influencée par George YVETOT qui cumule le secrétariat de « l'Association Internationale Antimilitariste » et de la Fédération des Bourses, ainsi que par l'action de Gustave HERVÉ, de ses amis (Almereyda) et de son journal, *La Guerre Sociale ;* dès lors, l'antimilitarisme se trouvait étroitement lié à l'antipatriotisme : les révolutionnaires devaient répondre à une déclaration de guerre par une déclaration de grève générale révolutionnaire : c'est la période « insurrectionnelle ». Mais de 1909 à 1914, on assiste à une « rectification de tir ». Sans renier les propos et les motions antérieures, les dirigeants de la C.G.T., tout en conservant une grande vigueur dans la forme, manifestent plus de modération dans le fond et ne parlent plus que d'une action « spontanée » en cas de guerre.

Ces divisions et subdivisions sont évidemment trop rigides pour être prises au pied de la lettre ; au risque d'un certain schématisme, on peut cependant retenir, que le premier courant antimilitariste fut bourgeois ou petit-bourgeois et intellectuel, que le second fut plus pacifiste qu'antimilitariste et le troisième aussi vigoureusement antimilitariste qu'antipatriotique, avec cependant des nuances suivant les périodes. Mais les deux derniers courants ont en commun d'être à peu près contemporains et de reposer sur des assises populaires par l'intermédiaire du socialisme et du syndicalisme (6), tout au moins du syndicalisme révolutionnaire. Il ne s'agit donc plus de manifestations assez isolées d'intellectuels « décadents » chez qui l'antimilitarisme peut être assimilé

---

(5) Jacques JULLIARD. La C.G.T. devant le problème de la guerre (1900-1914). *Mouvement social,* n° 49, oct.-déc. 1964.

(6) On peut déterminer l'influence géographique et corporative du courant « syndicaliste ». Si le Nord fut peu influencé, les grands ports militaires — Brest, Toulon —, la Bretagne, le Centre autour du département du Cher, la région Lyon-Saint-Etienne, le Midi méditerranéen, de même que les Fédérations du Bâtiment et du Livre y furent assez sensibles. (Cf. Julliard, art. cit.).

à une certaine volonté d'originalité, à un « snobisme » en quelque sorte, mais d'un mouvement susceptible d'entraîner de larges couches de la population française ; il rejoint une ligne de transition de la société, prolétariat d'un côté, bourgeoisie de l'autre.

On conçoit dans ces conditions qu'à partir des premières années de ce siècle les pouvoirs publics s'en fussent sérieusement préoccupées.

PREMIÈRE PARTIE

L'ANTIMILITARISME
VU PAR LES POUVOIRS PUBLICS

L'intérêt porté par les pouvoirs publics à l'antimilitarisme peut se mesurer au poids des dossiers conservé dans les dépôts des archives nationales et départementales. Sans en faire une étude exhaustive, il est possible d'en dégager non pas forcément ce que fut l'antimilitarisme, mais comment l'administration le voyait, quels dangers elle en pressentait.

Dans les années précédant la guerre de 1914, plusieurs notes de synthèse ont été établies : nous avons retrouvé la trace de trois d'entre elles, « l'antimilitarisme et l'antipatriotisme en France », « la propagande révolutionnaire dans l'Armée, le Sou du Soldat » et « les projets de sabotage de la mobilisation » (1). Nous possédons le texte des deux derniers documents — en plusieurs exemplaires, dans des versions quelquefois légèrement différentes —. Par contre nous n'avons pas pu retrouver le premier sur « l'antimilitarisme et l'antipatriotisme », ce qui n'est d'ailleurs pas trop grave dans la mesure où l'on peut estimer qu'il devait largement recouper les deux autres.

Ces documents nous ont paru utiles pour analyser la conception que les pouvoirs publics se faisaient de l'antimilitarisme. Il est naturel que leur point de vue fut exactement inverse de celui des antimilitaristes. Ceux-ci se plaçaient, en premier lieu, sur le plan des idées : pour modifier les structures de la société, il leur fallait d'abord convaincre les masses populaires de la nocivité de l'Armée, qui instrument d'oppression sur le plan intérieur, risquait d'être, sur le plan international, cause de conflits. Pour les pouvoirs publics, la légitimité de tel ou tel point de vue n'entrait pas en ligne de compte, il s'agissait seulement de faits. Dans quelle mesure la propagande révolutionnaire était-elle susceptible d'entraver l'action de l'armée en cas de guerre, d'empêcher le pays de se défendre ?

Or cette propagande s'est manifestée de plusieurs façons, par la constitution d'une organisation d'esprit antimilitariste s'adressant particulièrement aux jeunes soldats, par la préparation matérielle d'un sabotage

(1) A.N. F 7 12911, 13348, 13065, 13333.

d'une éventuelle mobilisation, ou encore par la diffusion de brochures poussant à l'insoumission, à la désertion, ou mettant à la disposition de tous des recettes pratiques de sabotage.

Le deuxième souci des pouvoirs publics fut de mettre un frein aux manifestations de l'antimilitarisme : nous avons voulu également montrer cette préoccupation constante des services nationaux de la police et des administrations locales d'être renseignés sur l'antimilitarisme et de l'endiguer.

Chapitre premier

LE SOU DU SOLDAT

L'administration a vu dans le « Sou du Soldat » l'un des agents principaux de la propagande antimilitariste auprès des jeunes soldats.

Nous possédons sur cette question un rapport d'ensemble, mais en deux versions différentes : la première est une note de synthèse de 27 pages dactylographiées, datée du 3 janvier 1912 et intitulée « *La propagande révolutionnaire dans l'armée, le Sou du Soldat* » (1), la seconde (2) qui recouvre d'ailleurs largement la première, comporte 43 pages, mais s'étend sur une plus longue période puisqu'elle est datée du 1ᵉʳ septembre 1912. Intitulée « *Une œuvre de la C.G.T., le Sou du Soldat* », il est précisé qu'elle était destinée à la direction de la Sûreté générale.

Ces deux notes décrivent successivement les origines, les différentes phases du développement, l'évolution du Sou du Soldat, puis les mesures répressives prises à son égard.

LES ORIGINES ET LES DÉBUTS DU SOU DU SOLDAT

L'Eglise catholique eut la première l'idée de maintenir le contact pendant le service militaire avec ses jeunes fidèles appelés sous les drapeaux. Les soldats étaient invités à passer leurs heures de détente dans des « cercles catholiques » où ils trouvaient réconfort spirituel et aussi papier, timbres ou petites sommes d'argent. Les fonds nécessaires étaient rassemblés dans une caisse dénommée « Sou du Soldat ».

La C.G.T. allait bientôt s'employer à imiter cet exemple. Par l'intermédiaire de ses Bourses du Travail, elle entendait, elle aussi, ne pas

---

(1) A.N. F 7 12911.
(2) A.N. F 7 13333.

se désintéresser de ses jeunes adhérents partis au service militaire. Le congrès de la C.G.T., tenu à Paris, en septembre 1900, décida d'éviter aux soldats

« les souffrances de l'isolement et l'influence démoralisante du régiment (3). »

Comment opérer ? Chaque travailleur syndiqué fut invité à verser une cotisation d'un sou dans une caisse destinée à venir en aide aux soldats : c'est le « Sou du Soldat », qui devait être la base matérielle de cet effort de solidarité. Ainsi on pensait éviter que le jeune soldat rompe tout lien avec ses camarades de la veille et

« qu'absorbé par les inutiles autant qu'absurdes exercices militaires, il désapprenne son métier, perde le goût du travail... (4) »

De la sorte le camarade qui avait

« le malheur d'aller au régiment ne risquerait pas de commettre le crime de lever contre ses frères de travail l'arme que lui (avaient) confiée ses ennemis de classe (5). »

Donc une œuvre de solidarité, mais les considérants qui l'entouraient lui donnaient une tonalité particulière.

C'est à la veille du départ de la classe 1900 que la C.G.T. lança un appel aux organisations ouvrières pour que le Sou du Soldat entrât dans les faits.

Parallèlement, le Congrès de la Fédération des Métiers, réuni à Lyon en septembre 1901, déclara qu'il fallait attirer les soldats à la C.G.T. par tous les moyens ; diverses organisations firent alors connaître qu'elles avaient déjà institué une Caisse du Sou du Soldat. Elles envoyaient à leurs anciens syndiqués une petite somme d'argent accompagnée d'une lettre, telle la Chambre syndicale des ouvriers en instruments de précision. Le délégué de la Chambre syndicale du Bronze souhaita même l'organisation d'une caisse de résistance pour soutenir les insoumis.

Mais ces premiers résultats n'étaient que de modestes débuts.

L'affaire allait être prise en main par celui qui, jusqu'en... août 1914, fut le plus fougueux des antimilitaristes à la direction de la C.G.T., le

---

(3) Extrait de la proposition d'ordre du jour des syndicats de Besançon.
(4) Extrait de l'appel lancé par la C.G.T. à la veille du départ de la classe 1900 (Appendice A. 1).
(5) *Ibid.*

bouillant Georges YVETOT (6). Celui-ci adresse en 1902 une circulaire aux secrétaires des Bourses du Travail, pour qu'ils invitent les soldats et leur organisent, par exemple, de petits spectacles.

Sans doute y a-t-il le risque que l'on interdise aux soldats l'accès des Bourses du Travail : le général André, ministre de la Guerre, adresse d'ailleurs une lettre confidentielle au gouverneur militaire de Paris pour qu'il s'oppose à ces initiatives. Mais ne doutant pas de sa force, Yvetot promet d'organiser l'agitation nécessaire pour qu'il n'y ait pas deux poids, deux mesures et que l'accès aux Bourses ne soit pas interdit quand on autorise ou encourage l'accès des Eglises, l'assistance aux offices religieux.

Au fil des années la C.G.T. continue à se préoccuper du Sou du Soldat : la question est à l'ordre du jour des congrès de Bourges (1904), d'Amiens (1906), de Marseille (1908), mais en l'englobant dans les questions plus vastes de l'antimilitarisme, puis de l'antipatriotisme. L'antimilitarisme de la C.G.T. va d'ailleurs se renforcer dans la mesure où, avec l'arrivée de Clemenceau au pouvoir, les rapports se tendent entre les syndicats et le gouvernement et où l'armée est de plus en plus souvent engagée dans les conflits sociaux (7). D'où de véritables appels à l'indiscipline : un soldat du 100ᵉ R.I. reçoit une circulaire du Syndicat parisien des maçons :

« Nous espérons que jamais vous ne deviendrez les assassins de vos frères de misère (décembre 1908) » ;

plus précise encore cette consigne du Syndicat des Transports de Paris à un soldat du 29ᵉ Régiment d'Artillerie :

« Dans aucun cas, vous ne devez tirer sur les grévistes. »

Au congrès de Toulouse en 1910, Jouhaux fait adopter à l'unanimité un ordre du jour constatant que

« l'armée tend de plus en plus à remplacer à l'usine, aux champs, à l'atelier

---

(6) Ce fils de gendarme, typographe de son métier, anarchiste, fut le successeur de PELLOUTIER au secrétariat de la Fédération des Bourses, c'est-à-dire qu'il figurait à la deuxième place de la hiérarchie de la C.G.T. Il y resta de 1901 à 1918 et se spécialisa dans l'action antimilitariste. Il fut également en 1904 l'un des secrétaires de l'Association Internationale Antimilitariste.

(7) Les soldats sont d'autant plus utilisés qu'il n'existe pas, à l'époque, de forces suffisantes de police supplétive.
Bilan pour 1907 · 9 morts, 167 blessés
Bilan pour 1908 : 10 morts, 5 à 600 blessés.
Cf. R. GIRARDET, op. cit., p. 234.

le travailleur en grève, quand elle n'a pas pour rôle que de fusiller comme à Narbonne, Raon-l'Etape et Villeneuve-Saint-Georges (8) »

et invite une fois de plus — ce qui semble indiquer que les précédents appels n'ont guère été entendus — à intensifier la propagande auprès des jeunes. De même la C.G.T. rappelle la célèbre formule de l'Internationale : « Les Travailleurs n'ont pas de Patrie ».

Mais d'aucuns craignent que cet ordre du jour ne vienne que s'ajouter aux nombreux autres qui l'ont précédé et Péricat, secrétaire du Syndicat du Bâtiment, fait décider qu'on ne saurait

« s'arrêter à un ordre du jour platonique et qu'il est indispensable d'organiser la propagande antimilitariste pratiquement et méthodiquement. »

Or pour cette propagande, le « Sou du Soldat » peut être une arme de choix.

La relance du Sou du Soldat

En mai et décembre 1911, deux circulaires d'Yvetot invitent les Bourses du Travail à donner une nouvelle activité au Sou du Soldat. Il faut poursuivre malgré les persécutions :

« Ce ne sont pas les mesures arbitraires du gouvernement actuel qui doivent nous faire abandonner l'œuvre commencée. Elle est trop belle, trop efficace. Camarades, continuez-là ! »

Ces efforts ne sont pas sans résultats : la Sûreté générale enregistre des manifestations du Sou du Soldat de plus en plus nombreuses. Ainsi au mois de janvier 1911, la Bourse du Travail de Bourges, particulièrement active, adresse un mandat de 5 francs à ses adhérents, accompagné de ses souhaits :

« Je ne veux pas te dire souhaits de bonne année, car je sais trop le bonheur que l'on peut avoir dans le vilain métier que tu es obligé de supporter... »

« ...Les souhaits les meilleurs que nous pouvons avoir pour toi sont de rester malgré ta livrée un « travailleur conscient »,

---

(8) Plusieurs collisions sanglantes se produisirent pendant le gouvernement Clemenceau (1906-1909) : en 1907, à Narbonne lors du mouvement viticole (1 mort) et à Raon-l'Etape (Vosges) au cours de la grève des chaussonniers de l'usine Amos (2 morts et 30 blessés) ; en 1908, pendant la grève des terrassiers à Draveil, Vigneux, Villeneuve-Saint-Georges (6 morts et de nombreux blessés).

écrit Pierre Hervier, le secrétaire général de la Bourse du Travail. Et il ajoute :

« Si quelquefois dans le courant de l'année que nous allons commencer, il t'était donné d'aller sur le champ de grève et de te trouver en face de camarades désarmés et en révolte contre les affameurs, tu sais sans doute ce que doit te dicter ta conscience... »

A quoi, Batas, le secrétaire de la Bourse du Travail de Saint-Malo fait écho, à l'occasion du 1er mai :

« Nous tenons à vous rappeler que vous êtes soldat aujourd'hui, ouvrier demain : nous voulons dans votre milieu continuer votre éducation, afin qu'en sortant vous soyez plus aguerri pour continuer la lutte un instant interrompue.

Camarades, faites de la propagande syndicale autour de vous... Faites œuvre de bon syndiqué et d'ouvrier conscient... »

De nombreuses Bourses du Travail possèdent maintenant leur Caisse du Sou du Soldat (9). De nombreux syndicats également maintiennent les contacts avec leurs adhérents.

Les poursuites contre le Syndicat de la « Pierre »

Dans la mesure où l'action syndicale gagne en profondeur, l'autorité militaire tente de réagir, mais les Parquets refusent de poursuivre parce que la provocation à la désobéissance n'est pas directe ; il s'agit seulement de considérations générales. Un Conseil de Cabinet en juin 1911 se préoccupe de l'affaire et se range aux mêmes vues en ce qui concerne l'application de la loi de 1881. Par contre une loi de 1894 (10) est utilisable et permet en juillet de perquisitionner au siège de la Chambre syndicale de la Maçonnerie de la Pierre, puis de poursuivre trois dirigeants de ce syndicat.

Pourquoi la Chambre syndicale de la Maçonnerie et de la Pierre et parties similaires du département de la Seine fut-elle la première visée ?

---

(9) Les Bourses du Travail suivantes étaient connues pour posséder une Caisse du Sou du Soldat :
Auxerre, Bourges, Dun-sur-Auron, Fougères, La Guerche (Cher), Lorient, Mehun-sur-Yèvre, Niort, Rennes, Saint-Amand, Saint-Nazaire, Vierzon, Marseille.
Il est à noter que les 6 Bourses du Travail du Cher figurent sur cette liste.

(10) Une des lois dites « scélérates » votées à la suite de la vague d'attentats anarchistes.

Ce syndicat, créé en 1904 (11) par la fusion de 9 organisations assez semblables, a connu une progression spectaculaire de ses effectifs : 4 à 500 membres en 1905, 8000 en 1907, 15000 en 1912. Longtemps, il n'avait pas déféré aux obligations de la loi de 1884 sur la composition de son conseil syndical. C'est seulement depuis 1909, que de temps à autre, il avait fait quelques déclarations comme, par exemple, en 1910, où il avait indiqué que Viau (12) était son secrétaire.

Dès sa création en 1908, la Chambre syndicale de la Maçonnerie adhère à la Fédération nationale du Bâtiment et elle s'y montre à l'avant-garde par sa combativité révolutionnaire. Elle organise de nombreux mouvements revendicatifs pour la journée de 9 heures, pour la suppression des tâcherons, pour l'augmentation des salaires, ainsi que de nombreuses grèves dont une de 42 jours en 1906. Ces grèves sont menées avec violence ; les grévistes emploient la « chaussette à clous », la « machine à bosseler » (13), la « chasse au renard ».

Cette vigueur dans l'action syndicale se manifeste également dans l'antimilitarisme. Peu de syndicats ont suivi aussi sérieusement les consignes de la C.G.T. au sujet du Sou du Soldat. Au 1er janvier et au 1er mai, une somme de cinq ou dix francs est envoyée aux syndiqués soldats, accompagnée d'une lettre particulièrement virulente.

1909 : « le 1er mai 1909, la Chambre syndicale, en cellule consciente du prolétariat, s'apprête à manifester à la face du monde patronal, bourgeois et capitaliste, les sentiments revendicatifs qui animent ses membres.

A cette occasion, elle pense aux camarades revêtus contre leur gré de la livrée militaire et leur rappelle que l'uniforme, dont ils sont affublés, porte le stigmate de l'assassinat d'ouvriers coupables d'avoir voulu une atténuation de l'exploitation de l'homme par l'homme.

Camarade, la Chambre syndicale vous sait, malgré les leçons journalières des Valets Galonnés du Capital, incapables de tirer sur vos frères de misère de toutes contrées, de toutes frontières...

---

(11) A.N. F 7 13333 M/ 6568.

(12) Pierre VIAU, syndicaliste-révolutionnaire, secrétaire du Syndicat parisien des maçons, considéré comme un des antimilitaristes les plus en vue de la C.G.T. Il fut l'un des 18 jugés au procès du Sou du Soldat (cf. p. 46). Il figurait sur la liste établie par la police des principaux révolutionnaires de Paris (A.N. F 7 13053).

(13) Ces termes ont été souvent employés dans la presse sans que l'on en précise le sens. Voici ce que Georges DUMOULIN, *Carnets de route*, Lille, Editions de l'Avenir (S.O.), in-8, 320 p., p. 52, en dit :
« J'ai vu manœuvrer la chaussette à clous et la machine à bosseler. On a dit beaucoup de sottises à ce sujet dans la presse de la bourgeoisie. Ce que les terrassiers appellent la chaussette à clous, c'étaient tout simplement les brodequins qu'ils portaient aux pieds, et ce qu'ils appelaient la machine à bosseler, c'étaient leurs poings vigoureux... »

Elle compte... que vous l'aiderez dans votre milieu à faire disparaître dans les cerveaux les préjugés enracinés par des siècles d'enseignement bourgeois et de servitude capitaliste... »

1911 : « Pour tous les exploités conscients, le 1ᵉʳ mai symbolise l'affirmation des révoltés du prolétariat dirigés vers la conquête de leur émancipation.

Hier tu fus à nos côtés pour crier tes souffrances, anathématisant les exploiteurs impudents dont les lois arbitraires faisaient de toi un révolté.

Aujourd'hui par les mêmes lois, nos maîtres t'imposent la garde de leurs privilèges, t'arment pour cette défense.

L'acte criminel qu'ils attendent de toi ne peut s'accomplir, ta raison s'y oppose. Nous avons confiance en toi. Mais à tes côtés, parmi tes camarades soldats, combien en est-il dont l'ignorance voulue peut faire des instruments de crimes de leurs propres frères ou pères, de leurs camarades de la veille ?

C'est à cette éducation que nous te convions, en faisant comprendre à ces exploités comme nous de quel côté sont leurs véritables intérêts, où se trouve leur véritable famille.

Une somme de 10 francs est mise à ta disposition pour te faciliter les moyens de propagande.

D'autres syndiqués soldats sont dans la même garnison. Par un échange de vues, d'idées, des avantages réciproques pourraient être acquis à la cause, ainsi que par la fréquentation de la Bourse du Travail... »

En frappant ce syndicat, les autorités peuvent donc penser faire un exemple salutaire tout en rencontrant une résistance amoindrie, car en 1911, le syndicat est en perte de vitesse. En effet les patrons se sont organisés contre un groupement trop actif, ont utilisé le lock-out et le chômage et provoqué ainsi des flottements parmi les ouvriers : les « démolisseurs » et les « maçons limousinants » ont quitté le syndicat.

Les perquisitions révèlent que les bénéficiaires de la Caisse du Sou du Soldat étaient plus de 500 pour ce seul syndicat. Quant aux arrestations, elles provoquent d'autant plus de colère qu'elles ont été prises en vertu des « lois scélérates » édictées naguère lors de la vague d'attentats anarchistes. La Chambre syndicale de la Maçonnerie ne mâche pas ses mots :

« L'accusation (dont nos militants sont l'objet) déclare qu'ils ont commis le crime immense de mettre la France au bord de l'abîme ; la patrie est loupée, les généraux n'auront plus d'autorité ; ...Biribi chômera de victimes ; les chaouchs ne pourront plus faire succomber sous leurs coups ceux qui ne se prêteront plus de bonne grâce à toutes leurs exigences de brutes alcooliques. Il n'y aura plus d'inconscients qui, affublés de la livrée militaire, se feront les chiens de garde du capital et enverront du plomb dans le ventre de ceux qui réclament du pain, qui éventreront femmes, vieillards, enfants, clamant leur misère, plus d'infamie dans les rangs de travailleurs qu'ils oppriment. Et tout cela parce que nous pratiquons le Sou du Soldat... » (août 1911)

Les maçons sont soutenus dans leur protestation par de nombreux syndicats : dans la seule région parisienne, 41 syndicats font connaître qu'ils ont une Caisse du Sou du Soldat et réclament des poursuites, 13 à Bordeaux et d'autres aussi à Lyon, Marseille, Saint-Etienne, Toulon... (14).

De son côté sur le plan national, la C.G.T. organise deux grandes tournées de conférences à travers la France. Le jour du procès des trois

---

(14) La liste de ces syndicats s'établit ainsi (cf. A.N. F 7 13333) :

Région parisienne :
Syndicat du Bijou
    des Boulangers
    Briqueteurs
    Casquettiers
    Chapeliers
    Charcutiers
    Charpentiers en bois
    Charpentiers en fer
    Cimentiers
    Cochers-Chauffeurs
    Coiffeurs
    Coloristes-Enlumineurs
    Diamantaires
    Déménageurs
    Ebénistes
    Employés-Voyageurs
    Ferblantiers
    Gaziers
    Habillement
    Instituteurs et Institutrices
    libres
    Instruments de précision
    Jardiniers
    Mécaniciens
    Menuisiers
    Métaux
    Non-gradés des Hôpitaux
    Passementiers
    Préparateurs
    en pharmacie
    Peintres
    Plombiers
    Polisseurs-nickeleurs
    Potiers d'étain
    Presses typographiques
Association générale des agents des P.T.T.

Syndicat des Serruriers
    Stucateurs
    Tailleurs de pierre
    Tourneurs-robinettiers
    Tisseurs
    Typographes
Syndicat de la Voiture

Bordeaux :
Syndicat de l'Ameublement
    des Bois Merrains
    Camionneurs
    Coiffeurs
    Cordonniers
    Ebénistes
    Garçons
    de magasins-livreurs
    Marchands ambulants
    Mécaniciens
    Ouvriers du port
    Terrassiers
    Tonneliers
Syndicat de la Voiture

Lyon :
Syndicat des Coiffeurs
    de la Métallurgie
    des Ouvrières
    et Ouvriers fourreurs

Marseille :
Syndicat du Bâtiment
    des Mouleurs-noyauteurs
    des Marins

Saint-Etienne :
Syndicat des Maçons et aides-maçons
    de la Métallurgie

Toulon :
Syndicat des Ouvriers du Port.

dirigeants des maçons, Viau, Baritaud et Dumont (15), 12000 personnes manifestent aux abords du Palais de Justice, le procès est renvoyé, mais les trois hommes sont finalement condamnés à 6 mois de prison le 19 janvier 1912 ; deux jours plus tard, 10000 personnes manifestent encore en leur faveur (16).

La réaction gouvernementale n'a d'ailleurs pas arrêté l'effort de la C.G.T. En témoigne, par exemple, une circulaire du Syndicat des Mineurs de la Ricamarie en septembre 1911 ; elle appelle les jeunes gens à adhérer au syndicat avant leur départ au régiment pour pouvoir profiter du Sou du Soldat (cf. Appendice A 2). De plus elle entreprend de donner davantage d'efficacité à l'œuvre en en confiant l'organisation non plus aux syndicats locaux et aux Bourses du Travail, mais aux fédérations de Métier ou d'Industrie. Ceci, pour mettre à l'abri les Bourses qui sont souvent subventionnées par les Municipalités !

Ce mot d'ordre, trois fédérations nationales (17) l'appliquent rapidement : celles de la Métallurgie, des Transports par voie ferrée, du Bâtiment.

La première le décide à son Congrès de Paris en août 1911 : une Commission est désignée pour établir les statuts de cette Caisse fédérale. Une brochure est rédigée. Elle est bien gardée, puisque les services de police avouent n'avoir pu s'en procurer qu'un seul exemplaire. Cette brochure confidentielle donne des conseils de prudence quant à l'utilisation du Sou du Soldat. Il s'agit de lui donner une apparence « respectable », même s'il doit rester un élément fondamental de l'action antimilitariste. LENOIR, qui est en même temps secrétaire de la Fédération nationale des Métallurgistes et secrétaire-adjoint de la C.G.T. (18) écrit dans la *Voix du Peuple* du 9 septembre :

« Le Congrès a donné son sentiment antimilitariste et sa haine pour les forces d'oppression dont dispose la classe capitaliste et dirigeante »,

et dans la *Bataille Syndicaliste* du 22 octobre :

---

(15) Si Baritaud ne figure pas sur la liste des principaux révolutionnaires de Paris, on y trouve par contre Ferdinand DUMONT, journalier, né en 1879 à Paris, syndicaliste-révolutionnaire, secrétaire du Syndicat parisien de la Maçonnerie et de la Pierre, membre de la C.E. de l'Union des Syndicats de la Seine. Arrêté au titre du Sou du Soldat en 1911, il ne fut cependant pas inclu dans le procès. (A.N. F 7 13053). Il était inscrit au Carnet B.

(16) Ces chiffres sont ceux indiqués par les services de police. (A.N. F 7 13333).

(17) A.N. F 7 13333, M/6643, 17 mai 1912.

(18) Raoul LENOIR, né en 1872 dans la Somme, ouvrier-mouleur. Il était secrétaire-adjoint de la C.G.T. au titre des Bourses du Travail. (A.N. F 7 13053).

« S'il a affirmé son sentiment antimilitariste, le Congrès a su matérialiser sa pensée et son désir en consentant l'effort pécuniaire qui permettra à la Fédération des Métaux de généraliser dans ses 250 syndicats le fonctionnement des Caisses du Sou du Soldat. »

D'ailleurs, certains métallurgistes estiment que l'action gouvernementale n'est pas toujours défavorable au progrès de l'antimilitarisme : c'est l'avis du délégué de Saint-Etienne, RASCLE (19). Il affirme que ce sont les soldats, placés dans les usines de Chambon-Feugerolles pour assurer la garde du matériel, qui se sont chargés d'en effectuer le sabotage ; ces mêmes soldats ont emporté dans leurs casernes des brochures et des journaux qu'ils font lire à leurs camarades ; et même des cavaliers du 10ᵉ Chasseurs ont fraternisé avec les grévistes.

De son côté, et bien que toute récente — elle s'est constituée au 1ᵉʳ janvier 1912 — la Fédération des Transports par voie ferrée (20) crée dès son Congrès une Caisse du Sou du Soldat. Il en est de même à la Fédération nationale du Bâtiment, à l'initiative de PERICAT (21), ainsi qu'en témoigne cette circulaire (22) :

« Allons voici déjà un an que toi l'Ancien, tu as quitté nos rangs de révoltés pour aller servir de mannequins et de jouet aux fils à papa qui ont des galons dorés sur toutes les coutures, qui se font appeler des officiers.

Tu as déjà dû te rendre compte par toi-même que si la loi te force à passer à la caserne ou cloître-prison, ce n'est pas pour défendre les frontières comme le prétendent nos patriotards intéressés, mais bien pour défendre les privilèges et les coffres-forts de nos exploiteurs ; les frontières n'existent pas pour des travailleurs conscients.

---

(19) Jean-Baptiste RASCLE, né en 1882 à Saint-Etienne, ajusteur dans cette ville, anarchiste, est signalé comme un des « orateurs habituels » de la Bourse du Travail et membre dirigeant du groupe antimilitariste de Saint-Etienne. Il est considéré comme « très dangereux ». Il avait été inscrit sur la liste des principaux révolutionnaires de province. (A.N. F 7 13053).

(20) La Fédération des Transports par voie ferrée est le résultat d'une scission du Syndicat National des Chemins de Fer que les éléments les plus révolutionnaires quittèrent après le Congrès d'août 1911. Son existence fut éphémère car au Congrès du Havre de la C.G.T. (septembre 1912), il est enjoint aux dissidents de réintégrer le Syndicat National. Le Guennic (cf. p. 126 et 127 fut un de ses animateurs). (cf. *La C.G.T. et le Mouvement syndical*. 1925, p. 354 et Joseph JACQUET. *Les Cheminots dans l'Histoire sociale de la France*. Paris, Editions sociales, 1967, in-8°, 319 p.)

(21) Raymond PERICAT fut avant 1914 un des principaux dirigeants de la C.G.T. Né en 1873, plâtrier de son métier, syndicaliste-révolutionnaire, secrétaire de la Fédération du Bâtiment de 1908 à 1912, il était aussi le secrétaire de la Commission de la Grève générale de la C.G.T. Il était partisan de l'action violente, et dans cette période, ses thèses étaient proches de celles de Gustave Hervé. Son rôle fut également important pendant la guerre à la tête de la minorité pacifiste.

(22) A.N. F 7 12911.

Remarque bien, camarade, que celui qui t'exploitait jusqu'au sang quand tu étais parmi nous, qui exploite encore pareillement ton père, ta mère, tes frères, tes sœurs, ta fiancée, ainsi que tes camarades du syndicat, qui t'exploitera à nouveau comme un esclave quand tu reprendras les outils, est le même qui exige de toi, maintenant, sous peine d'aller crever à Biribi, cette obéissance passive et abrutissante qui ravale l'être humain au niveau de la bête de somme.

C'est toujours le capitalisme.

Ce maître du jour voudrait faire de toi l'assassin de tes frères de misère, quand ceux-ci revendiquent un peu de bien-être et de liberté.

Est-il possible, au siècle de soi-disant civilisation où nous vivons, que de jeunes ouvriers, parce que soldats, puissent devenir les meurtriers par ordre de leurs parents, de leurs camarades ?

. . . .

Et toi, le jeune, le « bleu », comme ils disent, qui n'est que depuis quelques semaines seulement en contact avec ces mœurs autoritaires, peut-être as-tu versé en cachette quelques unes de ces larmes amères qui coulent malgré soi lorsqu'on se sent impuissant à empêcher les injustices et les vexations quotidiennes des gradés ; peut-être aussi les iniquités inhérentes au régime de la caserne ont-elles fait naître en ton cœur un sentiment de doute sur la valeur du syndicalisme et ta rage impuissante t'a peut-être porté à le croire très faible, puisqu'il ne peut empêcher de tels faits de se produire.

Le syndicalisme en effet est encore à l'état embryonnaire, mais il est dans la bonne voie et il se fortifiera au fur et à mesure que les nouvelles générations de travailleurs prendront conscience de leurs droits et de leur dignité. »

. . . .

Cette circulaire est intéressante dans la mesure où l'on y retrouve les thèmes les plus habituellement développés, accompagnés d'une vue réaliste des forces du syndicalisme.

Toutefois, malgré la virulence des circulaires d'accompagnement, le Sou du Soldat conserve une certaine ambiguïté. Officiellement c'est uniquement une œuvre d'assistance, mais les autorités estiment que cette assertion est démentie par les faits. Cependant il est incontestable que les responsables du Sou du Soldat manifestent souvent une certaine prudence qui est nécessaire, non seulement face au gouvernement, mais aussi envers certaines corporations qui sont moins prêtes que d'autres à s'engager à fond dans l'antimilitarisme, ou qui risqueraient de subir trop violemment les réactions gouvernementales. Cette ambiguïté allait être particulièrement sensible avec le Sou du Soldat des Instituteurs.

L'Affaire des Instituteurs

La Fédération des Syndicats d'Instituteurs (23) a adhéré à la C.G.T. en août 1909, et au Congrès fédéral de Toulouse (1910) les instituteurs ont voté les motions antimilitaristes. Mais c'est le Congrès de Chambéry en août 1912 qui met le feu aux poudres, en décidant lui aussi d'instituer une Caisse du Sou du Soldat « destinée à venir en aide moralement et pécuniairement » (24) aux jeunes collègues sous les drapeaux.

L'évènement provoque de vives réactions (25). Au Conseil général de l'Ain, l'ancien et futur ministre de la Guerre radical, Messimy, attache le grelot :

« ...Nous sommes ardemment attachés à l'école laïque et c'est justement à cause de cela, parce que je suis convaincu qu'il est nécessaire de faire passer les enfants par l'école laïque, c'est à cause de cela que plus vivement qu'aucun autre, je tiens à m'élever contre ces faits attristants... »

Une partie de la presse emboîte le pas et dénonce l'antipatriotisme des instituteurs.

Pour lutter contre cette interprétation, les dirigeants de la Fédération des Instituteurs tentent de ramener les choses à leurs justes proportions. Le secrétaire du Syndicat de la Seine, Chapolin (26), affirme avec netteté dans une déclaration au *Rappel :*

« Il est possible que les Syndicats du Bâtiment aient joint un circulaire antimilitariste à un envoi d'argent. Qu'est-ce qui prouve que nous le ferons également ? Rien. Pourquoi alors nous poursuivre ? Non, non, dites-le bien ; nous ne sommes ni antimilitaristes, ni antipatriotes. »

---

(23) Les Instituteurs se regroupaient dans la Fédération des Amicales d'Instituteurs, d'esprit très modéré, qui tint son premier Congrès National en 1900. En juillet 1905, des Instituteurs de tendance plus révolutionnaire créèrent la Fédération Nationale des Syndicats d'Instituteurs, qui vota son adhésion à la C.G.T. en 1907. Celle-ci ne devint cependant effective qu'en 1909. En principe le droit syndical était dénié aux fonctionnaires, mais les gouvernements tolérèrent l'existence de ces syndicats d'Instituteurs, tout au moins jusqu'au « scandale » de Chambéry.

(24) Statuts modifiés de la Fédération des Instituteurs. Article 33.

(25) Cf. Max Ferre. *Histoire du mouvement syndical révolutionnaire chez les Instituteurs.* Paris. S.U.D.E.L. 1955, 355 p., p. 161 et ss.
François Bernard, Louis Bouet, Maurice Dommanget, Gilbert Serret. *Le Syndicalisme dans l'enseignement.* Présentation et notes de Pierre Broue. 3 volumes. Tome 1, Ch. 9. (Collection Documents de l'Institut d'Etudes politiques de Grenoble).

(26) Né dans l'Aube, ancien élève de l'Ecole Normale d'Auteuil, André Chalopin fut secrétaire du syndicat de la Seine de 1909 à 1914. Il collaborait au journal de la C.G.T., *La Bataille Syndicaliste.* Il devait être tué dans les premières semaines de la guerre, le 30 octobre 1914, à 29 ans.

Du Sou du Soldat, les instituteurs affirment ne vouloir connaître qu'un aspect, celui de la solidarité.

Cela n'arrête pas l'action du gouvernement : dès le 22 août, le ministre de l'Instruction publique, Guist'hau, a saisi le Conseil des ministres. Le 23 août, une circulaire est adressée aux préfets, rappelant que les Syndicats sont tolérés, mais qu'ils sont illégaux. Chaque préfet doit obtenir leur dissolution avant le 10 septembre 1912. Cette vive réaction gouvernementale provoque un sérieux flottement chez les instituteurs syndiqués. Le Syndicat du Morbihan qui a été désigné pour prendre la direction de la Fédération, invite officiellement les syndicats départementaux à obéir aux directives gouvernementales. Dans plusieurs départements, le Maine-et-Loire à l'initiative des BOUET (27), la Charente avec les MAYOUX (28), la Seine avec CHALOPIN, on veut au contraire résister. Un manifeste est mis au point recueillant 800 signatures, et dans lequel les positions de la Fédération sont réaffirmées avec fermeté, mais modération ; il est précisé à nouveau que le Sou du Soldat n'est qu'une œuvre de solidarité. Les premiers signataires n'en sont pas moins frappés de différentes sanctions.

La C.G.T. manifeste hautement son soutien aux instituteurs en appelant Chalopin à présider la première séance de son Congrès tenu au Havre du 16 au 22 septembre, ce qui évidemment n'améliore pas les rapports entre les pouvoirs publics et les instituteurs syndiqués : quatre syndicats départementaux « de pointe » — Seine, Bouches-du-Rhône, Maine-et-Loire, Rhône — sont poursuivis et malgré les efforts de leur défenseur, Mᵉ Pierre LAVAL (29), leur dissolution est prononcée (30).

L'affaire prend sa pleine dimension avec les débats parlementaires qu'elle suscite. L'effervescence a été vive dans les milieux politiques. De nombreux députés se sont émus de voir l'éducation des enfants confiée

---

(27) Louis BOUET et sa femme Gabrielle. Instituteur en Maine-et-Loire, dont il était originaire, adhérent au Parti socialiste en 1906 (il a alors 26 ans), Louis Bouët fut un des fondateurs de la Fédération de l'Enseignement et sa vie « se confond [...] avec celle de la Fédération ». (*Le Syndicalisme dans l'Enseignement,* op. cit. p. 39). Pendant la guerre, il fut l'un des animateurs du courant pacifiste.

(28) François et Marie MAYOUX, instituteurs à Marsac en Charente, furent également parmi les principaux dirigeants de la Fédération de l'Enseignement. Comme les Bouët, ils devaient jouer un grand rôle pendant la guerre dans le mouvement pacifiste.

(29) Pierre LAVAL, qui allait être élu député socialiste de la Seine en 1914, était alors l'un des défenseurs habituels des syndicalistes poursuivis.

(30) La dissolution ne fut pas effective. Les appels firent traîner les choses et l'amnistie votée à l'occasion de l'accession de R. Poincaré à la présidence de la République annula les procédures en cours.

à des instituteurs antimilitaristes, tandis que d'autres s'indignent des sanctions prises à leur égard : le gouvernement est interpellé en novembre 1912.

La discussion des interpellations (31) occupe tous les vendredi après-midi du 8 novembre au 13 décembre, soit six séances, preuve de l'importance que la Chambre des députés accorde à l'affaire. Le député « nationaliste » de la Seine, Paul PUGLIESI-CONTI ouvre le feu et dénonce le « véritable débordement d'anarchie et d'esprit révolutionnaire » qui a marqué le Congrès de Chambéry, congrès « qui s'est terminé comme il avait débuté par les couplets de l'Internationale ». Et le député horrifié montre que la Fédération des Instituteurs syndicalistes compte 6000 adhérents ; à 20 élèves par classe, c'est chaque année 120000 petits français formés par des maîtres « dévoyés ». Le pays exige qu'on en finisse avec l'antipatriotisme à l'école ! Qu'on chasse de l'école les mauvais maîtres, qu'on éloigne le cauchemar des instituteurs anti-patriotiques !

Mais les députés socialistes se dressent contre ces affirmations : successivement Jean COLLY, autre député de la Seine, ROUX-COSTA-DEAU de la Drôme, RAFFIN-DUGENS de l'Isère, Alexandre BRACKE, Albert THOMAS montent à la tribune :

Jean COLLY affirme :

« (Les institueurs) ne sont ni antimilitaristes, ni antipatriotiques, mais de fermes partisans de la Paix, c'est leur droit et c'est leur devoir... Ils sont les amis de tous les peuples...

Vous ne voulez pas qu'ils fréquentent les Bourses du Travail, qu'ils adhèrent à la C.G.T. Quelles Bourses voulez-vous qu'ils fréquentent ? La Bourse des Valeurs ..! »

BRACKE ajoute que « l'antipatriotisme » n'est qu'un prétexte pour dénier aux instituteurs le droit d'être des citoyens comme les autres, ayant la possibilité de se syndiquer, tandis que RAFFIN-DUGENS procla-me que les instituteurs en créant un Sou du Soldat, ont fait simplement œuvre de solidarité ; ils ne sont pas antipatriotes, mais internationa-listes.

Par contre, les députés républicains-socialistes ou radicaux sont beaucoup plus indécis : si Ferdinand BUISSON, ancien collaborateur de Jules Ferry, ancien directeur de l'enseignement primaire, un des apôtres

(31) J.O. - *Débats parlementaires*, 1912, p. 2422 et sq.

de la laïcité, affirme sans ambages qu'il ne s'agit que d'un procès d'intention fait aux instituteurs et en profite pour définir dans un grand discours quelle doit être la place de l'instituteur dans la société, PAUL-BONCOUR est plus hésitant : il croit le Sou du Soldat des Instituteurs de nature différente de celui des Bourses du Travail, dont les envois d'argent sont accompagnés, dit-il, de circulaires « abominables » ; mais l'opinion publique a pu s'y tromper, et à cause de cela les instituteurs ont eu tort d'y participer. Il estime cependant que la décision, prise par le ministre de l'Instruction publique, de dissoudre les syndicats d'instituteurs, est une faute, car ceux-ci vont rejoindre les « Amicales » dont ils vont gauchir l'action.

Un autre radical, MESSIMY, fait frissonner l'Assemblée en évoquant les ravages de l'antipatriotisme : 1900 déserteurs et 4000 insoumis dans la période qui va de 1890 à 1900, 2200 et 5000 de 1902 à 1904, 2600 et 10000 de 1909 à 1911, 80000 individus recherchés pour défaut à leurs obligations militaires en 1911. « Deux corps d'armée sur pied de guerre », s'écrie MESSIMY qui n'en pense pas moins que le ministre en frappant tous les instituteurs syndiqués, favorise les attaques de la Droite contre l'Ecole laïque.

Face à ces affirmations, le député de la Gironde, Pierre Dupuy, fait remarquer, avec un certain bon sens, que la masse des instituteurs est bien loin d'être socialiste et antipatriote (32) et qu'au fond les motions de Chambéry n'ont guère d'importance. Mais les députés de la droite ont intérêt à attiser les différends entre socialistes et radicaux : aussi un député de la Seine, Louis Dubois, s'indigne-t-il à nouveau du chant de l'Internationale :

— « Je comprendrais qu'on ouvrit un Congrès... en chantant la Marseillaise... Mais l'Internationale ! »

— M. Gilette-Arimondy : « Vous ne voudriez pas qu'on chantât : sauvez Rome et la France ! »

Finalement le ministre, Guist'hau, défend la position qu'il a prise et une fois repoussé l'ordre du jour socialiste que présentait Jaurès,

---

(32) Comme le note cet instituteur de Sciez (Arrondissement de Thonon-les-Bains, Haute-Savoie) à propos d'un couple d'étrangers soupçonnés d'espionnage au début de la guerre : « ...Le mari connaissait parfaitement le français (...) On ignore encore son véritable rôle (...) Il a assisté en 1913 au banquet de l'Amicale des Instituteurs à La-Roche-sur-Foron. Personne ne l'avait introduit à ce banquet. Peut-être a-t-il voulu se rendre compte si les instituteurs faisaient de l'antipatriotisme comme on l'a dit si souvent après le Congrès de Chambéry. Dans ce cas, Ziegler a dû être déçu... » (AD, Haute-Savoie, 1 T 218).

la Chambre, à l'appel du Président du Conseil Poincaré, approuve, dans un ordre du jour balancé, les déclarations du gouvernement, tout en rendant hommage aux instituteurs dont l'enseignement doit être dominé par le Culte de la Patrie.

LE PROCÈS DU SOU DU SOLDAT

L'affaire du Congrès de Chambéry souligne bien, comme nous l'avons déjà constaté, l'ambiguïté de l'institution : pour les autorités, le Sou du Soldat est une manifestation évidente d'antimilitarisme, alors que pour les syndiqués, il y a assurément plus de nuances.

En fait on peut discerner trois attitudes : certains affirment qu'ils ne sont pas antimilitaristes et que le Sou du Soldat n'est qu'une affaire de solidarité ; d'autres ne cachent pas leurs sentiments antimilitaristes, mais considèrent que le Sou du Soldat n'en est pas moins uniquement œuvre de solidarité ; enfin il en est qui veulent que le Sou du Soldat s'intègre de façon totale à l'action antimilitariste.

On conçoit que l'administration se perde un peu dans ces distinctions subtiles (même si elles reflètent des sentiments sincères) et qu'elle ait tendance à « tout mettre dans le même sac » !

D'ailleurs quitte à embarrasser les instituteurs, Yvetot déclare, au Congrès du Havre, que le Sou du Soldat doit être surtout une institution efficace de propagande antimilitariste. Sans doute ne représente-t-il que la tendance la plus extrême, mais ses fonctions donnent un poids particulier à ses paroles. D'autant plus que le Congrès à l'unanimité moins deux voix confirme, dans sa résolution, ses prises de position antérieures sur l'antimilitarisme et dans une deuxième partie de ce même texte appelle de nouveau chaque Fédération à constituer sa caisse du Sou du Soldat.

Il faut reconnaître que le Congrès — au moins en paroles — ne peut pas infléchir ses positions, car ce serait pour lui faire preuve de faiblesse au moment où le gouvernement développe son action contre l'antimilitarisme : en effet la loi Berry-Millerand vient d'être votée.

En 1911, Georges Berry, député de la Seine, anciennement monarchiste et antidreyfusard, avait déposé un projet de loi : celui-ci fut repris et modifié au début de 1912 par Millerand, ministre de la Guerre du gouvernement Poincaré.

De quoi s'agit-il ? Il existait déjà dans l'armée des Sections d'Exclus :
là, il n'était plus question de service militaire, mais d'un véritable temps
de travaux forcés pour ceux qui avaient été condamnés à des peines
graves. Or la loi Berry-Millerand prévoit que seront affectés à ces Sections
ceux qui ont été condamnés à une peine de 3 mois d'emprisonnement au
moins pour diffamation ou injures envers l'armée, pour provocations adressées à des militaires dans le but de les détourner de leur devoir militaire,
ou pour provocations à la désertion... Il existait également les Bataillons
d'Afrique, les « Bat. d'Af. », authentiques unités militaires mais à la discipline particulièrement rude. Jusque là, on y envoyait les délinquants
mineurs : on y ajoute alors les jeunes gens condamnés à 6 mois de prison,
par exemple pour violences envers agents.

Cette loi, qui permet donc d'envoyer aux Sections d'Exclus ou aux
« Bat. d'Af. » les antimilitaristes, les grévistes, les manifestants, etc., est
votée sans opposition, en mars 1912, y compris par les socialistes, surpris.
L'Humanité du 15 juillet 1912 écrit d'ailleurs que cette non-intervention
des députés socialistes a été une « faute » et un « malheur ».

La loi Berry-Millerand soulève une colère particulière chez les congressistes du Havre. Comme le déclare le délégué du Bâtiment, la « loi
d'infamie » a été votée contre les syndicats pour en freiner le développement.

Comment lutter contre cette loi ? La question est rapportée par
Merrheim (33), de la Fédération des Métallurgistes : la C.G.T. ne préconise pas la désertion, dit-il, mais elle estime que les jeunes gens victimes
des mesures réactionnaires doivent pouvoir compter sur la solidarité ouvrière, « comme s'il voulait ménager l'opinion publique, tout en bravant
les pouvoirs publics », explique l'auteur de la note de la sûreté générale (34).

---

(33) Alphonse MERRHEIM, né dans le Nord en 1871, était chaudronnier en
cuivre. Secrétaire de la Fédération des Métaux, délégué des Bourses du Travail
de Saint-Etienne, Charleville, Lyon, administrateur de la Bataille Syndicaliste, il fut
avant la guerre de 1914 l'un des principaux dirigeants révolutionnaires de la
C.G.T. Mais il fut aussi l'un des premiers dirigeants syndicalistes à acquérir une
culture économique. Son antimilitarisme était beaucoup plus nuancé que « l'antipatriotisme forcené » de Georges Yvetot par exemple.
Pendant la guerre, il fut le premier animateur du mouvement pacifiste et participa
à la conférence de Zimmerwald.
(34) « Le Congrès constate que le gouvernement et le Parlement poussent eux-
mêmes à des résolutions désespérées, telle l'insoumission.
En conséquence le Congrès croit de son devoir d'indiquer en de telles alternatives
qu'il ne reste aux Organisations confédérées qu'à prendre toutes dispositions pour
que les jeunes gens victimes de ces mesures réactionnaires puissent effectivement
compter sur la solidarité ouvrière. » (Résolution du Congrès du Havre).

De son côté, l'Union départementale des Syndicats de la Seine lance un appel aux conscrits : « Plutôt l'exil que le bagne ! » (*Bataille Syndicaliste,* 24 septembre 1912).

L'année suivante, Péricat, dans une réunion intercorporative du Syndicat du Bâtiment de la Seine, admet qu'on accorde des secours « à ceux qui préfèrent aller chercher du tabac en Belgique, plutôt que d'entrer à la caserne » (35).

La C.G.T. ne prêchait pas l'insoumission, mais... la comprenait.

Il est difficile de préciser quelle influence l'antimilitarisme avait prise chez les jeunes soldats en 1912-1913, mais les autorités sont persuadées qu'il s'est créé un certain climat, et l'on peut d'ailleurs penser que paradoxalement, ce climat a été renforcé par les cris d'alerte poussés dans la Presse et au Parlement...

C'est alors, en 1913, que le service militaire est porté de deux à trois ans, après avoir été abaissé d'un an en 1905. La première conséquence de la nouvelle loi est de maintenir sous les drapeaux la classe libérable. Les soldats manifestent leur mécontentement dans plusieurs garnisons entre le 18 et le 21 mai ; à Toul, où des officiers en civil sont bousculés, à Belfort, Verdun, Saint-Dié, Epinal, Nancy, Commercy. Des incidents ont lieu également à la caserne de Reuilly à Paris, à Mâcon, à Châlons ; l'affaire la plus grave cependant est celle de Rodez où deux bataillons du 122ᵉ de ligne se mutinent à la caserne du Foiral et tentent une « sortie » arrêtée par l'action énergique d'un officier.

Des sanctions sévères frappèrent un peu plus tard les soldats en colère, mais le gouvernement pense surtout que l'occasion est favorable pour tenter de briser l'action antimilitariste des syndicats. Tout naturellement le Sou du Soldat est en point de mire. Le 26 mai 1913, une centaine de perquisitions ont lieu, dans toute la France, dans les milieux syndicaux, et le 1ᵉʳ juillet, à l'aube, 20 arrestations furent opérées suivies de quelques autres dans les jours suivants. Finalement 18 dirigeants de la C.G.T. sont poursuivis au titre du Sou du Soldat, avec à leur tête, Georges YVETOT. Ils sont maintenus en prison sous l'inculpation « d'excitation de militaires à la désobéissance ».

Cette vigoureuse offensive des autorités n'empêche d'ailleurs pas les syndicalistes de poursuivre, dans les derniers mois qui précèdent la guerre, l'œuvre du Sou du Soldat et... les services de police de les surveiller. A

---

(35) 21 septembre 1913.

l'occasion du jour de l'an 1914, le secrétaire du Syndicat des Préparateurs en pharmacie adresse un mandat de 5 francs à ses adhérents sous
les drapeaux, accompagné d'une lettre :

> « ...Nous espérons que le servage qui vous est imposé ne vous est pas
trop pénible. »

Le conseil est donné aux isolés d'aller voir le secrétaire de la Bourse
du Travail de leur ville (cf. Appendice A 3).

De la même façon, en décembre 1913, les syndicats miniers de l'arrondissement d'Alais établissent une liste de 48 noms de jeunes syndiqués
sous les drapeaux : 5 francs leur sont envoyés en janvier et 5 francs
encore le 1er mai. La police tente d'obtenir les noms des bénéficiaires,
mais « l'indicateur » n'étant pas le secrétaire du syndicat est d'abord dans
l'impossibilité de les fournir ! Ce n'est que progressivement que le
Commissaire spécial d'Alais les obtient et peut ainsi les faire connaître
aux autorités militaires.

Le Commissaire fait remarquer à ce propos que dans une de ses
séances, le Congrès des Mineurs d'Alais a décidé de répondre à toute
déclaration de guerre par tous les moyens et même par l'insurrection
et la grève générale.

Au mois de janvier 1914, le Syndicat de la Maçonnerie-pierre
adresse aussi 10 francs à ses membres soldats et leur rappelle qu'ils
reviendront bientôt grossir les rangs de leurs « camarades de misère »
(36).

En mars 1914, le Commissaire spécial de Nantes peut se procurer
la liste de 54 jeunes syndicalistes de cette ville qui reçoivent au nom du
Sou du Soldat un mandat trimestriel de 5 francs, mais il ne semble pas
que l'envoi soit accompagné d'une circulaire.

En avril, ce sont à leur tour les adhérents du Syndicat général des
Terrassiers-puisatiers-mineurs de la Seine qui reçoivent un mandat de
10 francs ; en mai, un mandat de cette même valeur est adressé par la
Chambre syndicale de la Pierre et parties similaires du département de la

---

(36) « S'il a plu à nos maîtres (gouvernants, capitalistes et financiers) de te
maintenir une année de plus à la caserne, ce n'est pas pour nous défendre contre une
invasion quelconque, mais bien pour tâcher de briser et d'asservir davantage les
camarades de misère parmi lesquels tu étais encore hier et dont tu reviendras
grossir les rangs demain... (2-1-1914) A.N. F 7 13333, M/8621.

Seine, accompagné d'une vigoureuse circulaire flétrissant les « cabotins de la politique » (cf. Appendice A. 4) ; en juin, encore 36 jeunes mineurs du Gard sont signalés comme recevant le Sou du Soldat.

Enfin, en juillet, le Syndicat du Bâtiment retire une somme de 3000 francs de son compte au Crédit Lyonnais pour le Sou du Soldat.

Ce sont là quelques faits connus (37) ; il est évident que les envois ont été infiniment plus nombreux, mais il est sûr aussi que dans de nombreux cas, les syndicats se contentaient d'envoyer une somme à leurs adhérents, sans y ajouter de commentaires.

En même temps, les péripéties du procès du Sou du Soldat sont l'occasion de vives protestations, d'autant plus que vient se mêler à cette effervescence la campagne contre les trois ans.

A la suite d'une réunion du Bureau de l'Union des Syndicats de la Seine, deux de ses dirigeants Bled (38) et Minot se mettent en rapport avec le Bureau Confédéral de la C.G.T. pour organiser dans la première quinzaine de février 1914 un vaste meeting au Cirque de Paris : le but est de manifester contre la loi de 3 ans, contre l'emprisonnement des militants, contre le maintien des mutins dans les bagnes d'Afrique et en faveur du Sou du Soldat. Il faut suppléer à un rassemblement au Pré Saint-Gervais (39) prévu pour la fin décembre et que l'on a finalement annulé en raison des fêtes. Mais, là encore, des difficultés se produisent, puisque le Cirque de Paris est refusé aux organisateurs, à la suite des pressions de la Préfecture de Police, pensent-ils ; il est nécessaire de se rabattre sur la salle Wagram et plus tôt que prévu, puisqu'elle n'est disponible que le 28 janvier (40). Entre temps, Yvetot et ses co-inculpés ont été, après 5 mois de détention, mis en liberté provisoire, mais cela ne conduit pas à décommander le meeting.

_____

(37) Une autre liste fait état de 12 circulaires adressées par des Caisses du Sou du Soldat entre août 1913 et juin 1914 ; elles émanaient du Syndicat du Bâtiment de la Seine (8/1913), de la Chambre Syndicale de la Maçonnerie-Pierre (8/1913), des Mineurs du Nord (8/1913), des Métaux de Saint-Florent (8/1913), de la Céramique de Vierzon (8/1913), de la Fédération du Sciage (10/1913), de la Bourse du Travail de Bourges (11/1913), de la Céramique de Limoges (11/1913), des Préparateurs en Pharmacie (12/1913), de la Maçonnerie-Pierre de la Seine (1/1914), des Terrassiers de la Seine (4/1914), de la Maçonnerie-Pierre de la Seine (4/1914), des Terrassiers de la Seine (6/1914). A.N. F 7 13333, M/8657.

(38) Jules BLED, ouvrier jardinier de son état. Anarchiste, membre très actif de la Fédération Communiste révolutionnaire, il cumule les fonctions de secrétaire de la Fédération horticole, délégué au Comité confédéral de la C.G.T. de la Fédération agricole du Midi et surtout secrétaire de la C.A. de la Bourse du Travail de Paris depuis 1909.

(39) A.N. F 7 13333, M/8621 - A.N. F 7 13333, M/8657.

(40) A.N. F 7 13333, M/8654.

En fait ces difficultés d'organisation cachent mal certaines divergences à l'intérieur des syndicats : organisateur de la réunion du 28 janvier, pour laquelle il a prévu la distribution de 10000 tracts (41), Bled, secrétaire de l'Union des Syndicats parisiens, est vivement pris à partie lorsqu'il annonce qu'il doit se rendre en province le jour du meeting ; le Syndicat du Bâtiment menace d'opposer un autre candidat à Bled lors des prochaines élections à la direction de l'Union des Syndicats.

D'après *la Bataille Syndicaliste* (42), sous le titre « Un avertissement », le meeting connaît une grande affluence, chiffrée à 9000 travailleurs emplissant les deux salles Wagram. Dans son intervention, le trésorier de la C.G.T., Marck (43), repousse les responsabilités des mutineries :

« ...Ah ! si ça avait pu être vrai que la C.G.T. par sa propagande ait suscité la révolte des mutins... »

Quant au Sou du Soldat, « le meilleur moyen de le défendre, c'est de travailler à son développement... » proclame l'ordre du jour.

Le 18 février, à la réunion du Comité général de l'Union des Syndicats (44), Bled se félicite également du succès obtenu par le meeting des salles Wagram, mais il remarque que cela coûte cher ! 1509 francs de frais pour 548 francs de collecte. Aussi, lorsque le représentant des électriciens, Daguerre, propose d'organiser un nouveau meeting, en profitant de l'émotion soulevée par la mortalité dans les casernes (45), Bled souligne-t-il que ces manifestations sont assez onéreuses et — argument plus politique —, il pense que « cette gymnastique risque d'essouffler la classe ouvrière ». On se met finalement d'accord pour organiser non pas un, mais une série de meetings dans les locaux des Comités inter-syndicaux, ce qui a l'avantage d'être gratuit et aussi de pouvoir toucher des ouvriers de Paris et de banlieue qui ne se dérangent pas pour un meeting central.

---

(41) A.N. F 7 13333, M/8861.

(42) *Bataille Syndicaliste*. 29-1-1914.

(43) Charles MARCK était docker au Havre où il était né en 1867 avant d'être, outre le trésorier de la C.G.T., le délégué des Inscrits Maritimes et un des membres des Commissions des « 8 heures »et de la Grève Générale.

(44) A.N. F 7 13333, M/8974.

(15) Pendant l'hiver 1913 1914, des épidémies ont eu lieu dans les casernes : la presse d'extrême-gauche en a imputé la responsabilité à l'entassement excessif des soldats qui a été provoqué par l'application de la loi de trois ans.

Le jugement dans l'affaire du Sou du Soldat est rendu le 26 mars 1914 : en application de la loi de 1894, le principal accusé, Yvetot, est frappé d'un an de prison et de 100 francs d'amende, 12 autres de 8 mois de prison et 100 francs d'amende (46), 3, 6 mois et 100 francs également (47), 2 seulement sont acquittés (48). Devant ces peines la réaction du Syndicat du Bâtiment (49), dont plusieurs dirigeants sont condamnés, est violente et provoque des discordes sensibles... à l'intérieur de la C.G.T. ! Une circulaire de protestation est rédigée, mais pour qu'elle touche l'opinion publique, le Conseil veut la faire publier dans la *Bataille Syndicaliste*. Ainsi, en cas de procès, seraient saisies, non pas la Correctionnelle, mais les Assises (50) (pensent-ils du moins, fait remarquer un fonctionnaire du ministère de l'Intérieur).

Lorsque Pracastin, secrétaire du Bâtiment parisien, apporte le texte à la *Bataille Syndicaliste,* le gérant du journal, Marie (51), lève les bras au ciel :

— « Mais vous êtes toqués à votre syndicat ! Vous voulez une nouvelle affaire du Sou du Soldat, en ce moment où nous faisons tant d'efforts pour reconstituer nos effectifs ?

— T'occupe pas de ça, répondit Pracastin ; la circulaire est signée, le « Conseil » et **la Bataille** a le devoir d'insérer, sinon...

— Vous êtes une bande de c... », se contente de répondre Marie.

---

(46) Hubert, secrétaire du Syndicat des Terrassiers de la Seine.
Dalstein, secrétaire du Syndicat des Monteurs-électriciens.
Montaroux, secrétaire du Syndicat des Omnibus.
Vincent, secrétaire du Syndicat des Terrassiers de Seine-et-Oise.
Andrieu, secrétaire de la Chambre syndicale des Charpentiers en fer de la Seine.
Morin, secrétaire du Syndicat des Terrassiers de la Seine.
Viau, secrétaire de la Chambre syndicale des Maçons de la Seine.
Giron, secrétaire-trésorier du Bâtiment à Rouen.
Tesson, secrétaire du Syndicat des Métallurgistes de Valenciennes.
Gauthier, secrétaire de la Chambre syndicale des Charpentiers en bois de la Seine.
Marchand, trésorier du Syndicat du Bâtiment.
Thomas, Syndicat des Dockers de Nantes.
(47) Batas, secrétaire de l'Union des Syndicats de Saint-Malo.
Marie J., secrétaire du Syndicat des Mineurs d'Epinac (S.-et-L.).
Etcheverry, ex-secrétaire de l'Union des Charpentiers en bois de la Seine.
(48) Marck, trésorier de la C.G.T.
Raux, Syndicat des Dockers de Nantes.
(49) A.N. F 7 13333. M/9095.
(50) Suivant l'argument que la circulaire devenant ainsi un article de presse n'était plus justiciable de la Correctionnelle, mais des Assises dont les jurys étaient plus « compréhensifs » que les magistrats des tribunaux correctionnels.
(51) François MARIE, ouvrier typographe, originaire de Vendée, 34 ans en 1913 ; syndicaliste-révolutionnaire, appartenant au groupement anarchiste, la Fédération Communiste révolutionnaire, il était un des secrétaires de l'Union des Syndicats de la Seine et avait été parmi les fondateurs de la *Bataille Syndicaliste*.

Léon Jouhaux assiste à l'altercation et se montre très irrité, prévoyant les difficultés que devait de nouveau faire surgir l'initiative du Bâtiment. Difficultés de plusieurs ordres : d'abord la répression gouvernementale a causé de graves problèmes à la C.G.T., qui, en perte de vitesse, voudrait mettre en veilleuse certaines de ses positions « politiques » pour reconstituer ses forces, d'autant plus que beaucoup estiment que l'on a un peu sacrifié le « revendicatif » au « social » ; par ailleurs, au début de l'année 1914, la situation internationale semble moins tendue, ce qui devait permettre de mettre momentanément à l'arrière-plan l'antimilitarisme, tout au moins sous une de ces formes. Mais ceci ne fait pas l'affaire des éléments les plus anarchistes de la C.G.T., particulièrement influents dans les Syndicats du Bâtiment et de plus se pose le problème de l'équilibre des tendances à l'intérieur de l'organisation syndicale.

Les dirigeants de la C.G.T. sont donc plutôt partisans de ne pas envenimer les choses. A la réunion plénière du Comité confédéral du 7 avril, Jouhaux rappelle les condamnations « iniques » subies par 16 militants frappés par une justice « asservie aux puissances d'argent et de gouvernement ». Ceci dit, il annonce qu'une manifestation de protestation a été annulée en raison de la proximité du 1ᵉʳ mai et il suggère de la remplacer par un manifeste dont il donne lecture : « Assez de boue ! Place au Peuple ! » (cf. Annexe A. 5).

D'après ce manifeste, la justice bourgeoise est corrompue : elle ne rend pas des arrêts, mais seulement des services. 167 mois de prison ont été distribués par ordre aux militants de la C.G.T., alors que le Sou du Soldat catholique n'a jamais été inquiété. Bien plus Law qui tira sur la foule un coup de revolver le 1ᵉʳ mai 1906, du haut de l'impériale d'un omnibus, sans tuer personne, a été condamné à 20 ans de bagne. Il expie encore ce « crime ».

Jouhaux est alors interrompu par Péricat : « Alors que Mme Caillaux sera acquittée ! » (52).

Mais les délégués sont partisans de ne pas faire de personnalité dans le texte. Et Jouhaux tire la morale : l'acte de Mme Caillaux dévoile la honte et les turpitudes de nos gouvernants, mais il ne doit servir qu'à réveiller nos énergies. Il ne faut pas citer le nom de Mme Caillaux.

_____

(52) Le 16 mars 1914, Mme Caillaux avait assassiné le directeur du *Figaro*, Gaston Calmette, qui menait une violente campagne contre son mari, alors ministre des Finances. Elle fut effectivement acquittée à la fin du mois de juillet.

Comment se termine l'affaire du Sou du Soldat ? Condamnés par défaut le 26 mars 1914, les prévenus voient leurs peines confirmées dans un jugement contradictoire en mai : ils font appel, mais la guerre éclate avant qu'un nouveau jugement ne survienne...

*
* *

Ces documents ne sont pas suffisants pour juger complètement de l'importance véritable prise par le Sou du Soldat. Il est cependant certain que cette entreprise menée avec persévérance par nombre de syndicats a touché, sinon convaincu, beaucoup de jeunes soldats. En tout cas les services de la Sûreté l'ont prise très au sérieux et ils ne cachent pas un certain dépit devant la relative modération de la répression gouvernementale. Il est vrai d'ailleurs que les tribunaux n'ont, semble-t-il, pas voulu prendre au pied de la lettre les circulaires incriminées, dont le contenu tombait souvent sous le coups des lois ; de son côté la C.G.T. a su maintenir l'institution dans une suffisante ambiguïté pour pouvoir jouer sur les mots. Ambiguïtés ou réticences de certains à aller trop loin ? Peut-on penser également que les semonces gouvernementales n'ont pas été sans effets et que beaucoup de dirigeants de la C.G.T., surtout à l'extrême fin de cette période, désiraient faire sentir aux autorités qu'il fallait distinguer entre une propagande volontairement excessive et une volonté d'action infiniment plus contrôlée ?

Chapitre II

LES PROJETS DE SABOTAGE DE LA MOBILISATION

Si les autorités semblaient assez inquiètes des effets que, par l'intermédiaire du Sou du Soldat, l'antimilitarisme pouvait avoir sur les soldats accomplissant leur service militaire, un autre aspect leur a semblé fort préoccupant : la préparation du sabotage d'une éventuelle mobilisation. Dans les années précédant la guerre, le point a été fait sur la question par les services de police. Sous le titre « les projets de sabotage de la mobilisation » fut établie, en juillet 1914, une étude dactylographiée de 37 pages (1). L'auteur anonyme consacre d'abord quelques lignes à des considérations générales, puis il répartit son enquête entre trois chapitres : un premier, assez bref, s'intitule « les Socialistes et le sabotage de la mobilisation », un second, beaucoup plus développé, « la C.G.T. et le sabotage de la mobilisation » et enfin, le troisième chapitre concerne : « les Anarchistes et le sabotage de la mobilisation ». Pour l'essentiel, ce rapport est une longue suite de citations que l'auteur a glanées dans les différentes notes de police, mais par leur juxtaposition et leur répétition, il entend montrer qu'elles ont créé « une mentalité nouvelle, par contamination progressive, dans les milieux ouvriers et qui paraît très dangereuse, car susceptible de mettre la France dans l'impossibilité de mobiliser et de se défendre ».

Ces déclarations émanent soit des milieux socialistes, soit des milieux syndicalistes ou encore anarchistes, avec la marge d'incertitude que cela suppose : des socialistes sont en même temps syndicalistes et beaucoup de syndicalistes, anarchistes... Il est d'autant moins facile de rendre aux uns et aux autres ce qui leur appartient qu'il faut encore s'y reconnaître entre les nuances de chaque groupement.

---

(1) A.N. F 7 13348.

Pour analyser cet important document, nous avons respecté l'ordre suivi par son auteur.

« LES SOCIALISTES ET LE SABOTAGE DE LA MOBILISATION »

D'une façon générale, ce dernier reconnaît que les Socialistes ne prêchent pas ouvertement le sabotage d'une mobilisation, en particulier les Guesdistes qui ont affirmé leur opposition à la grève en cas de mobilisation. Mais ce n'est pas le cas des Jauressistes qui recommandent l'application des motions, telle celle du Congrès extraordinaire de Paris au mois de novembre 1912 (cf. *A. 6*) :

> « A la déclaration de guerre, les travailleurs devront répondre par une déclaration de grève générale. »

Toutefois, seuls, les Hervéistes, sont sortis du domaine de la déclaration de principe pour entrer dans le détail pratique :

> « Pendant que la Presse est encore libre, la *Guerre Sociale* crie à tous les révolutionnaires qui ne seront pas arrêtés le jour de la mobilisation d'aller à la caserne et de se laisser armer. Après on verra !... on verra que les premiers coups de fusil ne seront pas pour les Prussiens... » (2),

> « Contre la guerre déclarée, il n'y a qu'une mesure efficace, l'insurrection. Contre le gouvernement qui serait assez misérable pour donner l'ordre de mobilisation à propos des Balkans, c'est la seule insurrection en armes qui peut lui faire payer cher son crime... » (3),

> « C'est le moment pour chaque section de notre Internationale socialiste et syndicale de nommer secrètement une Commission de vigilance qui examinera d'urgence les moyens pratiques, les moyens civils et militaires de mettre à exécution les menaces de nos Congrès... » (4).

Sans mâcher ses mots, la *Guerre Sociale* de 1912 conseille le sabotage de la mobilisation et considère que dans chaque village deux ou trois militants suffiraient pour l'entraver en coupant les lignes téléphoniques, les lignes télégraphiques, les voies ferrées, en déchirant les affiches l'annonçant...

En dehors de G. Hervé (5), d'autres orateurs socialistes préconisent

---

(2) Guerre Sociale, 16-22.10, 1912.
(3) *Guerre Sociale,* 30.10, 5.11. 1912.
(4) *Guerre Sociale,* 6-12, 11, 1912.
(5) Agrégé d'Histoire, Gustave Hervé avait été révoqué pour des articles antimilitaristes. Il anima avec son journal, *la Guerre Sociale,* la tendance « insurrectionnaliste » et antipatriotique du Parti socialiste. Mais peu avant la guerre de 1914, il évolua vers des conceptions plus modérées.

aussi dans des meetings les solutions de violence. Probablement enfiévré par l'atmosphère, Marcel Cachin (6), alors conseiller municipal de Paris, encourage, quoique fidèle lieutenant de J. Guesde, un auditoire de limonadiers à préférer l'insurrection à la guerre (7) ; le maire du Kremlin-Bicêtre, Thomas, parlant au Perreux, traite les officiers « d'apaches galonnés » et s'écrie :

> « Ce qu'il nous faut comme guerre, c'est la guerre sociale et la révolution »,

tandis que Morin, conseiller général de la Seine, s'exclame au Pré Saint-Gervais :

> « Plutôt que d'aller servir de chair à canon pour le seul bénéfice du capitalisme, il faudra répondre à l'appel du gouvernement par un mutisme complet, refuser d'obéir à tout ordre de mobilisation et descendre dans la rue pour l'insurrection dernière » (8).

Et Marcel Sembat, député et dirigeant fort écouté du Parti socialiste :

> « Nous sommes plus près de la Commune que vous ne le pensez ! » (9).

D'ailleurs dans ce mois de novembre 1912, le Congrès extraordinaire du Parti socialiste prépare le Congrès international de Bâle et s'il préconise d'abord l'emploi des moyens légaux, il entend également recourir à la grève générale et à l'insurrection, en cas d'échec.

A travers toute la France (10), les commissaires de police enregistrent les propos incendiaires des orateurs socialistes : ainsi dans un meeting au Puy (11), les jeunes soldats reçoivent le conseil de bien apprendre à se servir de leurs armes, car en cas de grève générale, les forces révolutionnaires pourraient ainsi disposer de soldats à opposer à d'autres soldats.

La vigueur de la propagande socialiste en 1912 est d'ailleurs soulignée dans une autre note (12) qui intéresse particulièrement la Fédéra-

---

(6) Comme Hervé, Marcel Cachin est d'origine bretonne. Comme lui, il est professeur, mais de philosophie. Il adhéra très tôt aux idées « marxistes » et fut un disciple de Jules Guesde. Délégué permanent à la propagande du Parti socialiste, Cachin fut élu député de Paris en 1914.

(7) Rap. P.P., 14.11, 1912.

(8) Rap. P.P., 17-11-1912.

(9) Rap. P.P., 17.11.1912.

(10) Le Puy, Annemasse, Valenciennes, Toulouse, Mâcon, Bordeaux, Dreux, Cognac..., au mois de décembre 1912.

(11) 2.12.1912.

(12) A.N. F 7 13074 M/3672 U.

tion de la Seine. Jamais, à la satisfaction de cette dernière qui s'en félicite, la propagande n'a été organisée avec autant d'intensité. Dans toutes les sections, des réunions, des fêtes ont été organisées où étaient conviés non seulement des militants, mais des femmes, de jeunes conscrits et avec un grand succès. Le journal le *Conscrit* a tiré à 15000 exemplaires et on espère un nouveau tirage de 10000 avant le départ de la classe. L'arrondissement vedette a été le 12ᵉ où, animée par le député Colly et les conseillers municipaux Dormoy et Morin, la campagne a été très vive. Aux réunions s'est ajoutée la propagande individuelle et les socialistes estiment que les résultats de leur propagande ont été supérieurs à ceux obtenus par les syndicalistes.

En fait cet effort antimilitariste et antipatriotique, lié aux événements balkaniques, fut pour les socialistes fort limité dans le temps et les milieux policiers en ont conscience puisqu'ils enregistrent dans les mois suivants une baisse sensible de cette lutte des socialistes contre le militarisme et le nationalisme, ce qui ne signifie pas que ceux-ci se désintéressent des événements. Ainsi ils estiment qu'un indice de la gravité de la situation (13), est la nomination en 1913 de Delcassé comme ambassadeur à Saint-Petersbourg. Non qu'ils soient tous d'accord sur les causes de cette désignation : Jaurès, Sembat, Albert Thomas... croient qu'Aristide Briand a voulu ainsi se débarrasser de Delcassé, alors qu'au contraire Edouard Vaillant, Guesde, Bracke, Compère-Morel, Cachin pensent que Briand et Delcassé sont étroitement liés. Mais qu'ils se rangent à un point de vue ou à l'autre, ils considèrent que la rentrée de Delcassé signifie le retour à une politique offensive envers l'Allemagne, à une tension aiguë entre les deux pays : c'est la menace d'une nouvelle vague nationaliste.

Aussi, pour y faire face, les dirigeants socialistes veulent-ils manifester une vigilance de tous les instants à l'égard de la politique d'armements du gouvernement et développer une propagande intense dans les milieux ouvriers, en particulier contre les 3 ans. Il faut donc s'attendre — pensent les services d'information — à une vigoureuse campagne.

Il apparaît donc bien que si la tendance « insurrectionnaliste » de Gustave Hervé, malgré tout un peu en marge du Parti socialiste a pris les positions les plus catégoriques, le Parti, tout en se dressant vigoureusement contre le danger de guerre, n'a suivi les Hervéistes que de façon prudente et limitée et a gardé à son action une allure pondérée, de sorte qu'on ne peut pas sans excès l'accuser de vouloir saboter une mobilisation éventuelle.

---

(13) A.N. F 7 13074 M/4046 U.

« LA C.G.T. ET LE SABOTAGE DE LA MOBILISATION »

Les militants syndicalistes paraissent, eux, beaucoup plus inquiétants à l'auteur du rapport.

En effet, de Congrès en Congrès, de crise internationale en crise internationale, par ses motions, ses campagnes de meetings, d'affiches, de presse, la C.G.T. n'a cessé dans les dix dernières années d'affirmer, de réaffirmer, de confirmer ses positions contre la guerre et les moyens de s'y opposer.

Le document que nous analysons ici fait remonter à 1904 l'idée de s'opposer par la violence à une guerre étrangère ; il relève que déjà au Congrès de Bourges, un ordre du jour a invité les travailleurs à se tenir rigoureusement en dehors des conflits internationaux et à garder leur énergie pour le vrai combat syndicaliste contre le capitalisme.

L'année suivante, 1905, c'est la première crise marocaine. La Bourse du Travail de Bourges, haut-lieu du combat pacifiste, adresse aux organisations confédérées un questionnaire :

« A la déclaration de guerre, répondrez-vous par la grève générale révolutionnaire, c'est-à-dire la Révolution ? »

Et le jour de l'ouverture de la Conférence d'Algésiras, le 11 janvier 1906, une affiche de la C.G.T. est placardée :

« Contre la Guerre ». « Nous voulons la Paix. Refusons-nous à faire la guerre. » (cf. *A. 7*).

Plus grave encore : la C.G.T. donne une dimension internationale à son action en envoyant son secrétaire général, Griffuelhes, à Berlin, pour convaincre les travailleurs allemands d'organiser une manifestation contre la guerre. Le Français est poliment éconduit, ce qui, affirme le document, « ne ramène pas la C.G.T. à un sentiment plus exact de la situation puisqu'elle continue — et aggrave — sa campagne ».

En effet le Congrès d'Amiens (1906) (cf. *A. 8*) décide que la propagande antimilitariste et antipatriotique doit devenir toujours plus intense et plus audacieuse, et au Congrès de Marseille (1908), la première des quatre questions inscrites à l'ordre du jour s'intitule « l'antimilitarisme et l'attitude de la classe ouvrière en cas de mobilisation ».

Un délégué déclare :

(En cas de conflit) « au lieu de se battre contre des individus qui ne nous ont rien fait, nous devons immédiatement décréter l'insurrection et la révolte sociale... »

Le Congrès cependant est loin d'être unanime puisque l'ordre du jour n'est adopté que par 880 voix contre 421 : il rappelle que les travailleurs n'ont pas de patrie et qu'ils doivent répondre à une déclaration de guerre par une déclaration de grève générale révolutionnaire (14).

Et lorsque les secrétaires des Centrales syndicales étrangères se réunissent à Paris, en août 1909, Yvetot souhaite, au meeting international qui conclut cette réunion, que la France puisse apporter « aux camarades étrangers » le formidable exemple de la grève générale en cas de guerre... (15).

De même en 1910, le Congrès de Toulouse réaffirme, avec une majorité accrue, les positions prises à Marseille, deux ans plus tôt.

C'est donc déjà avec une doctrine bien élaborée que la C.G.T. entre dans la période chaude de la crise d'Agadir, puis des crises balkaniques.

Le 27 juillet 1911, la C.G.T. appelle par une nouvelle affiche « Contre la Guerre » (cf. *A. 9*) à un meeting international, salle Wagram, et c'est encore Yvetot qui provoque à la subversion :

« J'ai une proposition à vous faire. J'ai peur que vous ne soyez pas patriotes (rires). Je viens vous proposer de l'être, d'être les premiers à marcher au signal que donnera le gouvernement en déclarant la grève générale et de répondre à l'ordre de mobilisation par la véritable insurrection.

---

(14) Deuxième partie de l'ordre du jour du Congrès : « Considérant que les frontières géographiques sont modifiables au gré des possédants, les travailleurs ne reconnaissent que les frontières économiques séparant les deux classes ennemies, la classe ouvrière et la classe capitaliste.

Le Congrès rappelle la formule de l'Internationale : les travailleurs n'ont pas de Patrie. En conséquence, toute guerre n'est qu'un attentat contre la classe ouvrière, un moyen sanglant et terrible de diversion à ses revendications. Le Congrès déclare qu'il faut, au point de vue international, faire l'insurrection des travailleurs, afin qu'en cas de guerre entre puissances, les travailleurs répondent par une déclaration de grève générale révolutionnaire ».

(15) « Notre rêve serait d'apporter à nos camarades étrangers le formidable exemple qui serait d'opposer à la déclaration de guerre, la déclaration d'une grève générale qui serait la révolution sociale... ».

Je vous demande d'être aussi courageux qu'on le dit, car vous savez que les Français sont courageux, qu'ils sont le ssoldats les plus courageux du monde et qu'il n'y en a pas de plus énergiques.

Il ne faut donc pas faire mentir les imbécillités des chauvins, mais leur montrer que vous êtes en effet courageux et vous tuerez l'ennemi.

L'ennemi, vous n'irez pas le chercher au-delà des frontières, vous ferez les premiers usage des armes que l'on mettra entre vos mains en les tournant contre ceux qui auraient déclaré la guerre » (16).

Quelques semaines plus tard, la police dénombre une foule considérable, 20000 personnes, à un meeting de l'Aéro Park (17) où les mêmes thèmes sont repris.

Les masses ouvrières sont-elles donc vraiment prêtes à saboter la mobilisation ?

En octobre, la C.G.T. convoque une Conférence extraordinaire des Bourses du Travail et des Fédérations pour mettre au point les mesures à prendre en vue de l'application des décisions des Congrès fédéraux sur l'attitude du prolétariat en cas de guerre. Il apparaît alors qu'il y a un fort décalage entre projets et réalités, cependant, un délégué des sous-agents des P.T.T. affirme qu'il y aurait un fort groupe de ses camarades prêt à agir, tandis que le délégué des mineurs prétend qu'aucune extraction de houille ne serait opérée :

« Dire que nous serons obéis unanimement serait peut-être aller trop loin ; mais nous avons étudié les moyens pour tout arrêter. Permettez-moi de ne pas divulguer ces moyens. »

Toutefois la Conférence précise un point fort important : quand doit commencer l'action des travailleurs ? « La déclaration de guerre doit être pour [eux] le mot d'ordre de la cessation immédiate du travail ».

Dès lors, des orateurs répandent ces décisions à travers toute la France et en termes violents. Les autorités en ont relevé quelques exemples.

Jouhaux : « Si les affaires ne s'arrangent pas entre la France et l'Allemagne, opposez-vous à la guerre par la grève générale et la révolution sociale » (18).

----

(16) Rap. C. pol.
(17) 24.9.1911.
(18) Bourse du Travail de Bordeaux, 20.10.1912.

Yvetot : « J'espère que les fils d'ouvriers sauront faire leur devoir lorsque la Société bourgeoise mettra un fusil entre leurs mains... et que certainement ils ne tireront ni sur leurs pères, ni sur leurs frères » (19).

Ces mêmes positions sont une nouvelle fois développées au Congrès du Havre en 1912, avec cependant un accent nouveau dû à la loi Berry-Millerand (20).

De leur côté, les Jeunesses syndicalistes, tenant leur Congrès à Paris, à peu près au même moment (1er septembre), se préoccupent d'envisager des actions pour « désorganiser la mobilisation » (21), mais sans aboutir à des conclusions.

Les événements des Balkans provoquent un durcissement dans l'attitude de la C.G.T. qui tente de coordonner l'action pacifiste sur le plan international, mais sans plus de succès que précédemment ; toutefois, note l'auteur du rapport, « elle n'en continue pas moins son œuvre qui ne s'appliquant plus qu'à la France, ne peut que mettre notre pays en état d'infériorité au point de vue de la mobilisation ».

C'est ainsi que le 18 octobre 1912, la C.G.T. diffuse à travers la France un manifeste « Guerre à la Guerre » (cf. A. 10) et engage une nouvelle campagne de meetings. L'ancien secrétaire général de la C.G.T., Griffuelhes, affirme à la Bourse du Travail d'Angers :

« La seule guerre que nous voulons, c'est la guerre sociale, qui dressera les exploités contre les exploiteurs » (22).

Partout d'autres orateurs lui font écho : entre le 19 octobre et le 25 novembre, la Sûreté recense 20 meetings (23) où les propos tenus donnent au moins l'apparence de la plus grande détermination.

Certains propagandistes, comme le stéphanois Liother (24) sont suivis par la police avec une particulière sollicitude :

---

(19) Belfort, 27.10.1912.

(20) cf. Chapitre premier.

(21) C.R. *Bataille Syndicaliste,* 2.9.1912.

(22) 30.10.1912.

(23) Marseille (19.10), Lorient (26.10), Paris (31.10), Trélazé (2.11), Marseille (6.11), Paris (id.), Chazelles-sur-Lyon (8.11), Vienne (9.11), Amiens (id.), Aniche (10.11), Denain (id.), Brest (16.11), Lorient (id.), Alais (id.), Paris (16.11), Saint-Etienne (17.11), Le Havre (19.11), Saint-Etienne (23.11), Grand-Croix (24.11), Brest (25.11).

(24) Benoît Liothier, né en 1883 dans la Loire, métallurgiste à Saint-Etienne, est considéré par les services de police « comme un membre très actif du groupe révolutionnaire stéphanois Germinal, propagandiste ardent des théories libertaires et antimilitaristes, orateur habituel et violent des réunions privées de la Bourse du Travail de Saint-Etienne ; individu dangereux, partisan de la propagande par le fait » (A.N. F 7 13053).

« Ce qu'il faut faire, c'est empêcher la mobilisation et la concentration des troupes. Dans quelle condition ? Ecoutez : si vous voulez partir au reçu de votre feuille de mobilisation, vous n'avez qu'à ne pas couper les fils télégraphiques, les poteaux, à ne pas faire sauter les ponts et les tunnels, à ne pas faire dérailler les trains. Si au contraire, vous ne voulez pas partir, vous m'avez compris » (25).

(De tels propos entraînent d'ailleurs le dépôt d'une plainte auprès du Parquet).

« Quand on entend crier : vive l'Armée ! il faut crier : vivent les assassins... ! (26) ;

« ...le moment de se préparer est venu : il faut au plus tôt se munir de revolvers, pinces, cisailles et de tous autres objets nécessaires à la destruction... du tunnel de Terrenoire notamment et de toutes les guérites qui sont le point de départ des fils télégraphiques » (27) ;

« Si la classe ouvrière veut obéir aux ordres militaires, il ne faudra pas saboter la mobilisation. Pour conduire les troupes à la frontière, il y a des trains qui courent sur des rails ; ces rails obéissent à des aiguilles. Ceux qui voudront sauver la patrie n'auront qu'à laisser tout cela en état. Ceux qui au contraire se refuseront à être convertis en chair à canon... je vous laisse le soin de conclure... » (28).

Il en est de même du Brestois Pengam (29) :

« L'ouvrier ne saurait marcher contre ses frères allemands ou autres, mais contre ceux qui l'oppriment, à savoir les capitalistes. Si la France est prête à la guerre, s'il ne manque pas un bouton de guêtre à son

---

(25) Rap. C. Sp. Saint-Etienne, 10.11.1912.
(26) Rap. C. Sp. Vienne, 10.11.1912.
(27) Rap. C. Sp. Saint-Etienne, 17.11.1912.
(28) Rap. C. Sp. Saint-Etienne, 23.11.1912.

(29) Victor Pengam, né en 1883 à Brest, secrétaire général de la Bourse du Travail de Brest, anarchiste, ouvrier à l'Arsenal, est une des figures les plus marquantes du mouvement ouvrier brestois. Lorsqu'il meurt prématurément en 1920, le *Cri du Peuple,* organe de la Fédération du Finistère de la S.F.I.O., dont il était l'adversaire sur le plan des idées, lui rend un long hommage :
« Toute son existence, il l'avait donnée à la cause prolétarienne, il fut le champion du syndicalisme et de la coopération dans le Finistère...
Propagandiste de premier ordre et conférencier de talent, il fut aussi un admirable organisateur et les œuvres nombreuses qu'il avait établies ont su conserver de lui cette impulsion de force et de foi qu'il leur avait inculquée... »
(*Cri du Peuple,* 6.3.1920).

« Rappeler la vie de Victor Pengam, c'est en quelque sorte faire l'histoire du syndicalisme brestois et de toutes les tentatives de la classe ouvrière de notre Cité... les militants se souviennent de la part que Pengam prit dans la lutte contre le militarisme mondial... »
(*Cri du Peuple,* 13.3.1920).

armée, il faut qu'à la mobilisation, il lui manque des hommes pour porter ses guêtres, des artilleurs pour pointer ses canons, des hommes pour pointer ses fusils... (30) ;

ou de Mazet (31), le secrétaire de la Bourse du Travail d'Alais :

« Le meilleur moyen d'éviter la guerre, c'est de refuser d'être des assassins... Quand nous nous trouverons en face des casques à pointe, ce n'est pas contre ceux-là que nous nous battrons ! Au jour de la mobilisation, les cheminots qui sont adhérents à la C.G.T. sauront faire leur devoir. Ce jour-là, ils sauront travailler ; si on enlève les rails, les trains partiront-ils ? » (32).

Cette agitation se poursuit par la tenue d'un Congrès spécial de la C.G.T. à Paris, les 24 et 25 novembre. Une seule question a été inscrite à l'ordre du jour : « l'organisation de la résistance à la guerre ». 450 congressistes y représentent 1450 organisations. Ils reçoivent une circulaire distribuée par Henry Combes (33), membre de l'Union des Syndicats de la Seine, et surtout dirigeant anarchiste connu : c'est un des secrétaires de la Fédération Communiste Anarchiste. Cette circulaire préconise, pour empêcher la mobilisation :

1) le soulèvement des syndicats et la grève générale ;

2) la mise au point et la diffusion de recettes pratiques pour saboter les moyens de communication (34) ;

---

(30) Rap. C. pol. Brest, 26.11.1912.

(31) Un oubli probablement, Mazet, ne figure pas sur la liste des principaux révolutionnaires de province (A.N. F 7 13053). Il est par contre mentionné sur une liste beaucoup plus réduite comprenant tous les noms importants du syndicalisme révolutionnaire (A.N. F 7 13348).

(32) Rap. C. Sp. Alais, 17.11.1912.

(33) Henry Combes a alors 25 ans. Originaire des Landes, employé de commerce de son métier, son activité se déroula surtout dans les milieux anarchistes. Il fut entre autres rédacteur au Libertaire. Il figurait sur la liste des principaux révolutionnaires parisiens (A.N. F 7 13053). En 1912, il fut le directeur-gérant d'une publication éphémère : Le Mouvement Anarchiste.

(34) Le caractère des entreprises d'Henry Combes (cf. p. 65 et 78) l'obligea souvent à fuir à l'étranger pour échapper à l'arrestation. Ainsi une note du 6 février 1913 (A.N. F 7 13065) nous apprend qu'Henri Combes, réfugié en Belgique, a délégué son ami Jacklon (pseudonyme d'un anarchiste, Jacques Long) auprès de cheminots révolutionnaires afin qu'ils lui indiquent « les moyens les plus simples de saboter les voies ferrées, les signaux, les aiguilles, les « griffards », les moteurs électriques, etc. Les renseignements, nécessaires à l'achèvement d'une brochure en préparation sur le sabotage, lui furent fournis après que l'un des interlocuteurs eût tenu cependant à se « faire préciser qu'il ne s'agissait que du sabotage d'une mobilisation ».

3) la destruction des rotatives pour empêcher l'action « nocive » de la presse bourgeoise ;

4) le refus des syndiqués de répondre à l'ordre de mobilisation ;

5) l'attaque par des groupes de « compagnons » sûrs des points vulnérables de la Défense nationale.

De ces propositions, le Congrès retient le sabotage des moyens de communication et le refus d'obéissance à l'ordre de mobilisation. On envisage que les délégués syndicaux réuniront les réservistes dans les Bourses du Travail le jour de la déclaration de guerre. C'est ce qu'indique la résolution votée cette fois à l'unanimité :

> « Le Congrès ne reconnaît pas à l'Etat bourgeois le droit de disposer de la classe ouvrière. Celle-ci est décidée à profiter de toute crise sociale pour recourir à une action révolutionnaire. D'où il découle que, si, par folie ou par calcul, le pays au sein duquel nous sommes placés, se lançait dans une aventure guerrière, au mépris de notre opposition ou de nos avertissements, le devoir de tout travailleur est de ne pas répondre à l'ordre d'appel et de rejoindre son organisation de classe pour y mener la lutte contre ses seuls adversaires : les capitalistes. »

Et l'auteur du rapport rappelle que, somme toute, ce n'était que l'officialisation d'une brochure d'Yvetot de 1901 « Vers la Grève générale » qui affirmait :

> « Croit-on que les révolutionnaires laisseront librement circuler les trains emportant nos pires ennemis ? Allons donc, ce serait le comble de la naïveté, vu surtout l'extrême facilité qu'il y a à empêcher de pareils faits de se produire... » (35).

Toujours est-il qu'en attendant le jour éventuel de l'action, le Congrès décide une sorte de répétition, une grève générale de 24 heures pour le 16 décembre 1912.

Une série de meetings auxquels prennent part les dirigeants les plus en vue de la C.G.T., Yvetot, le spécialiste de l'antimilitarisme, mais aussi l'ancien et le nouveau secrétaire général de la C.G.T., Griffuelhes

---

(35) Extrême facilité ? On peut sourire du manque de sens des réalités de ces révolutionnaires qui ignoraient ou feignaient d'ignorer les moyens de résistance dont disposait l'Etat, surtout lorsque ses adversaires ne formaient qu'une minorité. Mais, si l'on nous permet d'anticiper, n'y a-t-il pas là, l'explication psychologique du renoncement de certains et pas des moins déterminés, lorsque les événements ne se présentèrent pas en 1914, comme ils l'avaient prévu.

et Jouhaux (36), Merrheim « des métallurgistes », Rivelli (37) « des marins », Bourderon (38) « du Tonneau », ou encore l'ancien mineur Dumoulin (39), préparent le mouvement. On fait même appel aux talents de conférencier du théoricien anarchiste Sébastien Faure (40) qui sillonne la région lyonnaise. A Paris, immédiatement à l'issue du Congrès, deux meetings ont lieu dans les salles Wagram (41), où viennent se joindre aux orateurs parisiens (42) quelques provinciaux, comme le porte-parole des mineurs révolutionnaires du Pas-de-Calais, Broutchoux (43) :

> « Quant à l'insurrection, il ne semble pas non plus qu'une autre organisation en soit capable que la C.G.T. comprenant dans son sein des gens capables de faire autre chose que de gueuler sur une tribune, capables de descendre dans la rue. »

Yvetot fait, à ce meeting, une déclaration importante :

> « ...L'action doit partir d'en bas, sans ordre d'en haut. Il n'y a pas de mot d'ordre à donner. Vous n'avez pas à demander à une organisation ce que vous aurez à faire, vous n'avez qu'à le faire. »

paroles qui paraissent alors fort inquiétantes parce qu'elles prévoient une sorte d'automaticité du mouvement.

Il en est de même en province, où les autorités relèvent entre autres les propos de Pengam à Brest (44) :

> « Lorsque nous verrons nos militants arrêtés (à la mobilisation), nous ferons comme sous la Commune ; nous prendrons nos otages, nous emprisonnerons les galonnés » ;

---

(36) Victor Griffuelhes a abandonné en 1909 le secrétariat général de la C.G.T. qu'il détenait depuis 1902. Il fut d'abord remplacé pendant quelques mois par un typographe, anciennement anarchiste, mais devenu réformiste, Louis Niel, puis par Léon Jouhaux, syndicaliste-révolutionnaire, très proche de ses idées, dont il soutint la promotion.

(37) Ange Rivelli, ancien matelot, né en Corse en 1873, était le secrétaire général de la Fédération nationale des Syndicats maritimes. (A.N. F 7 13961). Syndicaliste-révolutionnaire.

(38) Albert Bourderon, secrétaire de la Fédération du Tonneau, bien que figurant sur la liste des principaux révolutionnaires parisiens (A.N. F 7 13053), était connu pour sa pondération. Membre du Parti socialiste, il était d'ailleurs sensiblement plus âgé que la plupart des autres dirigeants syndicaux (né en 1858). Il participa pendant la guerre à la conférence de Zimmerwald.

(39) Cf. IIᵉ partie, Ch. V. p. 141.

(40) Fondateur du journal anarchiste Le Libertaire.

(41) 26 novembre 1912.

(42) Jouhaux : « Si la guerre est déclarée, nous nous refusons d'aller aux frontières ».

(43) Cf. IIᵉ partie, Ch. V, p. 163 et 164.

(44) 8.12.1912.

ou ceux d'un autre ouvrier brestois à ce même meeting :

« Le jour où la guerre deviendra plus menaçante, et paraîtra inévitable, nous n'hésiterons pas à sacrifier notre vie et il y aura des manifestations qui ne seront pas pacifiques... des militants sauront se mettre où il faut pour agir efficacement... »

D'une façon générale le ton monte — on prend de moins en moins de précautions de style, que ce soit le secrétaire général des Mineurs du Gard (45), le gérant du *Travailleur de l'Ouest* (46), qui appelle à garder « l'arme au pied » et faire « un accueil libre aux envahisseurs qui ne voyant devant eux que des frères regagneront leurs frontières » ou Dumoulin, à Pontoise (47) :

« Il faut que les bourgeois sachent bien que s'ils font la guerre, nous refusons d'obéir à l'ordre de mobilisation par tous les moyens à notre disposition »,

pensée qui est précisée par un militant local :

« Il existe deux lignes de chemin de fer à Pontoise, on verrait bien si elles resteraient. »

Cette décision de grève pour le 16 décembre est donc fort importante : elle permettrait en effet, comme le dit Broutchoux, de se rendre compte si les syndicalistes étaient seulement des « gueulards » ou s'ils étaient capables de « descendre dans la rue » ! De leur côté, les autorités pourraient dans une certaine mesure déduire du succès ou de l'échec du mouvement qu'elle était l'influence réelle de la C.G.T.

Il est bien connu que lorsqu'une organisation politique ou syndicale rend compte d'une manifestation qu'elle a organisée, elle en majore l'importance ; au contraire les pouvoirs publics, s'ils lui sont défavorables, ont tendance à la minimiser, de sorte que la vérité se trouve en général au milieu. Ici, le cas est différent : d'abord la note de synthèse, que nous étudions, n'était pas destinée à la diffusion, donc elle peut sans inconvénients dire la vérité, même si elle est désagréable. D'autre part le ton général serait plutôt alarmiste, destiné — on en a quelquefois l'impression — à provoquer une vigoureuse réaction gouvernementale. Dans ces

---

(45) C.-r. C. Sp. Alais, 9.12.

(46) En réalité il s'agit très vraisemblablement d'un militant socialiste, mais appartenant à une tendance très proche des révolutionnaires de la C.G.T. : le *Travailleur de l'Ouest* était en effet, non un organe syndical, mais l'hebdomadaire des socialistes de Saint-Nazaire (cf. p. 152). Meeting à Trignac (Loire-Inf.) C.-r. C. Sp. 11.12.

(47) C.-r. C. pol. 13.12.

conditions, le document pourrait pêcher plutôt par excès de pessimisme, et il est à peu près sûr que l'on peut prendre les indications données comme n'étant pas au-dessous de la réalité.

La grève du 16 décembre se déroule sans incidents notables ; voici les termes exacts employés pour l'apprécier : « il est certain qu'une assez vive agitation s'est produite sur tout le territoire, mais grâce à la fermeté des pouvoirs publics, cette grève qui avait été annoncée à grand fracas par voies d'affiches et de manifestes, comme devant « paralyser complètement pendant 24 heures la vie non seulement de la population parisienne, mais de la France entière » ne donna pas tous les résultats espérés... ».

Les maires et les préfets ont souvent interdit les manifestations et meetings projetés.

Au total, il y eut 30000 « chômeurs » à Paris et 50000 en province : ce n'est donc pas une levée en masse de la classe ouvrière, mais ce n'est certes pas non plus négligeable ; il y a en France plusieurs dizaines de milliers d'ouvriers très décidés à agir contre la guerre, au risque dans l'immédiat de subir des sanctions ou de perdre leur emploi.

L'émotion à peine retombée, la lutte contre la loi de 3 ans fournit un nouvel aliment à l'activité syndicaliste, ce qui provoque poursuites, arrestations, perquisitions (48). Des documents sont saisis, y compris dans les casernes ; les autorités en déduisent l'existence d'un complot, qui plus est, d'un complot hautement avoué, ce qui semble d'ailleurs paradoxal : conjuration dont la phase initiale, une grève générale insurrectionnelle aurait coïncidé avec les dates où la classe 1910, première « victime » de la loi de 3 ans, aurait dû être libérée, c'est-à-dire les 23 ou 24 septembre 1913.

C'est tout au moins ce que pense le secrétaire de la Jeunesse syndicaliste du Bâtiment :

> « J'estime que le moment ne pourrait être mieux choisi, car le gouvernement n'osera pas mettre des soldats en face des manifestants de peur que les soldats, sachant qu'on est descendu dans la rue pour soutenir leur cause, ne passent de l'autre côté de la barricade. Ce jour-là, on pourra peut-être renverser le Capital et établir la société communiste » (49).

La confirmation en est apportée quelques jours plus tard par l'arrestation à Lyon d'un révolutionnaire porteur d'un plan complet de grève

---

(48) Cf. Chapitre 1er, le procès du Sou du Soldat.
(49) Rapport P.P., 29.5.1913.

générale pour le 24 septembre avec des détails sur les actes de sabotage et de violence qui devaient en assurer le succès (50), ou par le compte rendu d'un meeting à Cherbourg où un orateur s'adresse aux pères de soldats :

> « Le 23 septembre, nous irons dans les casernes chercher nos fils ; quoi qu'il arrive, il faut que nous y allions : si l'on sabote la mobilisation, nous nous en foutons ! » (51).

En fait, après les incidents inquiétants qui ont eu lieu dans les casernes au mois de mai 1913, des mesures ont été prises : un télégramme (52) du ministre de la Guerre a invité les commandants d'armée à faire faire des « théories » aux hommes, « leur montrant leur devoir, mais aussi... les répressions auxquelles ils s'exposent » et à prévoir toutes dispositions utiles pour que ces événements ne se renouvellent pas en septembre : le 22 de ce même mois, le ministre de la Guerre télégraphie à ses chefs de Corps qu'il compte sur leur vigilance pour prévenir « discrètement » et au besoin réprimer « avec la plus grande énergie » toute manifestation qui pourrait se produire (53).

Il ne se produisit effectivement rien, mais les services de la Sûreté considèrent que seules les mesures de répression du gouvernement ont empêché la réalisation de projets plus vastes (54) ; ils expliquent par les mêmes causes le ralentissement de la propagande en vue du sabotage de la mobilisation : les militants syndicalistes, menacés de prison, menacés de perdre leur situation rémunérée, se sont assagis...

Mais — conclusion de cette deuxième partie du document —, on aurait grand tort de croire que leurs projets pour le cas où éclaterait une guerre étrangère en ont été modifiés.

« LES ANARCHISTES ET LE SABOTAGE DE LA MOBILISATION »

On pouvait suspecter un troisième secteur de l'opinion ouvrière d'envisager la préparation du sabotage d'une mobilisation éventuelle : les anarchistes.

---

(50) Rap. Préfet du Rhône, 9.6.1913.

(51) C.-r. C. Sp. de Cherbourg, 8.7.1913.

(52 et 53) A.M. Cabinet du ministre, Cabinet civil, Télégrammes, Sortie, Registre 32-1.

(54) L'agitation redoutée fut d'autant mieux évitée qu'une « astuce » gouvernementale permit de renvoyer à peu près à la date prévue la classe 1910 : on appela, en effet, par avance une nouvelle classe, ce qui permit d'atteindre les effectifs souhaités.

Certes, bon nombre des dirigeants syndicalistes particulièrement surveillés étaient en même temps anarchistes, mais cela n'empêchait pas de craindre une action spécifiquement anarchiste. Dans la société française du début du XXᵉ siècle, les anarchistes ne semblaient pas relever du folklore, mais d'un danger très réel : chaque Préfecture en possédait de longues listes et depuis l'assassinat du Président Carnot et la crise des années 90, les anarchistes fichés étaient suivis presque heure par heure dans leurs déplacements ; dans les dossiers subsistent d'épaisses liasses de télégrammes jaunes — les télégrammes officiels — consacrés à cette surveillance, chaque gendarmerie prenant le relais aux différentes étapes du voyage des suspects !

C'est donc à l'étude de leur action qu'est consacrée la troisième partie de la note que nous analysons : elle considère que l'anarchiste est « en soi » un saboteur dont cependant les lois dites « scélérates » de 1893-1894 ont freiné l'ardeur.

Certains, d'après ce rapport, devinrent alors simplement des criminels de droit commun, tandis que d'autres pénétraient dans le syndicalisme, constituant la tendance de l'anarcho-syndicalisme ou du syndicalisme révolutionnaire, tout en s'assurant dans la C.G.T. des positions essentielles. « [L'anarchisme] est devenu le maître de la C.G.T. ».

De plus les anarchistes, sauf les « individualistes », se sont regroupés, et le programme de leurs groupements consacre évidemment une large place à l'antimilitarisme et à l'antipatriotisme, très précisément au sabotage de la mobilisation. Preuve à l'appui, le programme tracé le 16 avril 1911 par « l'Organisation de Combat » (55) :

« Dès le signal de la mobilisation, il faut : 1° saboter immédiatement et complètement le réseau de l'Est (voies ferrées, fils télégraphiques et téléphoniques, matériel roulant), détruire par la dynamite les viaducs, tunnels, réserves de charbon, quais d'embarquement militaire, etc. ; 2° saboter les autres réseaux partout où ce sera possible ; 3° arrêter immédiatement les préfets, sous-préfets, maires, commissaires de police, magistrats, etc., les mettre dans l'impossibilité de nuire et en faire des otages ; 4° pro-

---

(55) En fait « l'organisation de Combat » n'est pas à proprement parler anarchiste. Dirigée par G. Hervé, elle regroupe ses compagnons habituels, comme pendant longtemps son principal lieutenant, Almereyda, et se situe aux frontières indécises du socialisme plus ou moins indépendant, de l'anarchisme intellectuel, du journalisme « engagé », et de l'aventure sans idéologie trop définie, sans omettre les représentants directs ou indirects des Renseignements Généraux particulièrement nombreux et actifs dans le monde anarchiste ou pseudo-anarchiste.

céder immédiatement à des expériences sur la terrasse de la Bellevilloise pour voir s'il ne serait pas possible de capter ou de brouiller les communications sans fil lancées par la Tour Eiffel » (56).

Un autre groupement, la Fédération Communiste Anarchiste, adopte le même programme qu'elle doit cependant légèrement modifier, car le « Service de Sûreté révolutionnaire » a découvert des mouchards qui ont transmis le plan à la Sûreté générale et à la Préfecture de Police !

La particularité du programme anarchiste tient à sa très grande précision à propos des objectifs visés et des groupes d'action qui doivent les atteindre : il prévoit de faire sauter les rails des lignes du Nord et de l'Est une heure environ après la mobilisation. Pour l'Est, les points considérés comme essentiels sont les gares de Noisy-le-Sec et de Saint-Denis et le « pont de Mulhouse » : l'action doit être menée à bien par les « groupes » de Pantin, des Lilas, d'Aubervilliers, de Vincennes et du 20ᵉ arrondissement. Ces hommes devront en plus couper les fils télégraphiques. Les « groupe » de Bezons, de Courbevoie, des 14ᵉ et 15ᵉ arrondissements ont pour objectifs les gares Saint-Lazare, Montparnasse, de Saint-Cyr-l'Ecole et de Courbevoie. En s'attaquant aux gares de Villeneuve et de Juvisy, les « groupes » de Sceaux et de Villeneuve-Saint-Georges doivent complètement isoler Paris. Enfin les « groupes » parisiens sont chargés d'agir contre l'Hôtel des Postes, le Bureau central de la rue de Grenelle et les appareils de T.S.F. de la Tour Eiffel.

Plan grandiose, qui ne satisfait pas totalement tous les compagnons, puisque l'un d'eux signale qu'on n'a rien dit des aéroplanes. Mais on y a songé ! et des « copains » doivent surveiller les champs d'aviation de Buc, d'Issy-les-Moulineaux et Reims. De plus des actions de caractère psychologique sont envisagées : d'où les projets de faire sauter le Palais présidentiel, les ministères de l'Intérieur, de la Guerre, des Finances... En ce qui concerne les explosifs nécessaires, les anarchistes pensent se les procurer aisément dans les carrières autour de Paris.

Il y a donc une différence de niveau très sensible entre les anarchistes agissant en tant que syndicalistes et se contentant de directives

_____

(56) Pour les services de police d'ailleurs, il semble qu'il y ait quelque liaison entre les milieux anarchistes et les services d'espionnage allemand. Un rapprochement est fait entre l'idée de ces expériences suggérées par un étudiant allemand de la Sorbonne, Nuchmann et qui en avait d'ailleurs réalisées sur le toit de l'immeuble de la C.G.T. soit à environ 6 km de la Tour Eiffel, et le rapport, également de 1911 du commissaire spécial de Nancy signalant que le major allemand Kauffmann affirmait qu'un de ses compatriotes avait installé à 6 km de la Tour Eiffel un poste de réception sur des appareils peu sensibles et que d'après les résultats obtenus, les Allemands envisageaient de capter ou d'embrouiller les communications faites sur notre territoire par la radiotélégraphie.

violentes mais générales et les anarchistes agissant en tant que tels et entrant dans le détail des préparatifs : on peut seulement s'étonner de ce que, apprenant que la police est au courant de leurs projets, ils se contentent d'en modifier quelques points seulement.

Cependant, les événements des Balkans ont aussi une influence dopante sur les anarchistes et provoquent de leur part une activité redoublée.

Le secrétaire de la Fédération Communiste Anarchiste, Louis Lecoin (57), ne recule pas devant la provocation au meurtre, même si elle reste dans l'abstrait :

« Voici la solution pratique pour le cas d'une mobilisation. Au premier jour, une dizaine de camarades conscients comme il s'en trouve certainement dans chaque régiment, sortent en ville porteurs d'un pli quelconque à l'adresse d'un officier supérieur ou d'un général. Lorsque le camarade est en présence de ce dernier, il agit et agir, c'est supprimer l'officier » (58).

D'ailleurs un tract de la Fédération (59), « la Guerre », est très explicite :

« Ne va pas à la boucherie ! Refuse-toi à tout service ! Arme-toi et sois prêt à t'insurger ! Que la déclaration de guerre soit le signal de l'insurrection et de la chute de l'ignoble régime que nous subissons ! »

En fait, les autorités tirent sans difficulté une grande partie de leur documentation du *Mouvement Anarchiste* (60), qui eut une existence éphémère en 1912. Le numéro 3 (61) exhorte les appelés à la grève, à la mise hors de service des canons et des fusils, au saccage des poudreries. Ce même numéro précise que pour saboter un canon, il suffit d'enlever le bouchon avant du frein hydraulique. D'autres conseils devaient suivre. Et effectivement, le numéro suivant avec gravures explicatives et détails techniques illustre les facilités de sabotage d'un 75.

« En cas de mobilisation, quelques camarades peuvent immobiliser de cette façon en quelques heures des centaines de canons. »

---

(57) Jardinier de son état, Lecoin se signale dès son service militaire en refusant de participer à la répression contre les grévistes en 1910, ce qui lui vaut ses 6 premiers mois de prison.

(58) Rap. P.P., 14.9.1912.

(59) 15.9.1912.

(60) 5 numéros du *Mouvement Anarchiste* sont parus d'août à décembre 1912. Du format d'une brochure, ses principaux rédacteurs sont Henry Combes, Georges Durupt, E. Boudot, E. Besson. Organe de la Fédération Communiste Anarchiste, il se signale par la violence de ses attaques contre les socialistes, les francs-maçons, les autres syndicalistes...

(61) Octobre 1912.

Le journal était allé un peu loin... ; les pouvoirs publics s'émeuvent et Henry Combes, son directeur-gérant, doit se réfugier en Angleterre.

Mais la virulence des numéros ultérieurs n'en est pas affaiblie : le numéro 5 (62) décrit la façon de saboter le fusil Lebel avec quelques grains de potée d'émeri placés près de la manette de la culasse mobile.

Les services de police ont une autre source de documentation dans les déclarations recueillies au cours de différents meetings anarchistes ; ainsi :

« Les militants qui connaissent des officiers et savent où ils demeurent, ne devront pas hésiter, en cas de mobilisation, à mettre ces bêtes malfaisantes dans l'impossibilité de nuire » (63).

« La classe ouvrière emploiera tous les moyens pour ne pas se laisser jeter dans des conflits stupides et sanglants » (64).

« Si malgré tout la guerre éclate, nous saurons reconnaître nos ennemis aux galons qu'ils portent sur leurs manches » (65).

Et enfin, récapitulation d'ensemble :

« Pour rendre impossible la concentration des troupes et empêcher ceux qui trop inconscients ou trop lâches répondraient à l'ordre de mobilisation et iraient se faire tuer pour la défense du coffre-fort, il faudrait saboter les lignes de chemin de fer, faire sauter les ouvrages d'art, empêcher les plaques-tournantes de fonctionner et arrêter les mécanismes des signaux.

Pour les militants qui seraient déjà incorporés, le sabotage de matériel de guerre s'imposerait. En enlevant la clavette d'arrêt du canon de 75, la pièce est hors d'usage après le départ du premier coup... Un autre moyen d'arrêter la mobilisation consiste à profiter du désarroi causé par la mobilisation pour assassiner l'un après l'autre tous les officiers du régiment » (66).

L'activité des anarchistes semble, comme celle des socialistes et des syndicalistes, se relâcher dans les années suivantes : cependant la police se montre toujours vigilante et au début de 1914, un rapport du commissaire spécial de Nancy signale la réunion hebdomadaire du groupe

---

(62) Décembre 1912.

(63) Mairie du Pré-Saint-Gervais, 7.11.1912. C.-r., P.P., 8.11.1912. Le même orateur, Boudot, fit un véritable cours de sabotage à la Salle des Sociétés Savantes, le 12 novembre (C.-r., P.P., 13.11).

(64) Denain, 12.11. C.-r. C. Pol. 13.11.

(65) Amiens, 17.11. C.-r. C. Sp. 18.11.

(66) Lecoin, 14.11.1912, Paris.

anarchiste local (66), fort de 6 personnes. Le chef du groupe (67) développe plusieurs thèmes : des fuites se produisent, il faut être davantage sur ses gardes ; trop de libertaires ignorent leur tâche en cas de mobilisation, chacun doit posséder une cisaille et une pince universelle afin de pouvoir s'attaquer sans délai aux lignes téléphoniques et télégraphiques ; il sera nécessaire ensuite d'attaquer une armurerie et de se diriger vers Paris en continuant l'action de sabotage sur les chemins de fer. Au cours de la même assemblée, un autre assistant explique avec soin les moyens de saboter la place de Verdun.

Il est curieux de constater que l'indicateur de la police est, à coup sûr, l'un des membres, pourtant peu nombreux, du groupe. Ce qui jette une lueur particulière sur le mélange de provocation et d'enfantillage qui caractérisent les activités anarchistes. Et à l'opposé, cela devrait ramener à une juste proportion les inquiétudes des autorités : ce n'est pas le cas, car la note le souligne, la précision des détails des plans de sabotage montre que les deux principaux responsables ont des « intelligences avec des camarades ignorés dans l'armée et aux chemins de fer ».

Une nouvelle réunion du groupe de Nancy a lieu quelques jours plus tard (68) : là encore on est très précis. Parmi les tunnels à saboter, celui de Pagny-sur-Meuse à Foug serait le plus vulnérable. De nouveaux renseignements sont apportés sur les lignes stratégiques entre Verdun et Langres.

La lecture de ces projets qui semblent disproportionnés avec les moyens dont disposent les anarchistes, peut faire sourire : ce n'est pas l'avis de la Sûreté générale dont la conclusion est la suivante :

« Telles sont les discussions auxquelles se livrent les anarchistes à deux pas de la frontière.

Ce n'est pas la première fois que l'attention de la Direction de la Sûreté Générale est appelée sur l'élaboration secrète de dispositions tendant à empêcher une mobilisation... »

Nous l'avons déjà suggéré, la note de synthèse sur « les projets de sabotage de la moblisation » n'était pas destinée à rassurer les milieux

---

(67) A.N. F 7 13348, 4.1.1914.
(68) H.E., âgé de 27 ans, né à Paris, est un ancien professeur à l'école française de Bruxelles ; voyageur de commerce, il s'est établi à Nancy en avril 1913 et il quitte cette ville en février 1914.
(69) 11.1.1914.

gouvernementaux chargés d'en tirer les conséquences, plutôt à les inquiéter. D'une façon générale, l'auteur a soigneusement « monté en épingle »
toutes les informations recueillies et bien des formules, une fois replacées
dans leur contexte, apparaissent en fait moins subversives.

Des trois courants de l'opinion ouvrière, il ressort finalement ceci :
les socialistes sont contre la guerre évidemment, mais, sauf, pendant un
temps, la fraction hervéiste, n'envisagent pas de saboter une mobilisation ;
les syndicalistes clament qu'ils le feront, mais ils ne s'y préparent guère ;
seuls les anarchistes ont véritablement des plans d'action, mais aux
ambitions, semble-t-il, démesurées.

Il n'est d'ailleurs pas ici de notre propos de juger de la réalité de ces
projets de sabotage, mais de ce qu'en pensait l'Administration : or si
celle-ci en pousse le tableau au noir, il est loisible de penser que cela
témoigne d'une réelle inquiétude, d'autant plus que quelle que fût l'ampleur des renseignements dont elle disposait, elle pouvait estimer qu'elle
en ignorait bien d'autres. Il est certain que pour les autorités, il existait
sinon un risque réel de sabotage de la mobilisation, du moins la possibilité
qu'elle soit fortement gênée.

Une preuve de cet état d'esprit, de cette inquiétude, peut être fournie
par cette affaire de 1909 : en janvier, le commissaire spécial de Cherbourg reçoit la note suivante émanant de la Direction de la Sûreté
générale :

« D'après les renseignements fournis par mes services, une brochure
ultra-secrète consacrée aux différents modes de sabotage, aurait été distribuée à plus de 50 ouvriers de l'Arsenal ou matelots de Cherbourg, dont
la C.G.T. est sûre.

Je vous prie de vouloir bien prendre à ce sujet toutes les informations
nécessaires et surtout de vous procurer, puis de m'envoyer d'urgence un ou
plusieurs exemplaires de la brochure en question. »

En même temps, les commissaires spéciaux de Brest, Lorient et
Toulon reçoivent une note à peu près semblable. Les indicateurs sont
mis au travail et la collation des réponses permet de dresser le tableau
suivant (70) : dans les milieux révolutionnaires parisiens, rien n'a été
trouvé ; il a bien été mis à jour deux brochures, mais l'une a été éditée en
1904 et, sous le titre « Boycottage et sabotage », elle se contente de
reproduire un rapport présenté au Congrès confédéral de 1897 ne traitant
que de questions générales relatives au sabotage ; de l'autre due à l'anar-

_____

(70) A.N. F 7 13065 M/15287.

chiste Fortuné Henry (71) et titrée « grève et sabotage », seule la première partie, consacrée à la « grève intermittente », a été jusqu'à présent rédigée.

Les recherches dans les ports de guerre n'ont guère eu plus de succès : à Brest, à Cherbourg, aucune trace. A Lorient, le commissaire spécial a entendu dire que l'autorité militaire a eu en sa possession vers 1904 une brochure relative au sabotage qui pourrait peut-être être retrouvée au ministère de la Marine. Les résultats de l'enquête sont à peu près les mêmes à Toulon : le groupe de la « Jeunesse Libre », a bien reçu vers 1904 quelques exemplaires d'une brochure « Moyens pour l'action directe », mais il est peu probable que l'on puisse maintenant retrouver cette brochure.

Finalement il faut conclure que la brochure si activement recherchée n'a probablement jamais existé.

Il n'y a donc pas de quoi « fouetter un chat ». Voire : l'auteur de la note ajoute un post-scriptum à son état néant. D'après lui la C.G.T. n'a pas besoin de faire connaître les meilleurs moyens de pratiquer le sabotage. Quel est l'ouvrier qui ignore la façon de détériorer la machine qu'il conduit ou sur laquelle il travaille ? Il trouvera toujours le moyen d'introduire une pincée de sable ou un flacon d'acide dans un graisseur ou de laisser tomber par inadvertance un tout petit caractère d'imprimerie dans l'engrenage d'une presse typographique. Des opérations de ce genre sont infiniment plus aisées que la confection ou le lancement d'une bombe. La C.G.T. a accompli sa tâche quand elle a fait adopter par des syndiqués sa théorie de la nécessité du sabotage. Les moyens d'exécution feront seulement l'objet de conversations dans les ateliers contaminés.

Ainsi le sabotage, qu'on en explique ou non les moyens dans des brochures, pouvait présenter, pour les services de police, un danger très sérieux, mais essentiellement dans la mesure où les masses ouvrières seraient convaincues de sa nécessité.

---

(71) Jean-Charles Henry, dit Fortuné, journaliste-imprimeur, a la réputation d'un anarchiste particulièrement violent. Les services de police considèrent par exemple qu'en 1910 par l'intermédiaire de ses fonctions de secrétaire de la rédaction du journal des Terrassiers, il était devenu le véritable chef de ce syndicat et qu'il s'y montrait un partisan déterminé de la violence (F 7 13053). Son frère, Emile Henry, avait été exécuté en 1894, après avoir commis les attentats anarchistes du café Terminus et de la rue des Bons-Enfants (cf. Jean Maitron, *Ravachol et les Anarchistes*, collection Archives, 1964, chapitre 3).

CHAPITRE III

LES MANUELS

Cette brochure consacrée au sabotage que les autorités recherchèrent en 1909 avec tant de soin exista quelques années plus tard : ce fut la « Brochure Rouge », mais elle fut précédée par la publication, dès les premières années du siècle, du Manuel du Soldat, qui pour être d'intention sensiblement différente n'en retint pas moins de façon constante l'attention des pouvoirs publics.

Le Manuel du Soldat

Les participants au Congrès de la C.G.T. tenu à Alger en 1902 discutèrent d'un « Manuel du Soldat » qui devait être distribué à tous les jeunes gens de 18 à 20 ans.

La rédaction en fut évidemment confiée à Yvetot et sous le nom du « Nouveau Manuel du Soldat », il connut un certain succès puisque 9 éditions de 10000 exemplaires et 5 de 15000 succédèrent à un premier tirage de 20000 brochures. L'édition de 1908 que nous avons pu consulter est la 16e : avec elle le tirage total atteignait alors 185000 exemplaires.

Le Manuel du Soldat est un recueil des thèmes qui dans le domaine de l'antipatriotisme et de l'antimilitarisme ont été inlassablement repris par les militants ouvriers dans leurs discours, leurs proclamations, leurs articles...

Le premier thème développé dans le Manuel du Soldat est la négation de l'idée de Patrie. (la Patrie) « est un des mots qui ont fait le plus couler de sang humain. Combien ce mot a fait de dupes ! Combien il a fait de victimes ! » L'auteur ne dit pas qu'on ne doit pas aimer

CONFÉDÉRATION GÉNÉRALE DU TRAVAIL

SECTION DES BOURSES

NOUVEAU

Manuel

du

Soldat

La PATRIE - L'ARMÉE - La GUERRE

Dix-septième édition.

S'adresser au Secrétaire de la C. G. T. (Section des Bourses)
33, rue de la Grange-aux-Belles
PARIS

La couverture
du « Manuel du Soldat »...

son pays, mais l'amour de la Patrie n'est pas celui de son pays, car la notion de Patrie a été privée de contenu concret au profit d'une sorte d'entité abstraite, d'une véritable religion. Cette notion de Patrie ne permet plus le libre raisonnement, mais crée des automatismes susceptibles de pousser à toutes les infamies. Dans ces conditions, la Patrie ne peut plus être considérée comme autre chose qu'un mot vide de sens. Plusieurs fois d'ailleurs revient cette identification entre Patrie et Religion, Patrie et idole, signe de croix et salut au drapeau, et par ce biais la dénonciation de l'idée de Patrie rejoint sur d'autres plans la dénonciation de la Religion, c'est pareillement le domaine de l'irrationnel. Il y a donc une nuance assez importante entre l'affirmation que le « prolétaire n'a pas de Patrie », ce qui sous-entend que dans le système capitaliste, la Patrie est uniquement celle des « Bourgeois », et celle proclamée ici de l'inexistence même de la notion de Patrie, puisque la Patrie est « partout où il y a des hommes qui luttent, pensent, souffrent, travaillent, espèrent et se révoltent contre les injustices sociales ». Dans cette perspective, le sol où l'on est né, la langue, les traditions historiques et culturelles ne sont même pas prises en considération et on peut se demander si la différence affirmée entre Patrie et pays n'est pas une clause de style destinée à éliminer une contradiction que l'on pressent.

Le deuxième thème encore plus largement défini est celui de l'antimilitarisme, mais il n'est pas fait de différence entre l'Armée, dont on peut concevoir qu'elle soit un instrument de défense et le militarisme, cette croyance aux vertus exceptionnelles de l'Armée : c'est d'ailleurs pourquoi l'idée des « milices » semble tout aussi mauvaise que celle de l'Armée à proprement parler. On fait même le reproche aux milices, sauf d'être plus économiques, d'entretenir l'esprit militaire plus longtemps, puisque l'éducation militaire serait en quelque sorte permanente. Il apparaît donc bien que sous le couvert du militarisme, c'est l'Armée en soi qui est visée. La notion de défense nationale ne peut être retenue, puisque les ouvriers « n'ayant rien, n'ont rien à défendre ». Au fond cette conception rejoint assez curieusement celle des patriciens romains que seuls pouvaient être soldats les propriétaires d'un bien, ce qui suppose d'ailleurs que l'appartenance réelle à un pays ne peut se faire que par l'intermédiaire de biens matériels. Le chemin ainsi dégagé et l'Armée renvoyée au néant ou ce qui revient au même à l'unique défense « du coffre-fort », elle est attaquée avec la dernière vigueur.

La discipline militaire n'a d'autre objet que de transformer les soldats « en machines à obéir » et les obliger à accepter « les ordres les plus idiots, les plus contradictoires, les plus immoraux, les plus grossiers » : elle crée des « brutes passives ». Plusieurs fois il est fait allusion à cet abrutissement, dont serait responsable l'Armée, et on retrouve de cette façon cette hantise de l'irrationnel qui seul soutient la notion de Patrie. Cette discipline n'est fondée que sur la violence, sur le fouet représenté par le Code qui punit de mort « le geste le plus légitime de révolte ». Le régiment doit faire horreur, car il coupe « du monde qui produit, qui vit », il transforme en machines. La formation militaire est un obstacle à tout progrès de l'espèce humaine en faisant subir à chaque individu un apprentissage de bassesse et de brutalité. Les cadres de l'Armée sont particulièrement haïssables, « porte-sabre qui représentent la bêtise et la violence des âges lointains ». A travers le Manuel, l'officier apparaît comme une sorte d'épouvantail chez qui se sont rassemblées toutes les tares de l'espèce humaine : les officiers forment une caste à part, « une véritable caste de brutes ». Le soldat doit subir « l'injure la plus grossière du premier imbécile venu qui porte un ou plusieurs galons. Et pour faire bonne mesure, l'Armée est également présentée comme l'agent de perversion de la jeunesse, c'est « l'école du vice ». En bref la vie de caserne est celle du vice, « de la fourberie, du ridicule et de la cruauté ». C'est bien inconsidérément que l'uniforme militaire est considéré comme « la livrée de l'honneur », c'est la « livrée de l'esclavage ou du crime ».

La dénonciation passionnée de l'Armée réapparaît à travers d'autres thèmes : celui de l'Armée comme instrument de la « guerre sociale », de son emploi pour briser les grèves, pour réprimer les manifestations ouvrières ; chaque année, elle se livre à quelque massacre d'ouvriers, sans parler des grands massacres, 1848, 1871 — c'est d'ailleurs encore pour la même raison qu'on ne peut accepter qu'elle soit remplacée par des milices qui pourraient, tout autant, comme ce fut le cas en Belgique ou en Suisse, être utilisées dans les conflits sociaux —, ou encore son rôle dans la conquête coloniale : mais si les actes du « militarisme » aux colonies sont mentionnés comme « plus terrifiants que tout », il semble que l'auteur songe plus aux malheurs des soldats servant outre-mer qu'à ceux des peuples colonisés, car les cadres militaires peuvent se livrer plus facilement aux colonies à leurs penchants sadiques, d'où une longue description de la cruauté des punitions infligées aux fortes têtes, des tortures, « poucette », « crapaudine », « tombeau » ou encore « peloton de chasse », de ces soldats servant d'amusement « aux bourreaux alcooliques et fous furieux » qui régentent les bagnes militaires.

Un troisième thème majeur est celui de la guerre : là encore il n'y a aucun essai de distinction entre la guerre nécessaire ou tout au moins inévitable, et la guerre d'agression ou d'expansion : la guerre est donc le mal absolu responsable de 15 millions de victimes pour la période de 1799 à nos jours : les grands capitaines ne sont que de « grands massacreurs ». Il est révélateur que l'auteur ait choisi comme point de départ de son estimation la date de 1799, parce que s'il n'en fait pas état, il a eu conscience que l'on pourrait opposer à son argumentation la guerre, instrument de défense du progrès, personnifiée par les « soldats de l'an II ».

Si la plus grande part du Manuel est consacrée au développement de thèmes « négatifs », certains thèmes « positifs » apparaissent également.

Que peut-on faire contre l'état de choses actuel ?

A court terme, il est d'abord nécessaire d'éviter la guerre. Il ne faut pas compter pour cela sur les déclarations hypocrites du Pape ou de l'Empereur de Russie lorsqu'ils proposent un Congrès de la Paix. Le maintien de la Paix ne peut être que le fait des travailleurs : ils sont à même de ne pas fabriquer les armes, de ne pas les transporter et de réaliser l'entente internationale.

Ensuite, il est possible pour les jeunes gens de refuser d'effectuer leur service militaire : le jeune homme qui ne veut pas accepter les turpitudes de la caserne doit déserter. Les syndicats ont comme devoir de lui apporter l'aide morale et pécuniaire nécessaire et à l'étranger l'accueil le plus fraternel.

Seulement tous ne peuvent ou ne veulent pas le faire ; certains peuvent craindre le saut dans l'inconnu que représente la désertion — indirectement et paradoxalement, il transparaît alors que la Patrie n'est peut-être pas un mot aussi vide de sens que l'auteur le dit ailleurs, puisqu'il comprend que l'on puisse hésiter à affronter la vie dans un pays dont on ne connaît ni les mœurs, ni le langage — ; il faut alors aller faire son service, s'y renforcer dans sa foi révolutionnaire en constatant ce qu'est l'Armée, y faire œuvre de propagande en faveur de ses idées et ainsi miner l'édifice social, en semant les idées de révolte à l'intérieur même de l'Armée.

Mais le soldat risque de se trouver engagé dans un conflit social : il doit refuser de marcher contre les « camarades qui luttent contre la rapacité patronale ». S'il s'agit d'un conflit international, le soldat doit refuser de tirer sur les « exploités d'un autre pays », il doit refuser d'obéir à ceux qui voudraient faire de lui un meurtrier. Le soldat ne peut accepter d'être le meurtrier que de son véritable ennemi qui est celui qui l'exploite, qui l'opprime.

Le grand thème positif de l'ouvrage, partout sous-jacent ou exprimé, est à plus long terme : il est fondé sur l'éducation et le raisonnement ; il faut suivre sa « conscience de travailleur », il faut faire ce « que vous dicterait votre raison », « votre raison doit vous interdire de tuer d'autres hommes »... Les exploiteurs sont en même temps ceux qui « trompent », ils sont les « atrophieurs de cerveaux » qui cultivent « tous les préjugés et les absurdités » ; ils font baigner la jeunesse dans les récits, les jouets et les lectures guerrières ; ils lui faussent l'esprit et ceci est accentué par l'enseignement de l'histoire (1) telle qu'elle est présentée. Le but du manuel est donc essentiellement d'arracher de la cervelle des jeunes gens les idées fausses, de les faire réfléchir. De sorte que ce n'est là que le premier pas de la longue éducation nécessaire fondée sur un enseignement différent de ce qu'il est actuellement.

Ce dernier thème nous est apparu d'un intérêt particulier, car il donne la clef de toute une attitude du mouvement ouvrier de cette époque, notamment de la fraction syndicaliste-révolutionnaire, qui, dans la mesure où elle se refuse à participer à la vie politique, dans la mesure où figée dans une sorte de messianisme, elle pratique la politique du tout ou rien, semble finalement très privilégier la « parole » par rapport à « l'action ». En fait ces Révolutionnaires sont persuadés que la Révolution, et dans ce cas particulier la disparition de la Patrie, de l'Armée, de la Guerre sont affaire uniquement de raisonnement et de prise de conscience et qu'il suffit de dissiper par la diffusion de la vérité les ignorances sciemment perpétuées pour que l'ancien ordre des choses disparaisse.

Ainsi le schéma présenté par le Manuel du Soldat est assez simple, voire simpliste : il n'y a pas de Patrie, l'Armée n'a d'autre but que de sauvegarder les intérêts des possédants et ne se maintient que par la cruauté de la discipline et l'abrutissement infligé aux soldats, la Guerre n'est que l'expression de la rapacité des exploiteurs. Il suffit donc qu'il en soit pris conscience par le libre jeu du raisonnement pour que tout l'édifice social s'écroule.

Lors de sa publication, les autorités estimèrent que, malgré certaines précautions de style, le Manuel méritait d'être poursuivi pour la violence

_____

(1) Les instituteurs vilipendés par les Nationalistes pour un enseignement qu'ils jugeaient hostile à leurs idées, ne le furent guère moins par les Syndicalistes pour les raisons exactement inverses. Il est d'ailleurs assuré que s'il y eut des instituteurs antimilitaristes, l'enseignement primaire, d'esprit volontiers jacobin, fut largement « porteur » de « patriotisme ».
Cf. J. et M. Ozouf. Le thème du patriotisme dans les manuels scolaires avant la guerre de 1914.. *Mouvement Social*, n° 49, octobre-décembre 1964.

des attaques contre l'Armée, les provocations à la désertion ou à la désobéissance. Mais en 1903, les jurés des Assises de la Seine acquittèrent Yvetot, son auteur. On peut estimer que les jurés, en acquittant, pressentirent mieux que les autorités, qu'au-delà des déclamations antimilitaristes et de la violence des invectives, derrière les appels à la révolte ou à la désertion, le Manuel ne représentait guère un danger réel et immédiat pour les institutions qu'il entendait dénoncer.

Et c'est ainsi qu'assez paradoxalement, le Manuel fut d'un côté une mine inépuisable de citations pour qui voulait illustrer l'antimilitarisme de la C.G.T., et de l'autre, rendu intouchable par la force de la chose jugée, il put être souvent réédité.

La Brochure Rouge

Ainsi dénommée en raison de la couleur de sa couverture (plutôt orange d'ailleurs), cette brochure est très différente du Manuel du Soldat. Editée seulement en 1912, elle est donc beaucoup plus tardive. Clandestine, elle fut, seulement imprimée à 2000 exemplaires.

Une enquête (2) permit de préciser que la brochure tirée dans une imprimerie spécialisée dans les travaux anarchistes, fut postée sous le couvert des Editions Nationales par un ancien employé d'idées libertaires. Ce mode d'expédition par un établissement commercial permettait d'éviter la curiosité de la police.

Des colis furent ainsi envoyés aux secrétaires des groupes anarchistes de Saintes, Nantes, Niort, Rochefort, Lorient, la Roche-sur-Yon. 500 exemplaires furent attribués à divers syndicats et 150 au seul groupe anarchiste de Bezons. Un anarchiste de Villeurbanne en distribua quelques autres dans un meeting lyonnais.

Les perquisitions opérées pour retrouver les brochures furent rarement fructueuses et leur découverte fut en général le fait du hasard. C'est ainsi qu'au cours des opérations du Conseil de Révision (février 1914) de Beauvais, un exemplaire en fut trouvé à la place d'un conscrit qu'une enquête désigna comme syndicaliste-révolutionnaire et abonné à la Vie Ouvrière. Un sous-officier ramassa près de Bergerac un docu-

---

(2) A.N. F 7 13348 M/714 U.

Actes inutiles ou nuisibles

Hésiter, discutailler, attendre un mot d'ordre; laisser parler les prêcheurs de calme; laisser installer un gouvernement provisoire; vouloir organiser la production avant que la Révolution ne soit victorieuse.

IIIᵉ PARTIE

Sabotage de la mobilisation

Renseignements techniques

Cette partie de la brochure accomplit matériellement l'œuvre qu'accomplissent, intellectuellement et moralement, les groupements d'avant-garde.

Elle arme le prolétariat pour la Révolution. Soyons pratique pour le but à atteindre. Opposons aux fusils, aux canons, des armes autrement terribles que la science met entre nos mains. Le bras armé par la chimie, la Révolution Sociale se fera, et ses résultats n'iront plus à une catégorie d'individus berneurs des foules.

Nous avons des données sérieuses qui nous permettent d'affirmer que, par la soudaineté de certains actes individuels, en cas de mobilisation, le gouvernement se verrait privé de certains moyens sur lesquels il compte le plus; de certains fonctionnaires dont il escompte le concours.

Mais dire ici, dans cette brochure, là où se trouve tel point faible de l'organisme gouvernemental, ce serait dire à nos ennemis: « Là, renforcez-vous, vous serez invincibles ».

Nous ajouterons seulement: beaucoup des nôtres, par fonction, par métier, connaissent certaines particularités; comprenant l'utilité de certains gestes, ils n'attendront pas qu'un autre agisse. Ils agiront eux-mêmes avec promptitude.

Télégraphes, téléphones

Enlever aux gouvernants tous moyens de communication.

Les ministères ne sont pas reliés avec un Bureau central. Mais les fils téléphoniques et télégraphiques, pour les longues distances, passent en souterrain, le long des routes nationales, dans des tranchées de 1 mètre à 1 m. 50 de profondeur, et à 2 mètres du talus de la route. Les câbles sont placés dans des conduites en fonte ou en grès.

Pour le passage d'un viaduc ou d'une rivière, de souterrains les fils deviennent aériens. Ils sortent de terre dans une « guérite » pour, d'un tableau, repartir en aérien. Ce sont ces guérites qu'il faut détruire, soit en y mettant le feu, soit en les

faisant sauter. Ces guérites sont d'une centaine aux environs de Paris. Elles sont nombreuses en province, toujours à proximité des routes, des chemins de fer, dans un endroit accessible. Ce sont ces fils qui relient les ministères avec les préfectures et les « places » de province (services publics). Dans ces câbles se trouvent aussi les fils commerciaux de longues distances.

Le réseau téléphonique et télégraphique dit "commercial" (de faible distance) passe sur des poteaux le long des routes nationales et départementales. Le long des voies ferrées ce sont surtout les fils des Compagnies de chemins de fer.

Soit sur route ou le long de la voie ferrée, s'il y a des poteaux des deux côtés, les télégraphiques sont d'un côté, les téléphoniques de l'autre.

S'il n'y a qu'un poteau, les fils télégraphiques sont placés les plus bas, les téléphoniques les plus hauts.

Les fils téléphoniques sont les plus minces, 9 à 12 dixièmes de millimètre, et sont en cuivre. Ils sont placés, par paire, sur des isolateurs en porcelaine.

Les fils télégraphiques sont plus gros, 2 millimètres, et sont en fer.

Les fils télégraphiques et téléphoniques se sabotent facilement, sans danger. Il suffit d'avoir une *pince coupante* (dont on se sert pour couper le gros fil de fer). Garnir la place des mains avec du caoutchouc, qu'on se procure chez les marchands d'articles de ménage (tuyau en caoutchouc pour le gaz, par exemple).

Se méfier des fils beaucoup plus gros. Ils servent pour la lumière et la force et sont dangereux, à moins d'être équipé spécialement. Mais ces fils ne sont jamais sur les poteaux des fils télégraphiques ou téléphoniques.

Les poteaux qui supportent les fils s'abattent, se brûlent, on les fait sauter. Pour les scier, *les scier en sifflet*, ou sinon ils ne tombent pas.

En attachant une corde solide à travers une voie de chemin de fer à deux poteaux télégraphiques préalablement sciés en sifflet, parallèlement à la voie (pour que la corde ne s'échappe pas, faire des encoches assez profondes et un bon « nœud d'amarrage », dit « en double clé », le premier train qui passera fera du beau travail.

Si on ne peut que couper les fils, on en enlèvera de grandes quantités, afin d'éviter de *petites* réparations.

Dans les égouts : Câbles téléphoniques et télégraphiques

Les câbles téléphoniques passent sur des équerres. Lesdits câbles renferment de 2 à 28 paires de fils et aboutissent dans des chambres (gaines en ciment armé recouvertes de plaques de fer boulonnées). C'est dans ces chambres que les soudeurs les transforment en câbles de 100 ou 224 paires de fils.

Il suffit d'enlever les plaques de fer boulonnées sur une longueur de 5 à 6 mètres. Avec une hachette ou une égoïne (scie à main), il est facile de couper les fils, sans aucun danger.

Pour déboulonner les plaques, se munir de clés anglaises, d'un burin, d'un marteau.

par ce fait, se trouvera dans le vide, sera en déséquilibre et fera levier, abattage, sur le point d'appui qui reste.

Pour supprimer ce point d'appui, attaquons-nous directement à la ferraille elle-même et non à la pierre. Posons les bombes comme le montre la figure 2, c'est-à-dire sur une des culées, entre les grosses poutres. *Les explosifs doivent sauter toutes les poutres.* Il y en a ordinairement une dizaine de 60 centimètres de haut et 25 centimètres de large, en raison de quatre ou cinq poutres en-dessous de chaque voie.

Poser les bombes à l'endroit où se trouve la croix (X), tout le long de la culée, entre chaque poutre.

Résumé du sabotage pour le chemin de fer

Points de rupture: choisir de préférence les courbes; en détruire le rail *extérieur*, les parties de voie en déblai. Les bifurcations, les croisements, les aiguilles, les plaques tournantes, les traverses.

Locomotives. — Introduire, si elle n'est pas chauffée, une cartouche de dynamite dans la tubulure en ouvrant la porte d'avant. Si elle est chauffée, chercher le tube par où sort la vapeur; appliquer contre lui quatre cartouches de dynamite, ou à défaut de cartouches, détruire le mécanisme.

En laissant partir à grande vitesse une locomotive toute seule, elle déraille et obstrue les voies; elle fait de grands dégâts en arrivant dans une gare terminus. Pour employer ce moyen, bien se rendre compte qu'en lâchant la locomotive, elle ne puisse faire de victimes dans le peuple aux passages à niveau.

On donne un « tour de reins », c'est-à-dire on grille une locomotive en la vidant complètement de son eau et en y faisant un grand feu.

Voici des renseignements que des gens de métier pourront mettre en pratique:

Le chargement en cône du combustible dans le foyer détermine la fusion des « plombs » de sécurité et provoque la vidange de la chaudière, et, par suite, l'extinction du foyer.

Pour le sabotage du graissage, on doit opérer sur les bielles et, en général, sur toutes les articulations. Les graisseurs sont munis d'une mèche qui permet à l'huile de pénétrer dans les « lumières » de l'articulation par capillarité. Il suffira d'enlever la mèche de la lumière pour y glisser directement de la poudre d'émeri mélangée, si possible, avec de l'essence. L'acide azotique (ou nitrique), fait des ravages.

L'alimentation en eau de la chaudière se fait généralement à l'aide d'injecteurs (Giffard ou Jullemier). Une main habile peut facilement enlever le cône de l'injecteur qui en est la partie essentielle, en dévissant le presse-étoupe de la tige de manœuvre du cône. Le cône enlevé, il est impossible d'alimenter la chaudière. Il serait bon de faire un remontage apparent pour cacher le sabotage, beaucoup de mécaniciens visitant leur Giffard avant le départ.

L'addition à l'eau d'alimentation d'huile (lourde de préférence) détermine des ébullitions qui peuvent entraîner « un coup de feu », c'est-à-dire mettre les chaudières hors d'usage.

On peut aussi les attacher. Ne pas mettre les explosifs sous le rail, car alors ils les feraient simplement un trou dans le ballast.

On peut faire éclater les cartouches par le passage d'un train, au moyen d'un dispositif spécial. A d'assez fortes doses, on peut employer le chlorate de potasse (moins efficace).

Il faut enlever de grandes longueurs de rail dans les tournants et les croisements. Une fois les rails enlevés, les poser sur des tas de traverses que l'on incendie. La chaleur rend ces rails inutilisables en les tordant.

Croisement de chemin de fer

Enlever la pointe de cœur, fixée sur traverses au moyen de tire-fonds et éclissée aux endroits A et B par quatre boulons de 25 millimètres. Si on en a le temps, enlever aussi les contre-rails.

Ponts et viaducs

Supprimer le pont au moment voulu, c'est envoyer le train à l'eau ou à l'abîme.

Il faut, pour que l'effet soit certain, que la force destructive de l'explosif soit aidée par le poids et la vitesse du train.

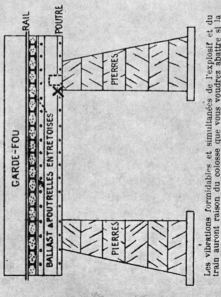

GARDE-FOU — RAIL — POUTRE — PIERRES — BALLAST à POUTRELLES ENTRETOISES — PIERRES

Les vibrations formidables et simultanées de l'explosif et du train auront raison du colosse que vous voudrez abattre si la quantité, la qualité, la position et l'emballage de l'explosif sont bons.

Supprimer un des points d'appui du pont et la partie qui,

Quelques pages de la Brochure Rouge.

ment suspect : dûment envoyé au ministère de l'Intérieur, il fut identifié par un fonctionnaire dans une note manuscrite : « c'est la Brochure Rouge » (3).

Quel est ce mystérieux opuscule ?

Sa publication a été décidée et préparée par des militants aux franges du syndicalisme et de l'anarchisme, appartenant en même temps à la C.G.T. et à la Fédération Communiste Anarchiste. Henry Combes fut d'abord chargé de sa préparation, mais, obligé de se réfugier à Londres à la suite des poursuites que lui valut sa collaboration au « Mouvement Anarchiste » (4), il dut laisser le travail à trois autres dirigeants anarchistes : Jacquemin, Séné (5) et Jacklon.

Sous le titre général : « En cas de guerre », la brochure compte 35 pages.

Un avertissement répond par avance à l'accusation éventuelle d'être une œuvre de provocation, une œuvre policière. (Dans les milieux anarchistes, fortement pénétrés par les indicateurs de la police il est vrai, il était très habituel de s'accuser mutuellement d'être un traître). Cette brochure était nécessaire parce qu'il ne suffit pas de dire au peuple de se révolter : il faut lui en donner les moyens pratiques.

L'introduction fait l'apologie des minorités agissantes : la majeure partie de la classe ouvrière étant inéduquée, il appartient aux syndiqués, aux socialistes, aux anarchistes de l'entraîner, en agissant vite pour ne pas laisser aux Bourgeois le temps de prendre l'initiative :

« Sitôt la déclaration de guerre connue, fais la Révolution ! Dès l'ordre de mobilisation, ne pars pas, n'attends pas d'ordre : AGIS ! » (p. 2).

Les conseils pratiques sont cependant précédés de quelque initiation théorique : c'est l'objet de la première partie. Les thèmes ne diffèrent guère de ceux du Manuel du Soldat dont quelques phrases sont purement et simplement reproduites : notre société est celle de l'exploitation de l'homme par l'homme et pour masquer leurs vols, les exploiteurs ont inventé le mot de Patrie.

---

(3) Sur la couverture d'un exemplaire conservé aux Archives Nationales, on trouve cette curieuse inscription, écrite au crayon et donc presqu'effacée : « A messieurs les culottes de peau, je lègue ce volume ».

(4) Cf. Chapitre II.

(5) Albert Jacquemin, secrétaire de la Fédération des Maréchaux-Ferrants et gérant du Libertaire.
Edouard Séné, dessinateur, collaborait à divers journaux anarchistes et à la Bataille Syndicaliste.

« Toutes les infamies, toutes les cruautés, toutes les affaires véreuses, tous les programmes menteurs ont eu le mot « Patrie » pour devise » (p. 4).

Mais tous les exploités, quel que soit leur lieu de naissance, sont des frères. C'est pourquoi, les soldats ne peuvent se battre pour des intérêts qui ne sont pas les leurs. Ils doivent au contraire profiter d'une déclaration de guerre pour se révolter :

« Petit soldat, tu es du peuple. Reste avec le peuple et tue tes chefs » (p. 7).

Une deuxième partie définit la « tactique révolutionnaire ». De petits groupes sont formés dès le temps de paix ; ils entrent en action aussitôt après la déclaration de guerre, pour détruire les moyens de communication, les lignes téléphoniques, museler la presse, abattre les ministres, les chefs de l'Armée, de la police, s'emparer des forts !

Mais il est essentiel d'avoir l'appui immédiat du peuple : comme il n'est pas possible de procéder tout de suite à une réorganisation de l'économie qui ne donnerait ses fruits qu'à long terme, une seule solution : se partager ce qui existe : les stocks des magasins, les maisons des riches. Puis anéantir sans faiblesse toutes les traces du passé, institutions, monuments, archives... En faire table rase, sans compromis, ni demi-mesures, sans se laisser arrêter par une sensibilité déplacée. Le mot d'ordre revient plusieurs fois : « Bronzez vos cœurs ! »

En résumé, que faut-il ne faire en aucun cas ?

« Hésiter, discutailler, attendre un mot d'ordre... » (p. 14).

La troisième partie est consacrée au sabotage. Compte tenu des techniques de l'époque, la Brochure Rouge en est un étonnant manuel, avec 18 pages de description minutieuse des moyens d'entraver dans les divers secteurs l'activité du pays ; successivement elle évoque la rupture des réseaux téléphoniques et télégraphiques après détection de leurs points sensibles, le dynamitage des conduites de gaz et d'électricité, l'incendie des transformateurs, la mise hors de service du métropolitain et des automobiles, le sabotage des écluses, particulièrement du réseau des canaux du Nord, l'inondation des mines...

Les chemins de fer ne sont pas oubliés : des croquis illustrent les bonnes méthodes pour faire sauter un pont au passage d'un train ou détruire les rails pour provoquer des pannes de locomotives.

De plus l'influence néfaste des journaux doit être empêchée par l'enraiement des linotypes et des rotatives. Les auteurs de cette brochure, membres de la Corporation du Livre, décrivent avec une particulière précision les machines des imprimeries et leurs points faibles.

Mais « pour saboter, il faut des explosifs », « ce chapitre est le plus utile de la brochure » (p. 21). Il passe en revue l'amorce, la cartouche, les mèches, les variétés de poudre, consacre plusieurs pages aux différentes sortes de bombes.

Et même pour ne rien négliger, les rédacteurs ont pensé également à l'utilisation des poisons :

« Il faut envisager les circonstances où ces matières seraient nécessaires, non pour satisfaire une rancune personnelle, mais dans l'intérêt commun, soit pour empoisonner des chevaux, soit des gouvernants » (p. 33).

Une longue énumération des produits chimiques utilisables en différentes circonstances suit enfin.

La Brochure Rouge comporte aussi une bibliographie sur les explosifs et le conseil de ne pas négliger pour sa documentation le Larousse mensuel illustré et le Manuel d'Infanterie à l'usage des sous-officiers. La Librairie Lavauzelle n'avait pas prévu que ses productions seraient signalées comme livres de base à d'éventuels saboteurs !

Certaines des considérations théoriques exprimées dans la Brochure Rouge sont bien curieuses, certains des conseils pratiques de sabotage peu réalisables. Mais les pouvoirs publics ont été assez impressionnés : ils ont estimé que telle ou telle recette pouvait être appliquée de façon fort efficace et ils n'ont pas cru pouvoir traiter par l'indifférence cette entreprise. C'est pourquoi ils ont cherché au maximum à limiter la diffusion de la Brochure Rouge !

CHAPITRE IV

LA LUTTE QUOTIDIENNE CONTRE L'ANTIMILITARISME

L'Administration ne s'est pas contentée de faire à divers moments le point des manifestations antimilitaristes et antipatriotiques, ou d'entreprendre des actions spectaculaires contre tel ou tel groupe de dirigeants révolutionnaires. Une lutte incessante fut menée tant au plan national, qu'au plan départemental et local.

La plupart des dépôts d'Archives conservent d'importants dossiers sur ces événements. Leur dépouillement aurait été hors de proportion avec le but recherché ici : aussi nous sommes-nous contentés de prendre les exemples de la Saône-et-Loire et du Calvados. Il ne faut d'ailleurs chercher dans ce choix d'autres raisons que l'importance et l'intérêt des documents qu'il nous a été donné de consulter pour ces départements.

LES INSTRUCTIONS (1)

Les gouvernements successifs rappelèrent souvent aux autorités départementales leurs instructions sur la lutte contre l'antimilitarisme.

Le rythme de ces rappels devint particulièrement soutenu à partir de 1907 : Clemenceau est au pouvoir — il est son propre ministre de l'Intérieur et donne à ce ministère une grande activité.

En avril 1907, sur invitation du ministre, le préfet de Saône-et-Loire interrogea le commissaire spécial de Mâcon.

« Conformément aux instructions de Monsieur le Président du Conseil,

---

(1) A.D. Saône-et-Loire, 30 M 44.
   A.D. Calvados, Série M.

je vous prie de me signaler toutes les manifestations antimilitaristes, y compris les distributions et ventes de brochures et les appositions d'affiches qui se produiront dans votre circonscription. »

En septembre de la même année, une nouvelle intervention du préfet reprit un télégramme de la présidence du Conseil qui voulait être très exactement renseignée sur tous les faits et responsables de la propagande antimilitariste.

En octobre, le préfet, dans de nouvelles instructions, expliqua à ses subordonnés comment ils devaient faire parvenir les renseignements concernant non seulement les individus, mais aussi tous les groupes antimilitaristes : Jeunesse socialiste, Jeunesse syndicaliste révolutionnaire.

Cependant certaines autorités départementales n'avaient pas une claire conscience du danger : elles se montraient négligentes ; sur le plan local, il est vrai, on devait être quelquefois tenté de ne pas tenir exagérément compte d'activités antimilitaristes qui ne semblaient pas mettre la République en danger.

Aussi une lettre fort raide de Clemenceau vient-elle secouer les apathies ; des indiscrétions ont été commises :

« ...J'ai fait procéder à ce sujet à une enquête minutieuse et j'ai constaté de graves négligences de la part de certains fonctionnaires. C'est ainsi notamment que plusieurs préfets — et j'ai eu le plus vif regret de constater que vous étiez du nombre — se sont bornés à transmettre le texte de mes circulaires des 18 septembre et 14 octobre derniers, sans même attirer l'attention de leurs collaborateurs sur le caractère tout à fait confidentiel de ces communications... »

Une circulaire est jointe qui ne manifeste guère plus d'amabilité :

« ...Je ne saurais admettre un tel laisser-aller et je ne devrais pas être obligé de faire observer que l'exécution des prescriptions présentant un caractère secret doivent être entourées de précautions particulières en vue d'éviter toute divulgation.

Il convient de procéder en cette matière avec la plus grande prudence et d'éviter de communiquer le texte même de mes instructions. Vous voudrez bien à l'avenir, en pareilles circonstances ne donner aux fonctionnaires autres que les sous-préfets que des ordres verbaux et choisir parmi vos collaborateurs et subordonnés, pour les mander à cet effet à votre cabinet, ceux-là seuls qui présentent des garanties suffisantes de tact, de discrétion et d'expérience professionnelle.

....

Je n'hésiterai pas à réprimer sévèrement tout manquement aux présentes instructions... » (Circulaire confidentielle du 11 décembre 1907. Clemenceau).

La semonce a-t-elle fait son effet, ou est-ce parce que la situation internationale était alors plus calme, toujours est-il que, pendant plusieurs années, les dossiers ne mentionnèrent pas de nouvelles instructions.

Brusquement le flot en reprend en 1911, ce qui semble manifester à nouveau le peu de cas que les autorités locales en faisaient. D'abord une circulaire du nouveau Président du Conseil, A. Briand, rappelait, entre autres, la nécessaire surveillance des Bourses du Travail pour y combattre la propagande des idées antimilitaristes et antipatriotiques.

Ensuite, le sénateur Monis, pendant les quelques semaines d'existence de son gouvernement, exhorta les préfets à la vigilance : la C.G.T. avait réclamé, aux Bourses du Travail, d'après cette circulaire confidentielle n° 50 (2) (cf. *A. 11*), la liste des syndiqués qui étaient sous les drapeaux pour leur faire parvenir des brochures de propagande antimilitariste et pour les engager à refuser le service, au cas où ils seraient commandés pour maintenir l'ordre à l'occasion des grèves.

Quelques jours plus tard (3), nouvelle circulaire (cf. *A. 11 bis*) rappelant d'ailleurs celles des 23 et 24 janvier dues au ministère Briand, et qui se plaignait de leur inobservation :

« J'ai le regret de constater presque journellement que la plupart des réunions, affiches, articles de journaux, spectacles et autres moyens de publicité employés par les meneurs des partis révolutionnaires pour propager les idées antimilitaristes, passent inaperçues ou du moins ne sont pas signalées... »

Le Président du Conseil menace de sanctionner très sévèrement toute négligence dans la répression « d'un mouvement qui tend (ait) chaque jour à prendre plus d'extension et sur les dangers duquel (il n'avait) pas à insister... ».

Après la démission de Monis, blessé lors d'un accident d'avion, Joseph Caillaux prend la relève : la guerre est aux portes avec le « Coup d'Agadir ».

Le nouveau Président du Conseil n'était pas particulièrement impressionné par le mouvement antimilitariste, mais

« de l'autre côté du Rhin, la presse belliciste se prit à reproduire avec complaisance les élucubrations du « sans-patrie » (pseudonyme de G.

---

(2) 8.5.1911.
(3) 31.5.1911.

Hervé). Elle commenta en généralisant. Elle représenta la nation française comme dégénérée, hors d'état de se défendre, obligée de subir la volonté des Germains.

Impossible dès lors de se borner à hausser les épaules. Il fallut sévir... »
(4).

D'où nouvelle circulaire confidentielle (cf. *A. 12*), nouvelles plaintes devant son inobservation, nouvelles menaces de réprimer les négligences et les faiblesses (5).

Ceci n'empêche pas le ministre de l'Intérieur du gouvernement Poincaré, Théodore Steeg, de renouveler par télégramme chiffré (6) (cf. *A. 13*) les instructions concernant l'arrachage et les poursuites contre les affiches antimilitaristes. Les préfets furent invités à interdire les pièces à tendance antimilitariste présentées dans les théâtres, cafés-concerts, Bourses du Travail, et autres établissements ouverts au public.

Dans cette même année 1912, le commissaire de police de Mâcon reçut, en ce qui le concernait, l'ordre du préfet d'avoir à faire détruire les affiches provoquant les militaires à la désobéissance (7).

La veille, la Sûreté avait notifié de faire connaître d'urgence les noms et les affectations des jeunes gens qui professaient des théories antimilitaristes et qui avaient été incorporés avec la dernière Classe.

Quelques mois encore (8), l'Intérieur enjoignait au même Commissaire de signaler d'urgence tous les faits se rapportant à la campagne « contre l'Armée et le Gouvernement », entreprise par le P.S.U., la C.G.T. et les groupements anarchistes à propos de la loi de 3 Ans.

La loi de 3 Ans provoqua justement des manifestations de soldats en Saône-et-Loire : le gouvernement voulait être renseigné avec précision et il posait toute une série de questions : l'origine des manifestations, le rôle qu'ont pu y jouer des agitateurs civils, l'éventualité de leur répétition ; il y demandait aussi si les militaires impliqués n'avaient pas conservé des relations avec toute une série d'organisations dont la liste était jointe (9) (cf. *A. 14*).

---

(4) Joseph Caillaux. *Mes Mémoires*. Tome II, 260 p., Paris, Plon, 1943, p. 83.
(5) Circulaire confidentielle n° 124 du 30.10.1911.
(6) Télégramme chiffré du 15.5.1912.
(7) 16.11.1912.
(8) 7.3.1913.
(9) Bourse du Travail, Union départementale des Syndicats, Union locale des Syndicats, Maison du Peuple, Comités intersyndicaux, Syndicats (adhérant à la C.G.T.), Jeunesses syndicalistes, Jeunesses socialistes, Groupes socialistes, Comité de Défense sociale, Groupe des libérés des Bagnes militaires, Groupe d'Amis de la Bataille Syndicaliste, Groupe Anarchiste Communiste, Groupe Anarchiste individualiste, Groupes d'Etudes sociales, Causeries populaires.

Quelques jours plus tard, le ministre de l'Intérieur adressa télégra-phiquement une note « très confidentielle » (10) aux préfets (cf. *A. 15*) : les autorités locales recevaient l'interdiction de participer à toute cérémo-nie où la loi de 3 Ans pourrait être évoquée ; elles devaient signaler tous les fonctionnaires qui auraient publiquement condamné le maintien de la Classe sous les drapeaux, de même que toute personne qui sans être fonctionnaire, aurait des liens avec l'Administration, tels les membres des bureaux de bienfaisance.

Cette note était une véritable déclaration de guerre contre tous les cadres de l'Etat qui n'appréciaient pas la loi de 3 Ans et de ce fait étaient taxés d'antimilitarisme.

Les instructions reçues dans les départements de Saône-et-Loire et du Calvados ne nous sont certainement pas toutes parvenues : leur nombre en est cependant imposant. Leur répétition et les fréquentes fulminations gouvernementales laissent supposer que les administrations locales appli-quaient souvent avec mollesse... — ou discernement ? — les instructions nationales, mais quant à eux, les gouvernements successifs n'ont cessé de montrer une sincère inquiétude devant les manifestations antimilitaristes, même s'ils avaient tendance à donner de l'antimilitarisme une définition très large.

Les instructions fort semblables que donnent les différents gouver-nements signifient-elles que leur attitude en face de l'antimilitarisme et de l'antipatriotisme fut strictement identique ? Il ne semble pas, mais il est assez difficile de l'établir, car il faudrait connaître sur ce point la pensée intime des Clemenceau, Briand, Barthou, Poincaré, Caillaux, Malvy qui jouèrent les premiers rôles dans cette période. Il faudrait dis-poser de papiers personnels — qui ne figurent pas dans les dossiers des Archives Nationales — et il faudrait encore que dans ces papiers fussent portées des appréciations sur un mouvement dont il n'est pas certain que les gouvernants l'aient considéré comme un thème de haute politique. Si on connaît telle lettre de Caillaux, où il traitait de l'impôt sur le revenu, estimait-il à ce point l'importance de l'antimilitarisme pour en entretenir ses correspondants... ou correspondantes ? En tout cas, les papiers laissés à Souillac par Malvy, et qui ont pu être récemment consultés, ne font pas mention de telles préoccupations.

Il est cependant possible, à défaut de certitudes, de tirer quelques ren-seignements des allusions qu'ont faites certains hommes politiques dans leurs Souvenirs — même si de telles « sources » sont toujours sujettes à caution —.

---

(10) 2.6.1913.

L'attitude de certains d'entre eux à l'égard des renseignements fournis par la police donne un premier indice. De ce point de vue, une remarque de J. Caillaux est intéressante : il rapporte cette anecdote que contaient — dit-il — les huissiers du ministère de l'Intérieur :

« M. Waldeck-Rousseau, disaient-ils, descendait dans son cabinet vers les huit heures et demie du matin. Il trouvait sur son bureau, selon l'usage, les papiers de la Sûreté Générale : récits d'indicateurs de police, histoires à dormir debout, calembredaines invraisemblables neuf fois sur dix. Le président ramassait ces papiers et, sans même les déplier, jetait le tout dans une corbeille.

M. Clemenceau arrivait à sept heures du matin au ministère. Pendant une heure et demie, la tête dans ses mains, il faisait son régal de ces stupidités » (11).

Il faut évidemment tenir compte des sentiments — peu amènes — que Caillaux portait à Clemenceau, même s'il ne cesse pas d'affirmer qu'il entend ne pas se laisser emporter par l'esprit de vengeance. Mais il semble que sur ce point au moins, Caillaux ait dit juste. Clemenceau est friand des affaires de police et il est à peu près certain que cette attitude d'esprit l'a amené à ne pas sous-estimer les rapports du ministère de l'Intérieur sur l'antimilitarisme. Les propos qu'il tint dans le discours prononcé au Sénat le 22 juillet 1917, en apporte une preuve. Interpellant le gouvernement sur l'offensive du 17 avril, il accuse le ministre de l'Intérieur, Malvy, de ne pas frapper assez durement les pacifistes et il établit la filiation du mouvement pacifiste de cette façon :

« ...Ceci remonte loin (...). Vous avez entendu parler du Sou du Soldat, de cette organisation qui, sous prétexte de distraire les soldats à la caserne, les emmenait dans les réunions où on leur prêchait l'antipatriotisme.

Vous avez entendu parler du Manuel du Soldat de M. Yvetot, tiré à 181.000 exemplaires, poursuivi devant les assises de la Seine — car en ce temps-là on poursuivait — et acquitté le 30 novembre 1903... (Clemenceau poursuit cette partie de son discours en citant un extrait du Manuel sur « cette religion imbécile de la Patrie ») » (12).

A un autre moment de son intervention, où il fait le procès de M. Almereyda, ses propos semblent très directement inspirés du dossier de la Sûreté Générale établi avant la guerre et que nous avons pu consulter (13).

---

(11) Caillaux, *Op. cit.*, Tome I, 306 p., Paris, Plon, 1942, P. 265.
(12) J.O. Débats parlementaires. Sénat. 22.7.1917, p. 751 et sq.
(13) A.N. F 7 13053. De son vrai nom Eugène Vigo, Miguel Almereyda, oscillant entre le socialisme et l'anarchisme, fut un des principaux lieutenants de G. Hervé dans sa période violemment antimilitariste.

Clemenceau croyait donc aux rapports de police et à la réalité de l'antimilitarisme.

On peut retrouver une attitude semblable chez Poincaré. Faisant allusion dans ses Mémoires aux incidents militaires de 1913, il écrit « le maintien de la classe, *exploité par quelques agitateurs,* avait provoqué des essais de mutinerie » (14). Poincaré n'a donc pas cru, après bien des années, devoir rectifier une appréciation proclamée à l'époque par le président du Conseil, Louis Barthou, qui, écrivant en 1933, qualifie le mouvement pacifiste de l'avant-guerre de « pernicieux venin » (15). D'ailleurs G. Suarez dans son ouvrage sur Briand, s'il ne nous dit rien de la pensée de Briand sur l'antimilitarisme avant 1914, explique que ces incidents de 1913 furent justement le révélateur du danger antimilitariste :

> « ...Jusqu'à ce jour, on n'avait jamais réalisé l'importance des ravages que l'antipatriotisme et l'antimilitarisme avaient causés dans les casernes... » (16).

Mais d'autres hommes politiques sont beaucoup plus circonspects dans l'appréciation du danger de l'antimilitarisme : Caillaux, comme nous l'avons dit précédemment, en nie l'importance ; quant à Malvy, il fut le ministre qui n'appliqua pas le Carnet B, ce que justement Clemenceau lui reprocha avec véhémence dans le débat sénatorial de juillet 1917. C'est là évidemment un tout autre problème, mais qui révèle cependant une appréciation différente de la situation.

Il y eut donc certainement sur cette question de sérieuses nuances dans les sphères gouvernementales d'avant 1914, probablement liées d'ailleurs aux options prises en politique internationale par les uns et par les autres. Mais cela ne signifie aucunement qu'il y eut plus de complaisance chez les uns que chez les autres envers l'antimilitarisme et l'antipatriotisme : ce sont Caillaux, président du Conseil et ministre de l'Intérieur et Malvy, son sous-secrétaire d'Etat à l'Intérieur qui firent transférer G. Hervé de la Santé à Clairvaux, d'où il lui était plus difficile de communiquer avec ses collaborateurs, ce sont les mêmes qui, utilisant les lois « scélérates » de 1894, engagèrent les poursuites contre le Sou du Soldat du Syndicat de la Maçonnerie et de la Pierre (17).

---

(14) R. Poincaré, *Au Service de la France,* Tome III, 364 p., Paris, Plon, 1928, p. 211.

(15) L. Barthou, *Promenades autour de ma vie. Lettres de la montagne.* Paris. Les Laboratoires Martinet. 1933, 232 p., p. 64.

(16) G. Suarez, *Briand, sa vie, son œuvre.* Tome III, Paris Plon 1938, p. 415.

(17) cf. chapitre premier.

L'application des Instructions

L'application des instructions gouvernementales entraîna une surveillance et une lutte constante, quotidienne, contre les menées antimilitaristes.

Les Archives des administrations centrales et départementales en portent témoignage : considérons d'abord celles de la Sûreté Générale.

A la Sûreté Générale

Nous nous sommes limités à un dossier (18), celui de la période couvrant les derniers mois de 1913 et la première moitié de 1914. Remonter au-delà aurait conduit à analyser une masse de documents trop volumineuse pour le but poursuivi.

Ce dossier présente cependant l'inconvénient d'être fort disparate et très incomplet : tel fait y est mentionné avec un luxe de détails, alors que beaucoup d'autres semblables sont d'évidence ignorés. Il nous a semblé pourtant pouvoir — ces réserves faites — en tirer quelques enseignements.

Les indications contenues dans ce dossier font apparaître plusieurs secteurs de surveillance, les Comités, les affiches, les réunions et évidemment les cas individuels.

Deux Comités ont retenu l'attention.

A la suite des incidents militaires de 1913 et à l'initiative de la Bataille Syndicaliste, un « Comité de Défense des Soldats » s'était constitué en juin de cette année (19). A la première réunion, on nota entre autres la présence d'Almereyda, de Pierre Laval... (20). Le but de ce Comité était de veiller au sort des « citoyens soldats » frappés pour avoir protesté contre le maintien de la Classe et assurer une aide matérielle et morale aux victimes de la répression. Très rapidement, de nom-

---

(18) A.N. F 7 13348. Notes sur l'antimilitarisme en 1914.

(19) A.N. F 7 13348 M/8629.

(20) Almereyda, Tissier, Peronnet, Gogumus, Ch. Albert, P. Laval, Louis Oustry. Ch. Albert et Léon Werth ont été nommés secrétaires, Gogumus, trésorier.

8ᵉ Année — N° 5

10 Centimes

1ᵉʳ Mai 1913

VÉRITÉS

Organe de l'Union des Syndicats Ouvriers du Havre et de la Région

L'Emancipation des Travailleurs sera l'Œuvre des Travailleurs eux-mêmes.

RÉDACTION & ADMINISTRATION
LE HAVRE -:- Bourse du Travail -:- LE HAVRE

ABONNEMENT
Un AN . . . . . 1 fr. 50

Plus de Frontières !

Les haines entre les peuples sont entretenues surtout par le capitalisme exploiteur interna-

LA PATRIE EN DANGER

Contre les trois ans

« C'en est fait de la France si la loi de trois ans n'est pas votée ! Il nous faut coûte que coûte avoir autant de soldats sous les armes que l'Allemagne ! » hurlent sur tous les tons nos ardents patriotes.

Tout en conservant intact notre idéal qui doit nous conduire à la disparition totale de l'armée, nous devons démontrer, pour les moins convaincus, l'absurdité des raisons (?) données en faveur de la loi de trois ans.

La France a 39 millions d'habitants. L'Allemagne 65. Il y a donc une différence de 25 millions en faveur de l'Allemagne.

Pour égaler les effectifs de nos voisins de l'Est, la France devra faire accomplir à ses soldats une année de service de plus que les soldats allemands.

A bas la Guerre !

Nous reviendrions alors au service de sept ans. Que dis-je ? nos enfants passeraient leur existence à la caserne.

Si c'est cela que vous voulez, alors allez-y carrément !

Appelez les femmes sous les drapeaux, elles feront d'excellentes ordonnances. Elles auront leur place toute marquée à la cuisine, au magasin d'habillement, dans les bureaux d'intendance, etc.

Voilà qui vexerait certainement les « embusqués », mais n'est-ce pas, monsieur Piot, que cela servirait tellement à la repopulation ? Ce qu'il y en a autant des enfants de troupe, au profit des engagements et des rengagements !

Recruter en masse et encaserner en France des troupes de couleur : Arabes, Kabyles, nègres de l'Algérie, du Sénégal et de Madagascar, jaunes de l'Annam, du Siam et du Tonkin. En surtout recruter également leurs femmes.

Oh ! monsieur Piot, quel bonheur ! Ce serait la grande famille militaire, la plus grande France. Ah ! monsieur Bérenger, voilez-vous la face ! Quel effroyable mélange de races !

Rétablissez les bataillons scolaires, ou même faites mieux : transformez l'école en caserne ; donnez des uniformes, des sabres et des petits fusils aux instituteurs et aux écoliers. Dressez les enfants pour la caserne et le crime ; pétrissez leur cerveau de patriotisme et d'orgueil.

Ainsi feront-ils à seize ans d'excellents soldats. C'était bon, jadis de partir au service à vingt ans !

Nos enfants vous appartiennent. À quoi bon vous gêner, puisque vous êtes les maîtres !

Mais, de grâce, faites vite, car si les Allemands mettaient ces conseils en pratique avant nous, nous serions

---

encore une fois roulés. Devancez-les dans la voie de la Science et du Progrès.

Allons ! pas d'hésitation, sauvez cette pauvre France !

Certes, nous estimons à leur juste valeur ces gens qui crient : « Vive l'armée ! », mais qui n'ont jamais passé par la caserne. Ces pleutres, ces poltrons, ces hystériques du panache et de la loque tricolore sont des fous et des criminels. Ce sont les amoureux de Marianne aujourd'hui devant la loque tricolore sont des fous et des criminels. Et ce sont ces ganaches qui veulent la Revanche ! Après avoir crié : « A Berlin ! » ils hurlent : « A Berlin ! »

Il y a cent ans les Français envahirent l'Allemagne ; nos soldats pillèrent, violèrent, assassinèrent. Il y a quarante ans, les Allemands envahirent la France : leurs soldats pillèrent, violèrent, assassinèrent. Nous ne voulons pas continuer cette triste besogne. Trop longtemps nous avons été vos instruments dociles et inconscients.

Nous voulons oublier ce passé de haine et de vengeance. Préparons l'avenir ; travaillons à la fraternité des peuples.

Nous désirons, nous voulons voir diminuer le nombre des armées que nos enfants passent à la caserne.

Nous voulons qu'ils consacrent leur jeunes années, les meilleures, à la haine, à la faineautise, à l'œuvre de mort.

Nos enfants n'aiment pas la caserne, ils ne la subissent que contraints et forcés. Les pères et mères

---

de familles tremblent de peur chaque fois qu'ils ont des fils à la caserne. Ils craignent pour leur liberté et pour leur vie.

Non contents d'arracher nos enfants du foyer familial, vous voulez encore de l'argent, de l'or pour augmenter le nombre des canons, des cuirassés, des sous-marins, des dirigeables, des aéroplanes, pour faire des uniformes kaki, des nouveaux fusils et des balles qui feront des marveilles ! Des canons qui éclatent, des cuirassés qui sautent, des sous-marins qui coulent en entraînant nos enfants dans la mort.

Ne nous plaignons pas, c'est pour le bonheur des Schneider, pour la gloire de la France : Pro Patria !

Vous consacrez des milliards à l'œuvre de destruction et de mort.

Votre budget se monte au chiffre formidable de cinq milliards de francs. La Dette de la France est de 34 milliards. Vous allez à la banqueroute, mais peu vous importe. Le contribuable n'est-il pas taillable et corvéable à merci !

Vous dites qu'il y a un réveil du nationalisme ! En êtes-vous bien certain ?

Ce n'est pas parce que vous avez su quelques milliers de badauds de relever vos retraites militaires, ce n'est pas parce que quelques collégiens, faisant réformés, écrivent qu'ils sont prêts à verser leur sang pour la France, ce n'est pas non plus parce que les journaux à votre solde vous font de la réclame en « première » du patriotisme et que la France se ressaisit.

Mais j'y pense, puisque vous êtes persuadés de ce réveil patriotique du bon peuple de France, pourquoi ne

---

feriez-vous pas un referendum national ?

Demandez donc aux hommes et aux femmes de France s'ils veulent de la loi de trois ans, s'ils veulent de nouveaux impôts militaires, s'ils veulent la guerre avec l'Allemagne ou avec tout autre puissance.

Demandez donc aux soldats de la classe s'ils consentent à rester une année de plus à la caserne. Par avance nous connaissons la réponse qui vous sera faite.

La classe ouvrière ne veut pas des trois ans. Si vous êtes assez fous ou assez criminels pour ne pas l'écouter, elle saura vous rappeler à la raison.

» R. Péricat.

Opinion autorisée

Savez-vous quelque chose de plus navrant que l'existence de ce malheureux qui a enfoui à son champ, à son village, et qui a jeté pour trois ans dans une caserne, loin des siens, loin de tout ce qu'il aime, condamné à vivre avec d'autres hommes aussi à plaindre que lui ?

Que voulez-vous qu'il reste à un pays de sépérer en réserve, lorsqu, dans vingt ans, tous les jeunes gens auront passé par cette filière terrible ? Tous ces fils de la terre qui seraient mariés avec de braves filles, qui auraient fait souche de gens solides, reviennent chez eux plus ou moins syphilisés, pervertis par les sales amours des fortifications, ayant perdu la notion de Dieu, désabusés de tout travail par une mécanique à la fois abrutissante, éreintante et vide. Ce sont des générations finies.

Edouard Drumont.

(De la Libre Parole.)

breuses notabilités intellectuelles ou syndicales adhérèrent : A. France, O. Mirbeau, L. Descaves, Sicard de Plauzoles, Jouhaux, Monatte (21), Bled...

Ce Comité manifesta une grande activité. En juillet 1913, il faisait apposer sur tout le territoire une affiche (cf. *A. 16*) :

> « Pour les soldats frappés,
> A tous les hommes de cœur !
> Aux familles des soldats »

Lorsque la classe 1910 fut libérée en septembre, le Comité en édita une nouvelle :

> « Mutins ou non, tous de la classe ! » (cf. *A. 17*).

L'amnistie pour les soldats condamnés y était réclamée ; on retrouve toujours parmi les signataires, France, Mirbeau, Descaves...

En octobre, le Comité organisa un grand meeting à Paris, puis en décembre fit déposer sur le bureau de la Chambre une pétition demandant la grâce des 19 soldats condamnés ; reproduite sous forme d'affiches, elle fut signalée un peu partout sur l'ensemble du territoire (22).

Moins important un autre Comité est également mentionné : le « Comité féminin contre la loi Berry-Millerand, les bagnes militaires et toutes les iniquités sociales » (23). Déjà assez ancien puisqu'il date de septembre 1912 où il fut fondé à l'initiative du Syndicat parisien des Couturières, il s'est signalé par des meetings, par la diffusion de tracts :

— « Jeunes, Conscrits, écoutez nos appels ! »
— « Femmes, révoltons-nous ! »
— « Appel aux mères, aux sœurs et aux compagnes des encasernés ! »...

Une note de la Sûreté Générale en 1914 fit le point des compositions successives du Comité.

---

(21) Pierre Monatte, né en 1881 à Brioude (Haute-Loire). Il fut maître-répétiteur en particulier au collège du Quesnoy dans le Nord. Il fut l'adjoint de Broutchoux dans le développement du syndicalisme révolutionnaire chez les mineurs du Pas-de-Calais. Membre de la C.A. de la C.G.T., il fonda en 1909 avec Griffuelhes, Yvetot, Merrheim, Bled, *la Vie Ouvrière* afin de l'opposer à l'*Action Ouvrière,* animée par des syndicalistes « réformistes » (Guérard, Keufer, Niel).

(22) Alais, Amiens, Annecy, Bourges, Cherbourg, Grenoble, Limoges, Marseille, Nantes, Périgueux, Paris, Saint-Etienne.

(23) A.N. F 7 13348 M/8650.

Des affiches autres que celles du Comité de Défense Sociale déjà évoquées furent également signalées : le préfet de la Gironde rendit compte de l'apposition d'une affiche blanche et rouge, grand format, « Libérez-les » (cf. *A. 18*). Publiée par la C.G.T., elle réclamait la libération des 19 militants syndicalistes arrêtés en juillet 1913 sous le ministère Barthou (24). Ce jour-là et les jours suivants, d'autres rapports arrivèrent de partout sur le placardage de cette affiche (25), qui était d'ailleurs très souvent accompagnée de celle du Comité de Défense Sociale.

A leur propos, le commissaire spécial de Decazeville fut d'avis que ces placards n'intéressaient pas directement la classe ouvrière et n'avaient donc pas produit grand effet, tandis que son collègue d'Albi constata au contraire qu'elles étaient très lues.

Les réunions sont aussi l'objet de rapports : de l'une d'elles à Marseille (26), il est dit qu'elle fut un échec car seulement 150 personnes y vinrent pour soutenir les mutins, malgré la notoriété d'orateurs comme Yvetot, qui y félicita le gouvernement de « l'imbécile Barthou » d'avoir fourni aux militants un argument décisif contre le militarisme. D'ailleurs les orateurs laissèrent percer leur amertume contre l'indifférence des travailleurs.

De même une note anonyme de cinq pages adressée à la Préfecture de Police rend compte d'une réunion organisée par le Comité intersyndical de Puteaux (27) à propos des mutins, du Sou du Soldat, des 3 Ans. 250 personnes y assistèrent parmi lesquelles, le fait est rare à l'époque, une quarantaine de femmes. Principal orateur : Marck, trésorier de la C.G.T., un des prévenus dans l'affaire du Sou du Soldat. Il regretta que l'assistance ne soit pas plus nombreuse pour entendre son apologie de l'antimilitarisme, sa haine de la « galonaille », terminée aux cris de « A bas l'Armée ! » Cette virulence ne sembla pas suffisante à l'anarchiste Mauricius qui, à cette même réunion, critiqua la mollesse des orateurs qui l'avaient précédé : il ne faut pas se contenter de théories, il faut agir, affirma-t-il ; il faut que le mot de « Patrie » « tombe de notre bouche ».

---

(24) Cf. Chapitre I.

(25) Decazeville, Monthermé, Roubaix, Avignon, Toulouse, Albi, Castres, Mazamet.

(26) C.-r. du 26.1.1914.

(27) C.-r. du 1.2.1914.

Et l'ordre du jour de clôture vouait au « mépris public » les lois infâmes et pourries de la fausse République ». Mais « l'informateur » précisait qu'il ne pouvait fournir de témoins.

Une autre réunion organisée à Levallois par la Jeunesse Syndicaliste contre les bagnes africains, le militarisme et bien sûr les 3 Ans, réunit environ 100 personnes qui entendirent là encore des propos définitifs sur « la loque tricolore qu'on avait jetée dans le fumier et qui aurait bien dû y rester... » (28).

Dans les semaines suivantes, d'autres réunions furent également signalées à Rouen (29), Pantin (30), Tourcoing (31) sur à peu près les mêmes thèmes.

Une affaire prenant de l'extension, la campagne de défense du soldat Péan considéré comme injustement condamné par un conseil de guerre, permit à plusieurs comités de s'attaquer aux conseils de guerre, particulièrement honnis (32). Ils y consacrèrent de grands efforts, et, entre autres, une grande réunion fut prévue pour le mois de juin à Paris sous la présidence de Sicard de Plauzolles et préparée par l'apposition de 300 affiches double-colombier.

Ce dossier de la Sûreté Générale nous offre une dernière source d'information, la surveillance des individus jugés dangereux, surveillance qui, en général, donne naissance à d'impressionnantes correspondances. En voici quelques exemples : au mois de décembre 1913, un jeune soldat de la garnison de Besançon a assisté à une réunion anarchiste à Lyon. Son identification déclenche une véritable campagne de recherches qui mobilise la Sûreté Générale, les commissaires de Besançon, de Lyon, afin qu'il puisse être inscrit sur la liste des jeunes appelés connus comme révolutionnaires, anarchistes ou antimilitaristes.

A Laon, ce sont un maréchal des logis et un soldat du 29ᵉ d'artillerie qui, soupçonnés d'antimilitarisme, sont punis parce que surpris en train de lire l'Humanité.

Mais l'exemple de la minutie avec laquelle pouvait être « filé » un soldat suspect est fourni par le cas de ce militaire en garnison à Toul : 5 notes lui furent consacrées de février à juillet 1914.

---

(28) C.-r. du   3.3.1914.
(29) C.-r. du 10.3.1914.
(30) C.-r. du 22.3.1914.
(31) C.-r. du   4.4.1914.
(32) A.N. F 7 13348 M/9147.

1) la note M/8973 du 19 février 1914 signale H. comme un des plus dangereux antimilitaristes incorporés avec le dernier contingent ; c'est un ancien secrétaire du Comité d'Entente des Jeunesses Syndicalistes de la Seine. Des renseignements « sûrs » permettent de penser qu'il veut écrire aux Jeunesses Syndicalistes de Paris pour connaître les noms des camarades faisant leur service à Toul, afin de former avec eux un groupe d'amis, louer une chambre en ville et organiser une propagande aussi discrète que possible auprès des soldats de la garnison.

2) la note M/9081 du 23 mars révèle qu'une correspondance du soldat avec le secrétaire de la Jeunesse Syndicaliste a été détournée : il s'y plaint d'être très surveillé et que toutes ses lettres sont décachetées !

3) le commissaire de police de Toul intervient pour signaler que H. a obtenu une permission qu'il doit passer à Levallois-Perret ; il fournit en même temps la liste des adresses des personnes avec qui il est en relations.

4) Quelques jours après, le commissaire de la gare de l'Est signale le passage du jeune soldat rentrant à son Corps.

5) Enfin par une dernière note M/9533 du 30 juillet, la garnison de Toul est informée qu'en cas de mobilisation (nous sommes le 30 juillet 1914 !), le jeune H. doit être particulièrement surveillé en même temps que deux autres soldats.

Voilà qui confirme que si des négligences pouvaient être reprochées à certains fonctionnaires, d'autres au contraire manifestaient une vigilance sans défaillance : les suspects étaient suivis littéralement pas à pas.

Cela pouvait même prendre dans certaines circonstances une allure caricaturale (33) :

Le 19 novembre 1913, le ministère de la Guerre signale un réserviste parisien au Régiment colonial stationné à Toulon : il doit y accomplir une période de 17 jours et on a appris qu'anarchiste et antimilitariste, il emporte avec lui une valise pleine de brochures antimilitaristes destinées à être distribuées à la caserne. Mais cinq jours plus tard, le même réserviste est signalé exactement dans les mêmes termes au 17e Corps à Toulouse ; encore 13 jours, et c'est le Colonel commandant le 24e Colonial à Perpignan qui reçoit le même avis concernant le même réserviste, avec la même valise !

---

(33) A.M. Cabinet du Ministre ; Cabinet civil. Télégrammes, sorties : registre 32 1.

De cet ensemble de renseignements assez disparates, il serait certainement excessif de tirer des conclusions définitives sur l'activité antimilitariste en 1914 ; si les signes d'un certain essoufflement sont sensibles à plusieurs reprises — réunions peu suivies, manque d'intérêt des travailleurs... — elle reste toujours assez importante et le ton vigoureux. -D'ailleurs il apparaît que les autorités n'estiment pas devoir s'en désintéresser et continuent à suivre le mouvement antimilitariste avec une extrême attention, au point de retrouver dans leurs dossiers des rapports aussi circonstanciés que ceux que nous avons étudiés concernant le placardage d'une affiche à Albi ou la tenue d'une réunion somme toute banale à Levallois...

Dans un département

Les Archives des départements sont également typiques de cette lutte quotidienne contre l'antimilitarisme. Là encore nous avons utilisé l'exemple du Calvados. Ni uniquement agricole, ni particulièrement industriel, ce département offre en effet l'avantage de présenter sur le plan économique et social une situation « moyenne » qui se retrouve bien souvent ailleurs.

Son dossier « antimilitarisme » a recueilli chronologiquement tous les faits d'antimilitarisme, grands ou petits, qui de 1907 à 1913 ont provoqué une intervention d'un représentant de l'Administration.

Poussé par le Gouvernement, comme nous l'avons vu, le préfet du Calvados interroge, en 1907, ses sous-préfets sur les manifestations d'antimilitarisme qu'ils auraient pu constater : ils n'ont rien à signaler, sauf celui de Lisieux ; un instituteur-adjoint, acquis aux idées antimilitaristes, a constitué dans cette ville un groupe d'Etudes sociales rassemblant une cinquantaine d'adhérents : cela a provoqué quelques remous, des parents ont retiré leurs enfants de l'école et le sous-préfet estime que l'instituteur incriminé doit être déplacé.

Il faut ensuite attendre 1909 pour qu'une nouvelle affaire apparaisse : le sous-préfet de Falaise signale l'apposition de 7 affiches expédiées par les « Causeries Populaires » des Xe et XIe arrondissements ; intitulées « Aux Soldats », elles reproduisent des citations suggestives d'Aristide Briand qui vient d'abandonner le ministère de la Justice du gouvernement Clemenceau pour occuper la présidence du Conseil, d'Edouard Drumont qui connut son heure de gloire quelques années plus tôt au temps de l'antidreyfusisme, du professeur Charles Richet, de l'ancien ministre de la Guerre de Freycinet, d'Anatole France, d'Henri Rochefort et de Guy de Maupassant et se terminant sur ses simples mots : « Soldat, réfléchis et conclus toi-même ». (cf. *A. 19*).

C'est là un exemple à la fois modeste et significatif de la pénétration de la propagande antimilitariste dans des localités d'une importance médiocre.

Les dossiers de 1911 à 1912 sont plus remplis par des rappels à l'ordre et à la vigilance que par des faits locaux.

Les recherches faites par le Préfet du Calvados lui permettent cependant de répondre à une dépêche confidentielle du 15 novembre 1911 réclamant un état des anarchistes, des antimilitaristes, des Camelots du Roi. Dans sa réponse le préfet indique que dans son département existent, non pas des groupements organisés, mais seulement des individus isolés qui sont susceptibles, pense-t-on, de passer des paroles aux actes. Ces anarchistes et antimilitaristes résident soit à Caen, soit à Honfleur ; en fait les individus repérés à Honfleur sont pour la plupart originaires du Havre où, après avoir été condamnés, ils sont interdits de séjour ; ils ont trouvé commode de s'installer à Honfleur, à 3/4 d'heure du Havre et le préfet de Calvados se montre assez amer d'avoir à leur offrir l'hospitalité.

Deux autres pièces seulement sont à mentionner : l'interpellation à Caen en 1911 d'un ouvrier et l'expulsion du Champ de foire en 1912 de 3 colporteurs pour le même délit : la vente de chants révolutionnaires.

Le dossier 1913 est par contre beaucoup mieux fourni : il est vrai que la loi de 3 Ans agite les esprits...

C'est ainsi que les gendarmes ont interrogé un ouvrier d'une scierie de Saint-Pierre-sur-Dives qui faisait signer une pétition contre la loi de 3 Ans, pétition qui lui avait été adressée par *l'Humanité,* et que d'autres ont mené à Trouville une enquête sur le placardage d'affiches de la C.G.T. contre cette même loi : l'afficheur affirma avoir reçu les affiches incriminées du secrétaire du Syndicat des ouvriers du Bâtiment. De son côté le Préfet a cru devoir alerter son collègue de Seine-Inférieure et lui demander conseil à la suite de la diffusion à Caen d'un journal *Vérités* (33 bis), édité par l'Union des Syndicats du Havre, dont l'article de tête était signé Péricat et la première page offrait un dessin représentant un soldat français et un soldat allemand se donnant la main et mettant la crosse en l'air avec l'inscription : « Plus de frontières, à bas la guerre ! » Mais le préfet de Seine-Inférieure est beaucoup moins ému que

_____

(33 bis) Voir le dépliant de la p. 88.

son collègue : estimant que les articles et dessins incriminés ne semblent pas sortir du domaine de la discussion, il juge qu'ils ne peuvent donc pas être poursuivis.

A Caen, le commissaire de police obtient « d'informateurs » quelques documents entreposés à la Bourse du Travail, une brochure « la Crosse en l'Air » d'E. Girault (34), un exemplaire du Manuel du Soldat (35), « l'Evangile des révoltés » de Vigné d'Octon (36).

Ce dossier de l'année 1913 fait état également — de l'emprisonnement d'un soldat du 36e Régiment d'Infanterie accusé d'avoir tenu des propos subversifs et dont — scandale ! — le père, comme l'enquête le révéla, était Inspecteur d'Académie dans l'Est ;

— de la condamnation à respectivement 15 jours et un mois de prison de deux ouvriers teinturiers ayant traité de « lâche, salaud, prussien », un capitaine qui voulait faire arrêter un soldat ivre ;

— de l'arrestation d'un jeune ouvrier en état d'ivresse ayant « injurié grossièrement » deux sous-officiers qui passaient ;

— d'une peine de trois mois de prison infligée à un terrassier lui aussi en état d'ivresse, pour avoir outragé un sous-officier et crié : « A bas l'Armée » ! ;

— du procès-verbal dressé à l'encontre d'un journalier qui chantait des airs antimilitaristes, et d'un marchand ambulant qui vendait les chansons du répertoire de Montéhus — Ah ! Montéhus, la bête noire des autorités, soit directement par les « concerts » qu'il donnait, soit indirectement par ses chansons colportées, « Gloire au 17e »...

Nous apprenons également par un rapport confidentiel du sous-préfet de Falaise qu'un adjudant a décollé et « remis à ses chefs » une étiquette bordée de bleu, de 2 centimètres de côté, apposée dans l'urinoir de la rue d'Argentan, à Falaise, et portant cette mention : « Soldats manifestaient (sic) contre la loi de 3 Ans et à bas l'Armée ».

Ce même sous-préfet fut informé encore qu'à la suite d'une « période », des territoriaux ont regretté de n'avoir pu être cinq ou six de plus : ils auraient « débauché tout ce bataillon », affirmait-ils. Pour réagir, il est décidé que des conférences seront faites « aux hommes » sur la loi de 3 Ans.

---

(34) Editée à Bezons en 1911.
(35) Editée en 1913, 17e édition.
(36) Editée en 1912.

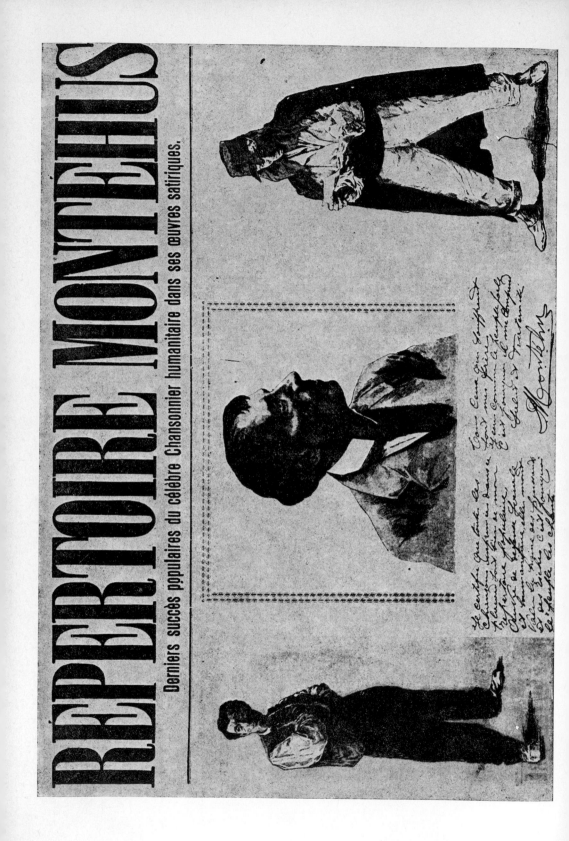

RÉPERTOIRE MONTÉHUS

Derniers succès populaires du célèbre Chansonnier humanitaire dans ses œuvres satiriques.

(Copyright Ed. Paul Beuscher.)

MONTÉHUS dans ses œuvres humanitaires et satiriques

NOTA. — Les Chansons et Monologues reproduits dans ce Recueil sont complets et authentiques et publiés avec l'autorisation de l'Auteur-Éditeur.

La Grève des Mères

Paroles de
G. MONTÉHUS

Musique de
R. CHANTEGRELET

1

Fasse le feu et la mitraille,
Sonnez les fusils, les canons,
Faut dans le monde des canailles,
Comme du monde plein d'ombres,
Pendez les honnêtes gens et des sauvages
(tu r'aient le doux Fraternité,
Femme, debout, femme, à l'ouvrage,
Il faut sauver l'Humanité.

REFRAIN

Refuse de peupler la terre,
Arrête la fécondité,
Déclare la grève des mères,
Aux meurtriers crie ta volonté.
Défends ta chair,
Défends ton sang,
À bas la guerre !
Et les tyrans !

2

Pour faire de tes mâles hommes,
Tu as péniblement vingt ans,
Tandis qu'il le plomb en un moment
En vrai met des régiments.

.   .   .   .   .   .

Voulant que tes fils espèrent,
L'air que tes cœurs de tes seins
Vous clans une horrible souffrance
Tu laissais, cruel, saisissait ton petit.

AU REFRAIN

3

Est-c' que le ciel a des frontières ?
Ne connais-tu pas l'Humanité entier ?
Pourquoi sur terre des barrières ?
Pourquoi d'éternels crucifiés ?
Le meurtrier n'est pas un voleur ;
Qui r'est la mort et est maudit;
Nous n'voulons plus pour notre gloire,
Donner la chair de nos petits.

REFRAIN

Refuse de peupler la terre,
Arrête la fécondité,
Déclare la grève des mères,
Aux meurtriers crie ta volonté.
Défends ta chair,
Défends ton sang,
À bas la guerre !
Et les tyrans !

Ne Tire pas sur Nous

Paroles de
G. MONTÉHUS

Musique de
R. CHANTEGRELET

1

Si le clairon sonne l'alarme,
Défends ton petit troupeau,
Se mep n'roque pas tes armes
En trout sur les sorciers.
On notre chance et ta force,
Fait pour qu'il fait sur d'être étreint,
C'est la cause considérons,
En combattant nous défendons ton pain.

REFRAIN

Petit poupon,
Vis' pas sur nous,
Nous sommes tes frères de misère,
Ne fais pas feu,
O malheureux!
Tu peux tuer ton père, ta mère !
Petit poupon,
N'tir' pas sur nous.

2

Jadis il se laissait conduire
Comme on conduit un vrai troupeau,
Depuis, il a su s'instruire,
Et la revolte surgit en son cerveau.

AU REFRAIN

Nous ne voulons plus de maître,
Pour nos droits nous voulons lutter,
Et soit-haine sans colère
Mais aussi avec fermeté
Nous n'demandons pas la richesse
Vous souhaitons la détresse
Cela au nom de la Fraternité!

REFRAIN

Petit poupon,
Vis' pas sur nous,
Nous sommes tes frères de misère,
Ne fais pas feu,
O malheureux!
Tu peux tuer ton père, ta mère !
Petit poupon,
N'tir' pas sur nous.

3

L'ennemi n'est pas une sale bête,
Combats la bêt' c'est sur un sol frémi,
Il est loin te coucher l'éclair,
Ensemble elles toi dire : « J'ai faim! »
Et ben p'uss' té s'entendre,
Ça p'uss' nos frères,
Ne te trompons,
Avis' p'sq'' ta nous hommes.

J'VEUX PAS RESTER SOLDAT — SUR LA TOPE — ON VA ME FUSILLER — OHÉ! VOUS POUVEZ RIRE — D'UN CAMISARD

(Copyright Ed. Paul Beuscher).

BUREAU DE PROPAGANDE

LA
Crosse en l'air

PAR

E. GIRAULT

5 Centimes

Le cent : **2 fr. 50.** — Le mille : **22** francs

S'adresser au camarade E. GIRAULT
à BEZONS (Seine-et-Oise)

1911

Fac-similé d'une brochure antimilitariste.

D'autre part, après avoir minutieusement étudié les dossiers des jeunes gens à incorporer, le commissaire de police de Caen peut affirmer qu'il n'y a pas parmi eux d'antimilitaristes.

Enfin on a fait la chasse aux affiches séditieuses : au mois de juin l'affiche « Coup de force » (cf. *A. 20*) protestant contre le maintien de la Classe à la caserne est placardée sur la porte de la Bourse du Travail ; elle est lacérée, mais réapparaît le lendemain, pour être de nouveau détruite ; puis, le mois suivant, c'est la découverte de l'affiche du Comité de Défense des Soldats : « A tous les hommes de cœur, aux familles des Soldats » ; au mois d'août, une nouvelle affiche est apposée après les arrestations effectuées dans l'affaire du Sou du Soldat : « La C.G.T. reste debout » (cf. *A. 21*), et en septembre, le commissaire de police de Vire signale l'affiche « Mutins ou non, tous de la classe ».

Les archives du Calvados témoignent donc surtout en 1913 d'un grand nombre d'incidents antimilitaristes. Est-il donc vrai que les « théories subversives» aient pris une telle extension à la fois par la variété et l'implantation géographique des incidents ? En fait, poussées par les continuelles instructions gouvernementales, par les dangers d'une situation internationale tendue, les autorités sont la proie d'une véritable psychose antimilitariste : les incidents les plus mineurs, le placardage d'une seule affiche, provoquent rapports en cascade, du commissaire au sous-préfet, du sous-préfet au préfet, du préfet à la Sûreté...

Des enquêtes dont on peut penser qu'elles mobilisent un personnel considérable, sont entreprises sans justification profonde : c'est ainsi qu'à l'occasion des élections présidentielles de 1913, le ministre de l'Intérieur a recommandé de redoubler de vigilance : en ce qui concerne le Calvados, c'est l'occasion de rechercher un ancien secrétaire de la Bourse du Travail de Caen, inscrit à l'état des antimilitaristes et dont on a appris qu'il travaillerait à Rouen dans une imprimerie. A leur tour, les services de la Seine-Inférieure se lancent sur la piste, mais pour ne pas trouver trace du suspect. Et pourquoi tout ce branle-bas, pour un homme dont le préfet affirme par ailleurs qu'il n'est pas dangereux ! Ainsi à chaque échelon, on entend montrer de toutes façons que l'on est vigilant, puisque le haussement d'épaules n'est plus de mise.

Il ne faudrait pas en conclure, nous semble-t-il, que les craintes des autorités ne reposent sur rien : dans les milieux populaires, l'Armée était réellement peu appréciée. Il suffisait de quelques libations pour que se manifestent de tels sentiments. On insultait un « galonné », on entonnait « Gloire au 17ᵉ ». Au fond, il ne s'agissait guère d'antipatriotisme, mais d'antimilitarisme au sens le plus étroit. Ce n'était pas à la Patrie qu'on s'en prenait, c'était à l'Armée. La propagande n'avait pas été sans effets, toutefois elle avait, en quelque sorte, dévié de son objectif, un transfert s'était produit. Le mouvement ouvrier ne s'attaquait à l'Armée que dans la mesure où elle était tant à l'intérieur qu'à l'extérieur l'instrument de politiques qu'il désapprouvait, or, par la force des choses, l'Armée en tant que telle était devenue le point de mire d'attaques incessantes. Et si, comme nous avons pu le constater déjà à plusieurs reprises, l'antipatriotisme a eu tendance à se relâcher immédiatement avant 1914, il n'en a pas été de même de l'antimilitarisme, au sens strict du terme.

Les autorités l'ont bien senti qui, pour redonner du lustre à l'Armée, ont inventé les « retraites militaires », mais celles-ci par un choc en retour furent souvent l'occasion de manifestations antimilitaristes. C'est d'ailleurs pourquoi à Caen l'autorité militaire a préféré supprimer pour éviter des troubles la retraite du samedi 25 mai 1913, mesure que le *Moniteur du Calvados* (mais c'était l'organe des « partis réactionnaires », à en croire la Préfecture de ce département) critiqua vivement.

En résumé, l'exemple provincial du Calvados confirme bien qu'à la veille de la guerre les inquiétudes gouvernementales n'étaient pas entièrement vaines, même si leur objet n'a pas exactement le caractère qu'on leur prête en général. Et d'ailleurs, les événements proches n'allaient-ils pas en apporter la preuve ? Les élections de mai 1914 n'allaient-elles pas manifester la force du courant qui en France refusait le militarisme, tandis que la crise de juillet 1914 n'allait-elle pas mettre en lumière que l'idée de Patrie n'avait guère été entamée ?

LE CARNET B

Ainsi au cours des années, les gouvernements n'avaient cessé de craindre les développements de l'antimilitarisme et de lutter contre ses manifestations, mais il était un problème particulier : comment parer à cette menace si souvent énoncée par les chefs révolutionnaires, comment éviter une explosion pacifiste lors d'une déclaration de guerre qui pourrait entraver la mobilisation et désarmer le pays face à un éventuel adversaire. Une solution était de « ficher » dès le temps de paix les « meneurs » et de les arrêter au moment d'une mobilisation.

Pour cela existaient « les Carnets B ».

C'était déjà une vieille institution.

Chapitre premier

LES ORIGINES DU CARNET B

Depuis fort longtemps, les autorités militaires se préoccupaient de l'espionnage. Les gendarmeries étaient chargées de tenir des Carnets dits B sur lesquels étaient inscrits les suspects d'espionnage. Comme, même en temps de paix, les espions sont arrêtés et jugés, il s'agissait donc de déterminer les individus contre qui justement il existait des suspicions, et non les preuves qui auraient permis de les incarcérer. D'ailleurs une longue circulaire de 1886, signée du ministre de la Guerre, le général Boulanger, avait enseigné avec minutie aux gendarmes comment ils devaient s'y prendre pour repérer les espions (1).

Certains dépôts d'archives ont conservé les traces de ces inscriptions.

Un premier exemple nous vient de l'Allier : en 1892, le rapport d'un adjudant de gendarmerie (2) signale que le nommé Pierre X..., de nationalité suisse-italienne, a quitté définitivement Moulins, où il était entrepreneur de travaux du chemin de fer économique de l'Allier, pour se fixer en Suisse ; il avait été classé au Carnet B, suivant décision du général commandant le 13ᵉ Corps d'Armée, le 11 novembre 1888 et il rentrait dans la catégorie des suspects d'espionnage.

Toutefois l'exemple le plus intéressant et le plus détaillé (3) de ce que fut à l'origine un Carnet B est donné par le département des Vosges, car dans ce département limitrophe de l'Allemagne, les autorités

---

(1) A.D. Vosges 8 bis M 42 : Instruction très confidentielle du 9 décembre 1886 relative à la surveillance de la gendarmerie à l'égard des espions, dont la préfecture des Vosges avait eu l'exemplaire n° 85.

(2) A.D. Allier 22 R 32.

(3) A.D. Vosges 8 bis M 41.

étaient particulièrement sensibilisées aux problèmes de l'espionnage. Le Carnet B des Vosges est composé en 1897 de 11 Allemands, 1 Suisse, 1 Russe, 1 Belge et 7 Français. Par règle ou presque, les étrangers sont les premiers suspectés et, évidemment, parmi ceux-ci, les Allemands sont particulièrement visés. En fait, de quels Allemands s'agit-il ? Une rapide revue permet de constater que 5 des personnes visées sont des Alsaciens. Ainsi parmi eux, ce marchand, né à Habsheim, près de Mulhouse, et résidant à Epinal où il vend des étoffes sur les marchés. Pourquoi est-il soupçonné ? Venu en France en 1884, sa conduite « au point de vue national » a paru suspecte parce que, bien que majeur depuis 1872, il n'a pas opté pour la nationalité française. C'est là, en effet, une des raisons qui soulèvent la curiosité de l'Administration. Pourquoi un Alsacien établi en France n'opterait-il pas pour la nationalité française, s'il n'avait pas de noirs desseins ? En réalité, bien des choix dans un sens ou dans un autre s'expliquent par des raisons complexes : familles et intérêts de part et d'autre de la frontière, et difficilement dissociables. On reproche également à cet homme des relations avec un autre Alsacien suspect qui, lui, a choisi la nationalité suisse ! Tout cela est bien ténu, malgré l'abondance d'un dossier dont les pièces les plus anciennes remontent à 1890. Ce qui explique que, faute d'éléments nouveaux et plus probants, notre suspect, cessant de l'être, ait été rayé du Carnet en 1903.

A côté de ces Alsaciens, sont fichés de vrais Allemands : ainsi un cultivateur qui, né en Prusse rhénane, s'est installé en France en 1879. On lui reproche d'avoir refusé de se faire naturaliser français et d'avoir été soldat de l'armée allemande d'occupation en 1870-1871 : aussi peut-on imaginer qu'il porte des sentiments peu favorables à notre pays ! D'où son inscription au Carnet B en 1892.

Comme le prouve ce cas, la suspicion est indirecte ; aucun fait d'espionnage n'est relevé contre cet homme, mais étant ce qu'il est, pourquoi ne pourrait-il, le cas échéant, faire de l'espionnage ? C'était même aller très au-delà du délit d'intention, c'était supposer un éventuel délit d'intention !

Cet inscrit fut également rayé en 1903.

Le Russe du Carnet, plutôt un Polonais d'ailleurs, est marchand-forain. Il habite à Epinal après avoir longtemps résidé à Nancy : dans ce cas, les soupçons sont d'abord provoqués par l'importante correspondance qu'il reçoit d'Allemagne, ce qui, au fond, n'est pas tellement étonnant puisque résident dans ce pays ses parents et plusieurs de ses frères. Il s'agit vraisemblablement d'une famille d'émigrants polonais, dont certains se sont installés en Allemagne, d'autres en France. Autres motifs d'inscription : ses dépenses seraient plus élevées que ne lui permettraient ses ressources — c'est effectivement là un indice assez habituel — et il rechercherait la société des officiers. On voit mal pourtant des officiers « fréquentant » un marchand forain polonais ! Inscrit en 1897, il fut rayé en 1903, la surveillance n'ayant donné aucune confirmation aux accusations portées contre lui.

Nous trouvons aussi sur les listes de ce Carnet B des Français : par exemple, un Alsacien voyageur de commerce en bijouterie, mais qui, lui, a opté pour la nationalité française. Ses voyages le rendent suspect, bien qu'il soit assez normal qu'un voyageur de commerce se déplace. Lui aussi est accusé de chercher à entrer en contact avec des militaires parce qu'il se rend dans des cafés que ceux-ci fréquentent. C'est encore une fois bien vague, il est également radié en 1903.

Un autre des Français inscrits a été surpris pénétrant dans le fort de Girancourt, ce qui, apparaît, à première vue, plus sérieux ; en fait il semble bien qu'il s'agisse d'un « rôdeur » ressortissant du droit commun.

Par contre un photographe d'Epinal pourrait bien être suspecté à juste titre : 6 chefs d'accusation sont portés contre lui : la provenance inexpliquée de fonds qui l'ont fait passer de la gêne à la prospérité, sa préférence à employer un personnel allemand, l'aide apportée à la désertion d'un militaire du 156ᵉ de ligne, des voyages suspects en Alsace pour aller y chercher des fonds, des promenades trop nombreuses autour des forts d'Epinal et enfin, cela est presque rituel, la fréquentation des militaires. Pourtant, à la longue, il dut aussi apparaître que tout cela n'était pas aussi probant qu'on avait pu le penser, puisqu'en 1903, le photographe et son épouse ne furent plus considérés comme suspects.

Ainsi à quelques exceptions près, ces dossiers présentent un point commun : les accusations sont extrêmement vagues, et lorsqu'elles seraient plus convaincantes, elles sont très mal étayées. Ceci explique qu'après avoir figuré plusieurs années sur le Carnet, ces inscrits en furent radiés. Pourtant on peut s'étonner que des accusations, dont la faiblesse saute aux yeux, aient été prises au sérieux, au moins un certain temps. Il y a à cela plusieurs explications : d'abord, le réflexe habituel dans ce genre d'entreprise d'inscrire plutôt un suspect de trop que de risquer d'en « oublier » ; ensuite l'application assez mécanique des règles de la fameuse circulaire de 1886 qui déterminait toute une série de cas ; lorsque les gendarmes chargés d'une enquête pouvaient mettre un oui en

face de plusieurs chefs de suspicion, un étranger surtout risquait fort
d'être inscrit, même si chaque élément pris à part trouvait une explication
parfaitement logique. Ceci explique le grand nombre d'inscriptions dans
la corporation des représentants, marchands forains, camelots dont il est
évident qu'ils voyagent beaucoup ; or le faire dans les zones frontières... !
De plus l'Administration avait beaucoup de mal à s'y reconnaître parmi
les Alsaciens : entre ceux qui avaient opté, ceux qui n'avaient pas opté,
ou ceux même dont on ne pouvait pas déterminer le statut, tel ce boucher
d'Epinal qui menaçait de « faire de la saucisse ou du boudin » des
Français et contre qui l'on avait bel et bien pris un arrêté d'expulsion
lorsqu'on s'aperçut qu'il était... Français !

Dans ce carnet B des Vosges, première forme, rien donc ne concerne l'antimilitarisme du monde ouvrier. Il s'agit uniquement de combattre les dangers d'espionnage. Mais il n'en est plus de même par la
suite :

— en 1909, 20 personnes sont inscrites au Carnet B des Vosges,
dont 6 Français : sur ces 6 Français, 2 le sont au titre de l'antimilitarisme ;

— en 1910, sur 23 inscrits, 6 sont des Français suspects d'être un
danger pour une éventuelle mobilisation ;

— en 1911, ils seraient 7 si 2 n'avaient pas quitté le département ;

— en 1913, ils sont 13 (4).

Il y a là une progression qui marque clairement le changement
d'orientation des Carnets B.

----

(4) En fait de 1909 à 1914, il y eut 19 inscrits à ce titre au Carnet B, mais
pendant la même période un certain nombre d'inscrits quittèrent le département.
Cf. infra IIe Partie, Chapitre 5.

Chapitre II

LES INSTRUCTIONS GOUVERNEMENTALES

Les Archives départementales n'ont conservé que très fragmentairement les instructions adressées aux préfets à propos du Carnet B. Cependant il nous a été possible de recueillir quelques informations dans plusieurs départements (1).

Les instructions les plus anciennes ont été conservées par le département de l'Allier avec une circulaire du 25 février 1887 concernant le Carnet B ; elle fut ensuite annulée et remplacée par une Instruction du ministre de la Guerre du 10 mai 1897. Mais avant et après 1897, il y eut de nombreuses autres circulaires, rappels de circulaires, compléments... (2).

La lecture de ces documents nous permettrait une étude détaillée et précise de l'organisation du Carnet dès son origine, puis de son évolution. Malheureusement, si nous avons la plupart du temps des lettres d'accompagnement ou des allusions à des circulaires précédentes, les circulaires

---

(1) Principalement A.D. Allier 22 R 3 2 — A.D. Sarthe M. suppl. 402 — A.D. Lozère VI M 12 6 — A.D. Pas-de-Calais série M — A.D. Vosges 8 bis M 42.

(2) 25 février 1887 — Circulaire sur la tenue des Carnets A et B.
21 février 1889 — Circulaire « personnelle et confidentielle » du ministre de l'Intérieur aux préfets.
23 décembre 1889 — Circulaires « personnelle et confidentielle » du ministre de l'Intérieur aux préfets.
21 août 1890 — rappel des circulaires ci-dessus indiquées par le ministre de l'Intérieur aux préfets (cf. A. 22).
10 mai 1897 — Instruction du ministre de la Guerre annulant et remplaçant la circulaire du 25 février 1887.
7 juillet 1897 — Circulaire du ministre de l'Intérieur transmettant l'Instruction du ministre de la Guerre.
25 décembre 1897 — Lettre du Général commandant le 13e Corps d'Armée au préfet transmettant la même Instruction.
21 janvier 1898 — Rappel de la circulaire du 7 juillet 1897 (cf. A. 23).

elles-même sont absentes des dossiers. Ceci peut d'ailleurs s'expliquer car ces circulaires étaient, non seulement confidentielles, mais personnelles, c'est-à-dire que — comme on peut le supposer — le dossier (3) de ces circulaires, gardé par le Préfet en dehors de ses services habituels, n'a pas été versé aux Archives. Il nous a semblé également comprendre que les circulaires périmées devaient être renvoyées au ministère de l'Intérieur.

Malgré ces lacunes, il est possible de faire quelques observations.

A l'origine, deux types de Carnets existèrent, le Carnet A et le Carnet B, tenus dans chaque gendarmerie : le Carnet A servait à recenser tous les étrangers et le Carnet B, les suspects d'espionnage ; c'est ainsi que la circulaire de 1890, ne faisant que reprendre d'ailleurs d'autres antérieures, prescrivit un recensement général des étrangers, parmi lesquels deux catégories sont déterminées, les suspects et les non-suspects « au point de vue national » ; la première de ces catégories figurait au Carnet B. Les enquêtes aboutissant à cette discrimination étaient placées sous la direction personnelle des préfets qui devaient employer pour leur exécution tous les moyens dont ils disposaient et, en particulier, le concours du commandant de la gendarmerie du département.

Puis bientôt, apparaît à côté du Carnet B un autre document, le « registre confidentiel » tenu à la Préfecture. Le but recherché était le même : recenser les suspects d'espionnage, qu'ils fussent Français ou étrangers, et dans les premiers temps d'ailleurs, principalement les étrangers. Carnet B et « registre confidentiel » devaient être en parfaite concordance.

Les listes une fois établies furent évidemment sujettes à modification et des mises à jour annuelles furent prévues.

L'Administration centrale invita les autorités locales à prendre conscience de l'importance de ce travail pour la Défense nationale, en cas de mobilisation : les mesures édictées devaient être appliquées « d'urgence et strictement ».

Quant à la date de départ de ces enquêtes, elle n'est pas fortuite. Il suffit de rappeler la formule de Maurice Baumont :

---

(3) Il s'agissait effectivement d'un dossier appelé « Dossier secret » où au fur et à mesure de leur arrivée les circulaires concernant le Carnet B étaient soigneusement conservées à l'abri des indiscrétions.

« Dans les années 90, l'espionnite était dans l'air » (4).

Mais cette institution qui jusqu'alors visait uniquement l'espionnage, se transforma profondément, comme le prouve l'étude des Archives Départementales de la Lozère. Dans une lettre du 5 février 1909, le préfet du département informe le général commandant le 16ᵉ Corps à Montpellier des nouvelles instructions que vient de lui adresser le Président du Conseil à propos de la tenue du Carnet B. Une nouvelle catégorie d'inscrits doit être déterminée :

« Les Français dont l'attitude et les agissements peuvent être de nature à troubler l'ordre et à entraver le bon fonctionnement des services de mobilisation (propagandistes par le fait, partisans de l'action directe, antimilitaristes) ».

Le Carnet B n'est donc plus seulement le recensement des espions en puissance, mais des Français qui, par « idéologie politique », voudraient « saboter la mobilisation ». Aussi, le document se transforme-t-il profondément, et il va désormais refléter beaucoup plus une lutte contre l'antimilitarisme qu'une lutte contre l'espionnage. Le Carnet B qui jusqu'à ce moment intéressait principalement les départements frontaliers devient alors un sujet de préoccupation pour les autorités dans l'ensemble de la France.

D'ailleurs à l'intérieur du Carnet B, s'instaure une distinction bien précise, puisque les inscrits y sont groupés en deux catégories, les étrangers et les Français, catégories subdivisées elles-mêmes en deux groupes :

1) les suspects d'espionnage ;

2) les suspects à un autre titre (par exemple, est-il précisé, les antimilitaristes, les individus susceptibles de détruire un ouvrage d'art stratégique, un magasin d'approvisionnement...).

Enfin la dénomination « Carnet B » est définitivement étendue : d'une part, on ne parle plus guère du Carnet A, dont l'utilité est assez restreinte ; d'autre part, le « registre confidentiel » des Préfectures est débaptisé pour prendre le nom de Carnet B, à l'instar du Carnet B des gendarmeries.

Ces instructions annulent les anciennes et une instruction secrète du 18 février 1910 abroge et remplace celle du 10 mai 1897 (5).

---

(4) Maurice Baumont. *Aux sources de l'Affaire* (l'Affaire Dreyfus d'après les Archives diplomatiques). Paris. Les Productions de France. 1959. 287 pages, p. 13.

(5) A.D. Lozère, VI M 12 6 — Lettre du général commandant le 16ᵉ Corps au préfet de la Lozère, 16 avril 1910, Montpellier.

Deux innovations apparaissent, d'abord l'existence d'un troisième registre : en plus des Carnets B de la préfecture et des gendarmeries, chaque Etat-Major de Corps d'Armée doit tenir un contrôle de tous les inscrits du territoire de la Région militaire ; ensuite il doit être procédé à une vérification trimestrielle de la concordance entre ces trois documents.

Nous savons aussi qu'il y eut une nouvelle circulaire secrète datée du 18 septembre 1911, mais nous n'en connaissons pas la teneur : cependant le préfet de la Lozère — qui n'a d'ailleurs pas d'inscrits à son Carnet B —. informe le gouvernement que, s'il y en avait, il les ferait arrêter et emprisonner à Mende le cas échéant, en fonction des instructions reçues. Cette innovation est d'importance : elle marque l'augmentation de la crainte qu'inspiraient aux milieux gouvernementaux les manifestations antimilitaristes. Jusqu'alors, les inscrits au Carnet B devaient être surveillés en cas de mobilisation ; désormais, ils seraient arrêtés. De nombreuses notices individuelles conservent la trace de cette mutation : la mention « à surveiller » a été rayée et remplacée par celle de « à arrêter ».

Plusieurs dossiers d'Archives (6) révèlent enfin l'existence d'une dernière Instruction, du 1ᵉʳ novembre 1912, sur les inscrits au Carnet B (7).

L'accent y est mis sur le soin attentif avec lequel devait être faite la révision annuelle, en particulier pour les propositions de radiation. Le ministre de l'Intérieur le rappela au préfet des Vosges dans une note du 13 août 1913 :

« Aux termes de l'Instruction du 1ᵉʳ novembre 1912, article 14, doit être adressé chaque année avant le premier juillet un rapport sur les opérations de révision du Carnet B » (8).

Il n'apparaît plus, dans les dossiers, d'Instruction générale, mais le 22 octobre 1913, le ministre de l'Intérieur adressait au préfet de la Sarthe, une annexe à l'Instruction du 1ᵉʳ novembre 1912. Ce document (cf. *A. 24*) à classer au « Dossier secret » est un imprimé vert de 7 pages : il concerne les inscrits au Carnet B ayant une attache quelconque avec les services de la marine. De ce cas particulier nous pouvons tirer de nombreux renseignements de valeur générale, de sorte que cette annexe supplée en partie aux textes des circulaires qui nous manquent.

---

(6) A.D. Lozère : lettre du général commandant le XVIIᵉ Corps au préfet de la Lozère. Montpellier 17 janvier 1913. VI M 12 6. A.D. Sarthe : lettre du général commandant le 4ᵉ Corps au préfet de la Sarthe. Le Mans, 2 octobre 1913.

(7) Nᵒ 66082 - S - R / 11.

(8) A.D. Vosges. 8 bis M 42.

Préfecture
de la Loire-inférieure

Mandat
de perquisition
et d'amener

(1) Commissaire spécial
Commissaire central
Commissaire de police
ou Commandant de la
brigade de gendarmerie

(2) Localité

(3) Préfecture ou
sous-préfecture.t

Nous, Préfet de la Loire-inférieure

Vu les renseignements à nous parvenus, lesquels il résulte contre le nommé ~~——————~~ Joseph,

ajusteur à l'Établissement d'Indret

demeurant à la Montagne

inculpation d'infraction à l'article 265 du Code pénal modifié par la Loi du 18 décembre 1893;

Vu l'article 10 du Code d'instruction criminelle;

Mandons et ordonnons à M. le (1)

Commissaire spécial

à (2) Nantes , ou tout autre,
en cas d'empêchement, de se transporter à l'adresse sus-
indiquée, et partout où besoin sera; à l'effet d'y rechercher
et saisir tous objets d'origine suspecte ou paraissant
susceptibles d'examen, lesquels seront déposés à la (5)

Préfecture

Mandons, en outre, de mettre le susnommé en état
d'arrestation.

Requérons tous agents de la force publique de prêter
main forte à l'exécution du présent mandat, lequel devra,
après notification, rester annexé au procès-verbal constat-
tant l'opération.

Fait à Nantes le
mil neuf cent

Le Préfet

Fac-similé d'un mandat d'arrestation.

Les rubriques sont nombreuses :

1) *Notice individuelle :* pour chaque inscrit au Carnet B est établie une notice individuelle « contenant toutes les indications nécessaires à une judicieuse et efficace surveillance », et rédigée selon un modèle réglementaire.

2) *Décision d'inscription :* elle peut être prise par les autorités civiles (préfets), militaires (généraux commandant les Corps d'Armée) ou maritimes (vice-amiraux préfets maritimes).

3) *Avis d'inscription :* chacune des autorités habilitées à décider une inscription adresse un duplicata de la notice individuelle aux autres autorités intéressées (préfet du département de résidence, autorités militaires ou maritimes dont dépend l'individu).

4) *Inscription dans le département de résidence :* le préfet du département lorsqu'il décide l'inscription ou lorsqu'il reçoit une notice individuelle, procède à l'inscription au Carnet B. Il établit deux pièces, le folio mobile (à peu près semblable à la notice individuelle) et le mandat : il s'agit là d'un mandat d'arrestation dont seule la date d'exécution était laissée en blanc.

5) *Information du ministère de l'Intérieur :* pour toute nouvelle inscription, le ministre de l'Intérieur doit être averti, ce qui implique l'existence d'un quatrième exemplaire du Carnet B. « Au ministère de l'Intérieur est établi le Contrôle général de tous les inscrits au Carnet B ».

6) *Conflit :* deux autorités compétentes peuvent ne pas être d'accord sur l'opportunité d'une inscription. Dans ce cas, le conflit est tranché au niveau des ministères (Intérieur, Guerre, Marine).

7) *Mutations :* lorsqu'un inscrit au Carnet B quitte un département, le préfet de ce département transmet le dossier au préfet du département que va habiter le suspect.

8) *Radiations :* les inscrits ne peuvent être radiés d'office qu'à la suite de leurs décès, ou lorsque leur trace est perdue depuis deux ans, ou encore lorsqu'ils ont quitté la France depuis le même délai.

Quant aux autres radiations, elles peuvent être proposées par les autorités locales, mais ne peuvent être décidées qu'après approbation du ministre de l'Intérieur.

Enfin, et ceci contredit les habituelles considérations sur la légèreté des inscriptions au Carnet B, l'annexe comportait cette recommandation :

« En raison de la gravité des conséquences que peut entraîner l'inscription au Carnet B, les vice-amiraux préfets maritimes qui prescrivent cette inscription devront procéder personnellement à l'examen des dossiers, contrôler avec soin tous les renseignements et n'effectuer une inscription qu'après avoir entendu eux-mêmes les fonctionnaires qui ont recueilli les renseignements. »

Cette prudence fut d'ailleurs souvent rappelée par les autorités, ainsi que le montre cette lettre du ministre de l'Intérieur au préfet des Vosges en 1914 :

« Il est actuellement procédé dans mes bureaux à la révision des Carnets B.

Je crois devoir rappeler à cette occasion que les conséquences de l'inscription au Carnet B peuvent être particulièrement graves puisqu'elles doivent aboutir à des mesures d'arrestation en cas de mobilisation.

Dans ces conditions, il convient de ne porter ou de maintenir au dit Carnet, en dehors des suspects d'espionnage et des étrangers visés aux alinéas a, b, c, de l'article 2 de l'Instruction du 1ᵉʳ novembre 1912 que les individus dont l'attitude et les agissements sont de nature à permettre de les considérer comme susceptibles d'entraver le bon fonctionnement de la mobilisation par le sabotage ou la destruction du matériel de télégraphie, des chemins de fer, des ouvrages d'art d'intérêt stratégique, des voies ferrées stratégiques, des magasins d'approvisionnement etc., etc. ou de fomenter des désordres au cours de la période de mobilisation.

Or de l'examen des motifs qui ont déterminé l'inscription des individus qui figurent sur le Carnet de votre département, il résulte qu'un certain nombre d'entre eux paraissent ne pas devoir être tenus, comme véritablement dangereux, à ce point de vue. Tel semble être le cas des individus dont vous trouverez ci-joint la liste.

Je vous serais obligé de procéder à un nouvel examen des dossiers les concernant et de ne maintenir que, ceux d'entre eux qui vous auriez de sérieuses raisons de considérer comme dangereux en cas de mobilisation... » (Lettre-circulaire confidentielle du 11 février 1914 du ministre de l'Intérieur au préfet des Vosges).

Ainsi en un peu plus de 20 ans, une institution destinée à réprimer l'espionnage s'est progressivement muée en un organisme de lutte contre un éventuel sabotage de la mobilisation ; cette mutation reflète très exactement dans les faits et dans les dates la prise de conscience par les autorités d'un danger représenté par l'antimilitarisme ; dans la forme, à plusieurs registres mal définis, Carnet A, Carnet B des gendarmeries ou registre confidentiel des Préfectures, s'est substitué un seul document, le Carnet B. Mais pour chaque inscrit, on établit un dossier en 4 exemplaires —— préfecture, Corps d'Armée, gendarmerie, ministère de l'Intérieur — composé de pièces très précisément indiquées. Les règles d'inscription, de mutation, de radiation ont été progressivement et minutieusement définies.

En 20 ans, le Carnet B est devenu une institution complexe, souple, inquiétante même dans la mesure où son objet pouvait être très simplement et très rapidement transformé.

C'est là un exemple de plus, dans un domaine bien particulier, des réalisations de la IIIe République, où, à travers l'anarchie apparente provoquée par les crises ministérielles en série, l'Administration, par touches successives mais inlassablement, poursuivait la mise en place d'institutions fort minutieuses, au moins sur le plan des réglementations.

Il nous faut maintenant considérer si ces réglementations furent suivies d'une application pratique.

CHAPITRE III

UN DOSSIER D'INSCRIPTION AU CARNET B

L'inscription au Carnet B était une opération complexe : elle supposait en effet que les autorités policières soient alertées sur les activités suspectes d'un individu, qu'elles recueillent des renseignements précis, qu'elles les transmettent au préfet, que celui-ci juge de leur gravité, qu'il prenne sa décision, consulte le ministère de l'Intérieur, les autorités militaires... Si, en plus, le suspect changeait entre temps de résidence, les complications s'en trouvaient multipliées.

Les Archives départementales du Calvados nous offrent un exemple suggestif (1).

La présence d'un militaire en uniforme, appartenant au 36ᵉ R.I. stationné à Caen, à une réunion syndicale qui eut lieu dans cette ville le 30 novembre 1912, déclencha une enquête. Cette réunion fut houleuse : convoqués à la Bourse du Travail par le Syndicat national des Travailleurs des Chemins de fer, les assistants virent s'affronter les orateurs de ce syndicat modéré, Bidegarray, secrétaire national et Leguen, secrétaire du Comité du réseau de l'Etat et les représentants de la Fédération des Transports par voie ferrée, de tendance révolutionnaire, Desjonquières et Le Guennic (2).

Le commissaire central de Caen entendit le jeune soldat dire : « Quel dommage que j'ai cette défroque sur le dos, car je lui répondrais bien moi ! » (Il s'agissait de répondre à Bidegarray).

---

(1) A.D. Calvados. M Police (1907-1914).

(2) Alexandre Le Guennic, laboureur, puis cheminot, fut révoqué à la suite de la grève de 1910 et employé ensuite comme manutentionnaire à la *Bataille Syndicaliste*. Il resta entre temps incarcéré pendant six mois.

Des recherches furent immédiatement entreprises pour identifier le militaire. Les premiers résultats firent apparaître qu'il n'était pas à son coup d'essai. Il avait été arrêté plusieurs fois en 1907 pour avoir collé des papillons anarchistes qui lui avaient été remis par Libertad (3), et en 1909 pour outrages à agents. Mais l'enquête devait cette fois tourner court : car on avait fait une confusion : ce n'était pas lui en effet que connaissaient les services de police, mais son frère !

On tenait par contre un cas plus sérieux avec le couple que le militaire accompagnait à cette réunion de cheminots : le commissaire central communiqua au préfet les renseignements recueillis et celui-ci, après quelques légers remaniements de forme, adressa un rapport au ministre de l'Intérieur (4).

Ces deux personnes étaient arrivées du Havre récemment, au mois de juillet précédent : l'homme, Léon X..., âgé de 22 ans, dessinateur, employé à la Société des Hauts fourneaux de Caen, syndiqué des métaux, la femme, une brune de 20 ans, sa compagne. Tous deux n'avaient pas tardé à se faire remarquer par la vigueur de leurs sentiments antimilitaristes et révolutionnaires : au mois d'août, au passage de la retraite militaire, ils avaient crié à plusieurs reprises de leur fenêtre : « A bas l'Armée ! » ; là encore, un autre jour, ils avaient jeté dans la rue des tracts engageant les ouvriers à boycotter les journaux qui n'employaient pas d'ouvriers syndiqués ; ils avaient transformé leur garni en un dépôt de journaux « anarchistes », le *Libertaire,* la *Bataille Syndicaliste*... (Remarquons à ce propos que le commissaire ne se souciait pas outre mesure des nuances...) ; ils attiraient enfin à leur domicile de jeunes soldats (5), mais on retint surtout à charge contre eux leur attitude à la réunion syndicale du 30 novembre : en effet, lorsque Le Guennic prononça son discours et déclara que ses amis et lui n'avaient pas peur du sabotage (6),

---

(3) De son vrai nom Albert, né en 1875 à Bordeaux. Curieux personnage, gravement infirme — il ne pouvait se déplacer qu'avec des béquilles —, il eut une grande influence dans les milieux anarchistes par son éloquence, son audace. Malgré son infirmité il participait à toutes les « bagarres ». Il en mourra d'ailleurs en 1908. Il fonda en 1902 les Causeries populaires et en 1905, le journal *l'Anarchie* qui fut l'organe des anarchistes « illégalistes ». La « bande à Bonnot » fut un rameau de cette tendance. (cf. Maitron, op. cit.).

(4) 7 décembre 1912.

(5) Rapport du Commissaire central de Caen au Préfet : 14 décembre 1912.

(6) Ce propos n'était probablement pas une simple manifestation verbale. Quelques mois plus tôt, le rapide Le Havre-Paris avait déraillé près de Pont-de-l'Arche à la suite d'un attentat (29 juin 1911). Les soupçons de la police se portèrent sur Le Guennic et il semble que les dirigeants modérés du Syndicat des Chemins de fer aient eu la même opinion (A.N. F 7 13065, note du 27 juillet 1911). Des attentats de ce genre avaient pour but d'obliger les Compagnies à réintégrer les cheminots révoqués.

tous deux applaudirent à outrance, criant « bravo, bravo ! ». Les cris, les invectives fusèrent ; X... s'agita et donna un violent coup de canne dans un petit pavillon tricolore suspendu au-dessus de sa tête : dans son rapport, le préfet donna à ce malencontreux coup de canne une allure volontaire, alors que le commissaire, plus prudent ou plus honnête, ne pouvait affirmer si ce geste avait été volontaire ou accidentel. De l'art de donner un petit coup de pouce à la vérité !

Tous ces éléments, de l'avis du commissaire, permettaient de déceler assurément de dangereux antimilitaristes et le préfet estima qu'il était nécessaire de les inscrire au Carnet B. Se conformant aux instructions de la circulaire du 1er novembre 1912 (7), il se concerta à ce sujet avec le commandant du Corps d'Armée. Sans plus tarder (8), le général Valabrègue, commandant le 3e Corps, donna son accord et invita de surcroît le général commandant d'armes à Caen, à prévenir les manœuvres suspectes de ces individus envers les jeunes soldats de la garnison.

Mais les choses se compliquèrent (9) ; car, au mois de janvier 1913, nos deux « dangereux antimilitaristes » quittaient « furtivement leur logement en emportant les clefs ». Le commissaire de Caen affirma d'après ses informateurs, qu'ils étaient partis pour la Belgique, via le Havre. Il en informa immédiatement son collègue du Havre.

Quelques jours plus tard, nouveau rapport du commissaire au préfet (10) : les deux suspects auraient changé d'avis en cours de route et seraient partis à Paris.

Le dossier se tait pendant quelques semaines : leur trace était vraisemblablement perdue. Comme l'inscription au Carnet n'avait pas encore eu le temps d'être faite, elle fut suspendue, puisque c'était au préfet du département de résidence à faire cette inscription et qu'on ignorait où résidaient nos deux personnages.

Mais on les retrouva bientôt... au Havre ! Le sous-préfet en avisa le ministre de l'Intérieur qui en informa le préfet du Calvados (11). Le

---

(7) cf. IIe Partie, chapitre 2.

(8) Lettre du Général Valabrègue à Rouen au préfet du Calvados. 13.12.1912.

(9) Rapport du commissaire central de Caen au préfet du Calvados, au commandant du 3e Corps, au ministère de l'Intérieur.

(10) Rapport du commissaire central de Caen au préfet du Calvados. 10.1.1913.

(11) Lettre « confidentielle » du ministre de l'Intérieur au préfet du Calvados, 28.5.1913.

même jour — 28 mai — celui-ci (12) reçut une lettre de son collègue
de Seine-Inférieure, en confirmation d'un télégramme précédent, réclamant le dossier, afin d'inscrire *s'il y avait lieu* ces deux suspects sur
le Carnet B de sa préfecture : chaque préfet est en effet en principe
seul juge de la décision à prendre et le montre bien à son voisin.

Dès le lendemain, 29 mai, le préfet du Calvados envoyait le dossier
à Rouen et marquait une certaine acrimonie :

> « Je crois devoir de mon côté tenir au courant Monsieur le Ministre de
> l'Intérieur de la modification qui pourrait être apportée à ma première
> décision à l'égard de ces individus. »

Nous avions déjà pu noter une première fois une attitude moins
répressive du préfet de la Seine-Inférieure par rapport à son collègue de
Caen (13) ; il est vraisemblable que le Calvados étant moins « riche » en
antimilitaristes que la Seine-Inférieure, on s'y montrait plus sourcilleux
quant on en tenait un !

Les aménités d'ailleurs se poursuivirent : le préfet de Seine-Inférieure (14) accusa réception du dossier, remercia son collègue de tenir
au courant le ministre de l'Intérieur mais maintint sa position.

> « En ce qui me concerne, je vais communiquer ce dossier à Monsieur
> le Sous-Préfet du Havre, pour avis, et je prendrai ensuite telle décision, que
> je jugerai convenir. »

Mais les deux antimilitaristes se déplaçaient plus vite que n'étaient
prises les décisions les concernant. Ils avaient déjà quitté le Havre — sans
que nous sachions s'ils avaient été inscrits au Carnet B de la Seine-Inférieure entre temps — ; le préfet de police avait en effet été informé
de leur installation boulevard Ornano et qu'ils avaient vraisemblablement
l'intention de se fixer dans la capitale. Mis au courant par le ministre de
l'Intérieur de leur inscription au Carnet B du Calvados — inscription qui
d'ailleurs n'avait pas été faite —, et sautant l'étape de la Seine-Inférieure,
il réclamait à son tour au préfet du Calvados tous les documents concernant les suspects (15).

Mais ce dernier, probablement excédé par cette histoire interminable,
expédia la lettre à Rouen.

---

(12) Lettre « secrète » du préfet de Seine-Inférieure au préfet du Calvados,
28.5.1913.

(13) cf. Supra I. 4.

(14) Lettre « secrète », 30.5.1913.

(15) Lettre du préfet de Police au préfet du Calvados — secret, 3.12.1913.

Le dossier s'arrête là... Nous connaissons donc directement ou par allusion, 14 correspondances s'étendant sur environ un an pour une inscription dont nous ne savons pas si finalement elle eut lieu !

Certes tous les suspects n'étaient pas aussi itinérants : on peut cependant apprécier par cet exemple l'énorme machinerie administrative, policière, « paperassière » qu'a provoquée la mise en place du Carnet B !

CHAPITRE IV

LES SOURCES DU CARNET B

Une fois élucidés les secrets de fabrication du Carnet B, ou plutôt des Carnets B, une question reste posée : qui y fut inscrit ?

Pour y répondre, il fallait se procurer les Carnets eux-mêmes.

Nous avons longtemps cru que le répertoire national des inscrits figurait dans un des nombreux dossiers « réservés » des Archives Nationales, mais il n'en est rien. On pouvait penser alors que le fichier en avait été conservé par les services de la Sûreté Nationale. Mais ces services à qui nous l'avons demandé, nous répondirent que le Carnet B avait été détruit en 1940 (1). Que devions-nous penser de cette réponse ? Certes, en France, les Archives ne sont ouvertes de façon générale à la consultation publique qu'après des délais aussi longs que possible ; dans le cas qui nous préoccupe, cela s'explique par le domaine délicat qu'elles révélaient ; cependant les listes des Carnets B ont été établies dans une situation politique qui n'a plus guère de point commun avec notre époque : on voit donc mal quel serait l'intérêt de les dissimuler, si elles existaient encore. Même apparaîtrait-il qu'y figurait, à peu près seul parmi les députés socialistes du temps, le jeune élu d'Aubervilliers, Pierre Laval, cela n'appellerait qu'une méditation sur l'originalité des choses humaines (2).

Il faut de plus rappeler que le Carnet B n'a pas été arrêté en 1914, mais qu'il a été poursuivi pendant l'entre-deux-guerres, ce qui justifie sa destruction par les services de la Sûreté à l'approche des Allemands.

---

(1) « J'ai l'honneur de vous faire connaître qu'aucune documentation n'existe plus à l'échelon national sur ce Carnet. Les archives du fichier central de la Sûreté Nationale ont été détruites en 1940, lors du repli des services ». (Lettre du 15.11.1965 du Directeur général de la Sûreté Nationale).

(2) D'ailleurs si P. Laval fut réellement inscrit, ce dont nous n'avons pas retrouvé trace, ce ne fut pas comme député puisqu'il ne fut élu qu'en 1914, mais antérieurement comme avocat du Sou du Soldat et d'une façon générale des syndicalistes.

On peut donc estimer que ces listes ont vraiment disparu.

Dans ces conditions, que pouvait-on utiliser ? D'abord, les dossiers des anarchistes : ces derniers étaient recensés sur le plan départemental ; mais les dossiers les concernant donnent souvent l'impression d'un véritable fourre-tout. Tout personnage vivant en marge de la société, même un vagabond ou un clochard, pouvait y être inscrit, ce qui explique par exemple l'épaisseur du dossier sur les anarchistes dans un département comme la Lozère qui ne se plaçait pourtant pas à la pointe de l'activité révolutionnaire !

Ensuite, il est souvent fait allusion à un autre document, « l'Etat Vert », qui était le répertoire des anarchistes « nomades » ou disparus. Mais n'importe comment la qualité d'anarchiste ne désignait pas nécessairement pour l'inscription au Carnet B.

Par contre, un état des « principaux révolutionnaires » de Paris et de province comptabilisant pour Paris 141 noms et pour la province 207 (3) fut établi à la fin de 1911 ou au début de 1912 : à chaque nom sont joints des renseignements biographiques ou politiques et dans certains cas, mais pas dans tous, figure la mention de leur inscription au Carnet B. Malheureusement pour nos recherches, cette indication n'a pas été systématiquement portée puisqu'elle est absente pour certains militants dont nous avons la preuve qu'ils furent bien inscrits.

Nous avons retrouvé également d'autres listes établies pendant la guerre de 1915-1916 : elles recensent des militants anarchistes, syndicalistes, socialistes qui se seraient fait remarquer depuis la mobilisation par leur prise de position révolutionnaire ou pacifiste (4). Une première liste comprend 200 noms, mais aucune allusion au Carnet n'y est faite. Par contre dans une seconde liste de 400 noms, 94 sont suivis de la mention de cette inscription.

Enfin il existe un « Répertoire général » (5) de plusieurs centaines de noms parmi lesquels on peut lire ceux des militants révolutionnaires connus, mais aussi ceux de Léon Daudet, Gustave Téry..., de sorte que l'on discerne mal le but de cette dernière liste.

---

(3) A.N. F 7 13053.

(4) A.N. F 7 13053. Cette assertion est d'ailleurs très sujette à caution puisque certains des inscrits de cette liste ont été tués au Front dès les premiers temps de la guerre.

(5) A.N. F 7 13053.

Ainsi, l'utilisation de tous ces documents est assez décevante : on se rend compte que telle figure sur telle liste, et non sur telle autre dont l'objet semble exactement parallèle et que les concordances sont rares. Toutefois elle n'est pas impossible et peut permettre non seulement quelques recoupements, mais des constatations intéressantes. Elle ne pouvait cependant pas fournir la base systématique dont nous avions besoin.

Aussi, devant la carence de ces sources « nationales » (6), avons-nous entrepris une large investigation en province. Car, on pouvait espérer que les services préfectoraux avaient remis les dossiers originaux aux dépôts d'Archives départementaux.

Une lettre-circulaire adressée aux directeurs des Archives des 87 départements métropolitains de 1914 a donné des résultats inégaux. Les 74 réponses se répartissent de la façon suivante : réponses négatives dans 35 départements où les dossiers du Carnet B n'existent pas ; il n'est pas impossible qu'ils n'aient jamais été versés aux Archives, car beaucoup de préfets ont pu penser qu'il valait mieux détruire ces documents compromettants, d'autant plus que tel ou tel inscrit au Carnet B était entre temps « mort pour la France » ou avait été blessé plusieurs fois...

Dans six départements, les documents ont été détruits, soit par excès de zèle d'un employé subalterne comme dans le Morbihan, soit à l'approche des Allemands (en 1914 ou en 1940) comme dans les Ardennes, dans le Nord ou en Seine-et-Marne. Dans quatre autres, les directeurs des dépôts d'Archives pensent qu'ils ont subi le même sort ou n'ont jamais été versés.

Des dossiers nous ont été signalés dans 12 départements, mais s'ils ont trait à l'antimilitarisme, ils ne comportent pas d'allusion au Carnet B.

Dans les Archives de 17 départements enfin (7), il existe au moins des allusions au Carnet B ou au contraire des dossiers fort importants à son sujet ; mais le préfet de l'un d'entre eux (la Meuse) nous a refusé la

---

(6) Nous avions également songé aux Archives de la gendarmerie puisque cette dernière, comme nous l'avons vu, devait également posséder un exemplaire des Carnets B. Mais le 25 avril 1968, la Direction de la Gendarmerie nous a fait savoir : « ...il ne peut être donné satisfaction à votre demande de consultation des Carnets « B » ; ces documents ne subsistent ni dans les unités de gendarmerie ni au service historique de l'armée. Il semble que leur destruction ait été ordonnée peu après la dernière guerre... »

(7) Allier, Aube, Calvados, Charente-Maritime, Cher, Côte-d'Or, Côtes-du-Nord, Finistère, Loire-Inférieure, Lozère, Meuse, Pas-de-Calais, Puy-de-Dôme, Sarthe, Saône-et-Loire, Tarn, Vosges.

communication du dossier qu'il possédait de peur qu'elle fût prématurée. L'importance des renseignements donnés par ces départements est donc très variable.

D'abord cette information peut être négative : les Archives des Côtes-du-Nord ont conservé une circulaire du ministère de l'Intérieur au préfet, datée du 15 novembre 1911, et qui demandait que soit établie la liste :

1) des anarchistes,

2) des antimilitaristes, « il y aurait lieu de mettre la lettre B devant les noms de ceux qui sont inscrits au Carnet B »,

3) des Camelots du Roi (8).

Elle recommandait d'apporter le plus grand soin dans la composition de ces listes, dont la dernière révision générale remontait à l'année 1900. Les listes devaient parvenir avant le 1ᵉʳ janvier 1912. Le préfet répondit le 21 décembre 1911 en envoyant un état néant.

Une trace de la même circulaire peut être relevée en Côte-d'Or : nous ne possédons pas la réponse complète qui y fut donnée, mais le préfet avait transmis la lettre à ses sous-préfets (27 novembre 1911) et le sous-préfet de Châtillon-sur-Seine répondit par trois états négatifs (9).

Enfin troisième indication sur ce même sujet : le préfet de la Lozère répondit le 9 novembre 1911 à une circulaire du ministre de l'Intérieur relative au Carnet B (10) :

« J'ai l'honneur de vous faire connaître qu'il n'existe actuellement dans mon département aucun individu susceptible de figurer sur le dit Carnet. »

Voilà donc deux départements qui n'avaient aucun inscrit au Carnet B et un troisième qui n'en n'avait pas au moins pour un de ses arrondissements. Il est tout à fait vraisemblable qu'un grand nombre de départements, où il n'y avait pas de centres industriels d'une certaine importance, n'ont pas eu d'inscrits au Carnet ou n'en ont eu que très peu. Si les Archives ne nous livrent pas de document, c'est qu'elles n'en ont jamais possédé, et que n'a pu être versé un Carnet B qui n'a pas existé.

---

(8) A.D. Côtes-du-Nord.

(9) A.D. Côte-d'Or. 20 M 1224.

(10) Circulaire secrète n° 107 du 18 septembre 1911 : elle ne doit pas être la même que celle précédemment mentionnée dans les Côtes-du-Nord et la Côte-d'Or, puisqu'antérieure d'environ deux mois.

Cela montre aussi la relative prudence avec laquelle fut composé le Carnet B. Car si les Côtes-du-Nord ne possèdent pas d'anarchistes « officiels », ce n'est pas le cas de la Lozère (11) qui a un gros dossier d'anarchistes aux déplacements étroitement surveillés, comme nous l'avons déjà indiqué, mais dont aucun n'a été jugé « digne » d'être inscrit au Carnet.

La même remarque peut être faite à propos du Calvados dont pourtant les autorités, ce que nous avons constaté dans un exemple précédent, étaient assez sourcilleuses. Comme dans les autres départements, le préfet du Calvados (12) a reçu la circulaire du 15 novembre 1911 : les sous-préfets de Vire, Bayeux, Lisieux et Falaise répondirent par des états « néant ». Par contre à Caen et à Honfleur, furent établies une liste de 4 anarchistes et une de 14 antimilitaristes, comprenant les 4 personnes précédentes. Les 4 anarchistes sont considérés comme dangereux : ils ont tous été condamnés et ils sont interdits de séjour dans la Seine-Inférieure. Cependant ils ne forment pas un groupement et ne se livrent à aucune propagande par paroles ou par actes. Quant aux antimilitaristes, ils sont connus comme tels — nous dit-on — plus par les idées qu'ils ont coutume d'exprimer que par des actes de propagande. Ils ne paraissent faire partie d'aucun groupement. Il semble donc qu'il faille comprendre que ces anarchistes ou antimilitaristes pouvaient être individuellement dangereux, mais qu'ils ne représentaient pas une force organisée ; c'étaient en fait des isolés. D'ailleurs leurs professions très disparates le confirment, marchand de fruits, cocher à l'Hôtel du Cheval blanc à Honfleur, garçon de café... (13). Ils appartiennent aux milieux populaires, mais ce ne sont pas à proprement parler des ouvriers. Aussi, en cas d'essai de sabotage d'une mobilisation, peu d'entre eux auraient pu avoir par leur profession un rôle efficace ; aucun groupe important n'est signalé dans telle ou telle entreprise.

Ceci explique qu'on n'ait pas cru nécessaire de les inscrire au Carnet B, sauf du moins un garçon de café de 28 ans, originaire de Pas-de-Calais : comme il avait été condamné (nous ne savons pas pourquoi) à 9 ans de réclusion en 1910 et à 10 ans d'interdiction de séjour, il se trouvait depuis détenu à la Centrale de Beaulieu.

---

(11) A.D. Lozère. VI M 12 5.
(12) A.D. Calvados. M Police 1907-1914.
(13) *Relevé des professions :*

1 camelot	1 syndic de faillite
1 marchand de fruits	1 cocher
1 journalier	2 lithographes
1 garçon de café	1 chauffeur à la Cie du Chemin de fer de
1 commis aux écritures	l'Etat
1 entrepreneur de peinture	1 expéditionnaire à la même Cie
1 mareyeur	1 ébéniste.

Cela signifie-t-il qu'il n'y a pas eu d'inscrits au Carnet B du Calvados ? Oui, ou presque. Car deux noms furent ajoutés à la liste des antimilitaristes, après son envoi d'ailleurs : nous les connaissons pour avoir déjà évoqué leur cas longuement (14). Et leur inscription fut suspendue avant d'être définitive. Une question se pose cependant à leur propos. Pourquoi ces deux personnes semblaient-elles plus justiciables du Carnet B que les autres antimilitaristes ? A première vue, les raisons de cette différence de traitement n'apparaissent pas, car leurs dossiers sont assez peu convaincants sur le danger supplémentaire qu'ils pouvaient représenter. Il est vraisemblable que ce sont leurs actes concrets d'antimilitarisme, même si avec le recul du temps ils peuvent apparaître assez véniels, qui ont fait pencher la balance à leur détriment.

Quoi qu'il en soit, le Calvados en 1913, n'a plus d'inscrits au Carnet B. L'exemple est d'autant plus révélateur que les problèmes de l'antimilitarisme existaient dans ce département.

Ainsi, nous trouvons là confirmation de l'hypothèse que l'institution du Carnet B n'était finalement développée que dans un assez petit nombre de départements. Aussi pouvons-nous, bien que nous ne disposions d'informations importantes que pour quelques départements, tracer ou essayer de tracer un tableau du « Monde du Carnet B », en utilisant les renseignements positifs cette fois, fournis par l'Aube, le Cher, le Finistère, la Loire-Inférieure, les Vosges et à un degré moindre, le Pas-de-Calais, la Charente-Inférieure, la Saône-et-Loire...

Nous savons, en effet, grâce à un témoin (15) qui le précisa au procès de l'ancien ministre de l'Intérieur, Malvy, qu'il y avait, en 1914, 2400 à 2500 noms inscrits au Carnet B, parmi lesquels 1500 Français, et qui se répartissaient de la sorte (16) :
— étrangers suspects d'espionnage: 561
— Français suspects d'espionnage :   149
— étrangers et Français inscrits
   pour d'autres motifs   : 1771.

Comme nos différentes sources nous ont fait passer entre les mains les dossiers ou des indications sur 617 inscrits, soit environ 25 % du total, et au moins 40 % des Français, nous avons pensé pouvoir tirer quelques conclusions de ces renseignements qui nous ont semblé sinon pleinement satisfaisants, du moins suffisants.

---

(14) Cf. IIe partie, chap. III.
(15) Archives du Sénat, procès Malvy. Déposition Séjournant du 20 février 1918. Séjournant était en 1914 rédacteur au deuxième Bureau, section de police générale et à ce titre s'occupait plus spécialement des anarchistes, des espions, des suspects au point de vue national. Il avait à connaître de la propagande pacifiste.
(16) Statistique établie le 27 juillet 1914 et citée par le Président à ce même procès.

Chapitre v

LE MONDE DU CARNET B

Les dépôts d'Archives de cinq départements ont conservé et ont pu nous communiquer un Carnet B assez complet : ce sont ceux de l'Aube, du Cher, du Finistère, de la Loire-Inférieure et des Vosges.

Le Carnet B du Finistere

Parmi eux, le Carnet B du Finistère (1) est le plus important avec ses 101 inscrits, dont il faut défalquer 3 Allemands suspects d'espionnage : ces trois-là appartiennent à la première catégorie de la deuxième section, celle des étrangers suspects d'espionnage.

Restent donc 98 Français dont 2 femmes. Pour chacun d'entre eux, une notice individuelle fut établie qui nous renseigne assez précisément ; voici celle de Victor Pengam, personnalité importante du mouvement ouvrier brestois (2).

Notice établie le 18 février 1909.

Nom : Pengam
Prénom : Victor
Nationalité : française
Domicile : Brest
Né le : 21 janvier 1883
à Brest
Etat-civil : célibataire
Taille : 1,68 m

---

(1) A.D. Finistère, Série M.
(2) cf. 1ʳᵉ Partie, Chapitre II.

> Motif de l'inscription : « Propagandiste anarchiste et antimilitariste des plus militants. L'un des chefs du mouvement révolutionnaire (secrétaire général de l'Union régionale des Syndicats et de la Bourse du Travail de Brest).
>
> Poursuivi en janvier 1906 devant la Cour d'Assises du Finistère pour excitation de militaires à la désobéissance (acquitté). Secrétaire général du nouveau syndicat anarchiste des ouvriers du port. Ouvrier à l'Arsenal. Serait susceptible de faire du sabotage en cas de mobilisation ».
>
> Mesure à prendre en cas de mobilisation : « A arrêter ».

Outre sa notice individuelle, existe pour chaque inscrit un dossier plus ou moins volumineux, composé de rapports de police, d'un compte rendu de ses condamnations, de correspondances échangées à son propos entre les différentes autorités.

L'ensemble de ces renseignements est suffisamment important pour permettre de dresser un tableau du Carnet B du Finistère et de tenter une étude sociale de ses inscrits, compte tenu d'une certaine déformation, due au caractère unilatéral de nos informations, puisqu'elles sont toutes d'origine administrative.

Il faut d'abord relever le chiffre élevé d'inscrits par rapport à la moyenne française : le Finistère représente à l'époque environ 1/50ᵉ de la population française ; avec une centaine d'inscrits, cela ferait à l'échelle nationale, environ 5000 inscrits, c'est-à-dire beaucoup plus que le chiffre réel. De plus, ces inscrits résident à peu près tous à Brest ou dans les environs immédiats, c'est-à-dire que ce Carnet B, beaucoup plus que celui du Finistère, est celui de Brest (3). Ceci d'ailleurs n'a rien d'étonnant : dans la mesure où les antimilitaristes viennent des milieux ouvriers, il est logique que le Carnet B soit essentiellement urbain.

Si dans l'absolu, par rapport à l'ensemble de la population, le Carnet B ne rassemble donc qu'une infime minorité de personnes, par contre dans le relatif, Brest semble posséder un noyau de révolutionnaires particulièrement important.

Faut-il penser que Brest, comme tant d'autres ports, abrite une population si flottante qu'elle a fourni aux services de police un terrain de chasse privilégié ? L'hypothèse est totalement inexacte. Les inscrits

---

(3) Pour le climat politique de Brest dans la période où fut établi le Carnet B, cf. André SIEGFRIED, *Tableau politique de la France de l'Ouest sous la IIIᵉ République,* deuxième édition, Armand Colin, 1964, 536 p., chapitre XVII.

brestois au Carnet B sont des gens du cru, comme en témoigne le relevé de leurs lieux de naissance : 43 sont nés à Brest, 10 à Lambezellec, commune de la banlieue immédiate de Brest, 5 à Landernau, 21 dans diverses communes du Finistère ; les autres sont encore dans leur majorité des bretons.

La presque totalité d'entre eux a un domicile fixe, la plupart sont mariés, ce qui est indice d'enracinement.

Si quelques-uns d'entre eux ont à la rubrique « signes particuliers », l'indication d'une infirmité, cela n'excède pas une proportion normale. Ils ne sont pas accusés d'ivrognerie et les fiches de police ne nous les peignent même pas comme « maladifs » ou « d'air sournois » alors que c'est souvent le cas lorsqu'il s'agit de caractériser le révolutionnaire. S'ils sont, il est vrai, de petite taille, 1,60 m ou moins, cela est assez représentatif du Français de l'époque.

Enracinés, ces hommes le sont aussi dans leur vie professionnelle. 73 d'entre eux sont ouvriers à l'Arsenal, d'autres inscrits sont aussi des ouvriers bien établis : plâtriers, maçons, menuisiers, électriciens... Quelques cas seulement révèlent des professions marginales (4) : on peut remarquer avec curiosité un facteur devenu prestidigitateur, un autre facteur rural qui connut plus tard une heure de célébrité, lorsque libraire Boulevard Beaumarchais à Paris, il fut mêlé à l'affaire Philippe Daudet (5).

Au total plus de 80 % des inscrits sont des ouvriers. De plus, si ces hommes sont dangereux, ce ne peut être pour des emballements de jeunesse : si 13 ont moins de 30 ans, 42 ont entre 30 et 40 ans, 25, de 40 à 50 ans, 12, de 50 à 60 ans.

---

(4) *Relevé des professions :*

73 ouvriers à l'Arsenal
6 ouvriers du bâtiment
  (peintres, plâtriers, menuisiers...)
1 électricien
1 plombier-zingueur
2 ouvriers sculpteurs
2 facteurs
2 employés de commerce, comptable,
1 marchand-forain
1 commis à la Trésorerie générale

1 surnuméraire à l'octroi
2 commissaires de la marine en retraite
  (2 frères)
1 commis principal de la marine
  en retraite
1 planton à la mairie
5 sans profession indiquée
2 femmes sans profession
1 ancien quartier-maître.

(5) Le samedi 24 novembre 1923, le fils de Léon Daudet, Philippe, âgé de 14 ans, se suicidait dans un taxi après avoir pris contact avec les milieux anarchistes et s'être rendu en particulier à la librairie tenue par Le Flaoutter, boulevard Beaumarchais. (cf. Eugen Weber, *L'Action française.* p. 191 et sq. Paris, Stock, 1964, 650 p.).

Il n'y a donc aucun doute : quelques cas mis à part, les inscrits du Finistère ne sont en aucune façon des éléments plus ou moins en marge de la Société, ce sont des ouvriers solidement implantés dans la classe ouvrière locale.

Pourquoi ces hommes-là, gens du cru, gens d'âge, ayant domicile connu, femme, emploi stable, ont-ils été inscrits au Carnet B ? Un seul motif est rituellement indiqué au bas de la notice individuelle : « serait susceptible de faire du sabotage en cas de mobilisation » puisque c'est le seul motif pour lequel on pouvait en principe être inscrit au Carnet.

Nous retrouvons donc là le grand souci des pouvoirs publics : le sabotage d'une éventuelle mobilisation. Ce souci se manifeste avec une force particulière dans le grand port de guerre. Seulement est-il justifié ? Sur quels faits probants reposent les soupçons que l'on fait peser sur ces hommes ?

Bien peu d'actes concrets. Cependant, l'un d'entre eux a été arrêté en 1911 pour avoir été surpris en train de saboter les lignes télégraphiques sur la voie ferrée, ce qui lui a valu, malgré une ardente campagne en sa faveur des groupes ouvriers de Brest, deux ans de prison infligés par le Conseil de guerre de Brest (6).

Mais outre ce cas particulier, caractérisé par un acte réel, 22 autres inscrits ont un casier judiciaire ou du moins ont été poursuivis.

Certains ont été condamnés au temps plus ou moins lointain du service militaire, tel cet engagé pour 5 ans dans les troupes coloniales frappé d'un an de prison par le Conseil de guerre de Bordeaux pour « bris de clôture » et de 3 mois par celui de Saïgon pour « menace envers un supérieur » — cet engagé volontaire était-il un antimilitariste... ou, simplement, ce qu'on appelle une « forte tête » ?

---

(6) Cet employé de l'Arsenal, où il exerçait les fonctions « d'écrivain administratif », est un des dirigeants du mouvement ouvrier brestois, puisqu'il est trésorier de la Bourse du Travail et de l'Union régionale des Syndicats. Après l'accomplissement de sa peine, il est obligé de quitter Brest, où il ne trouve plus de travail, pour Paris. Il revient à Brest en 1922 et est maintenu, lors de la révision, au Carnet avec la mention : « Quoique majoritaire, n'a cessé de mener une propagande nettement révolutionnaire et a participé à tous les mouvements d'agitation de ces dernières années ». Détail intéressant quant au reclassement des militants dans les diverses tendances syndicales après la guerre. La vigueur du comportement antimilitariste avant 1914 ne préjuge en rien de l'attitude qui fut adoptée pendant et après la guerre.

Plusieurs condamnations sont sans conteste en rapport avec l'anti-militarisme, mais leur gravité est inégale. Le plus durement frappé fut un ancien secrétaire général de la Bourse du Travail : en 1906, l'amnistie l'a sauvé des Assises où il devait comparaître pour excitation de militaires à la désobéissance, mais il n'eut pas cette chance en 1911 où la Cour d'Assises du Finistère lui infligea trois ans de prison pour « excitation au vol, au pillage, au meurtre, apologie du vol et du pillage, outrages à commissaire de police, injures à l'armée et provocations de militaires à la désobéissance » (7).

Un autre fut condamné par le Conseil de guerre de Nantes à un an de prison pour insoumission : en fait il ne s'était guère dérobé aux recherches de la gendarmerie, ayant ainsi voulu manifester ses convictions ; il refusait « de prendre les armes, n'ayant rien à défendre et il (s'insurgeait) à l'idée de représenter l'autorité dans les grèves (8) ».

Le même Conseil de guerre infligea, en 1907, 6 mois de prison à un réserviste pour outrages à l'armée.

D'autres affaires sont très vénielles, comme telle arrestation sans suites judiciaires pour l'affichage du placard « Aux soldats » (9), ou l'amende de 16 francs payée par Pengam à la suite de sa participation à la journée du 16 décembre 1912 (10), marquée par une manifestation contre la guerre à laquelle d'ailleurs le maire de Brest et plusieurs conseillers municipaux s'étaient joints.

D'autres condamnations ne relèvent pas de l'antimilitarisme : ainsi 10 futurs inscrits ont été traduits en justice à la suite de la manifestation du 1er mai 1908 et les peines se sont échelonnées de l'acquittement à 3 mois de prison avec sursis.

Le quart des inscrits a donc eu des démêlés avec la justice pour des raisons politiques, mais quelques cas mis à part, il s'agit d'affaires d'importance médiocre. L'inscription au Carnet ne résulte donc pas d'un commencement d'action réprimé par une condamnation, mais de présomp-

---

(7) Il purgea sa peine à la Centrale de Clairvaux, ce qui nous vaudra de le retrouver au Carnet B de l'Aube.

(8) Après son emprisonnement, le condamné est incorporé et il « émigre » successivement du Carnet B du Finistère à celui de la Loire-Inférieure, de la Marne, de la Meuse pour se retrouver en 1922 au Carnet B du Finistère. Il est alors âgé de 32 ans et secrétaire de l'Union des Syndicats majoritaires du Finistère.

(9) cf. 1re partie, Chap. 4.

(10) cf. 1re partie, Chap. 2.

tions, dont le casier judiciaire est un élément, mais non le principal, puisqu'il ne concerne qu'une minorité : le rôle syndical, l'engagement politique ont été plus déterminants.

En effet, un titre syndical actuel ou passé est mentionné dans les dossiers de 32 inscrits : on note le secrétaire général de l'Union régionale des Syndicats et de la Bourse du Travail, un ancien secrétaire général de la Bourse du Travail, le secrétaire-adjoint de la Bourse, le secrétaire général du Syndicat des ouvriers du Port, c'est-à-dire de l'Arsenal, le secrétaire de l'Union des ouvriers du Bâtiment, du Syndicat des peintres, divers administrateurs de la Bourse du Travail, des secrétaires-adjoints, trésoriers, archivistes, membres des Conseils des différents syndicats. Bref, nous avons ici une fraction importante des cadres syndicaux brestois. Il ne faut peut-être pas toujours attacher une trop grande importance aux titres ronflants de cadres syndicaux qui pouvaient n'avoir derrière eux que des troupes peu nombreuses ; il n'en reste pas moins que l'arrestation préventive de ces militants aurait à coup sûr décapité le mouvement syndical brestois.

Une autre raison pour être inscrit au Carnet est l'engagement politique : d'une façon générale, les dossiers soulignent l'adhésion aux idées anarchistes. Chaque inscrit est, bien entendu, taxé d'antimilitarisme, mais en association avec une autre dénomination, le plus fréquemment celle de libertaire, « libertaire antimilitariste », mais aussi « révolutionnaire antimilitariste », « militant anarchiste », « propagandiste des théories anarchistes », (« révolutionnaire et antimilitariste à tendances anarchistes »), « révolutionnaire à tendances libertaires et nettement antimilitaristes », « admirateur de la bande à Bonnot », même...

Ces anarchistes se sont rassemblés en divers groupements : le Comité des Insurrectionnels, le Comité antiparlementaire, le groupe d'Education rationnelle, le groupe des Egaux, le Cercle néo-malthusien, la Jeunesse syndicaliste, le Comité de Défense sociale... qui se sont d'ailleurs substitués les uns aux autres au cours des années et sous ces dénominations variées, se retrouvent en fait les mêmes militants.

Les anarchistes seuls relevaient-ils donc du Carnet B ? Il faut d'abord remarquer que la définition des opinions politiques de ces hommes peut être sujette à caution ; les limites sont imprécises et au Comité des Insurrectionnels, se retrouvaient anarchistes et hervéistes, en principe socialistes. De plus, les services de police ont vraisemblablement taxé de libertaires des inscrits qui ne l'étaient pas. Mais, en principe, le fait d'être catalogué « socialiste » équivalait à un brevet de bonne conduite :

ainsi ce trésorier du Syndicat des travailleurs réunis du port de Brest, dont il est considéré comme un des principaux dirigeants. Sa notice le présente comme révolutionnaire militant et antimilitariste et ajoute « quoique appartenant au Parti Unifié, dépasse en violence nombre d'anarchistes ». C'est l'exception qui confirme la règle. Il est dangereux « bien que socialiste ».

Conception qui est confirmée par d'autres remarques faites à propos d'un employé de commerce qui s'est sérieusement amendé « ses opinions [devant] être considérées comme simplement socialistes », ou encore d'un planton de la mairie qui ne doit plus « être considéré comme militant révolutionnaire » car « ses opinions actuelles seraient simplement socialistes ».

On peut ainsi affirmer que, sauf exceptions, à Brest du moins, les socialistes même dirigeants ne sont pas justiciables du Carnet B.

Il est donc possible de dresser le portrait-type de l'inscrit au Carnet B du Finistère : breton d'origine, ouvrier et la plupart du temps à l'Arsenal, toujours considéré comme antimilitariste, presque toujours étiqueté militant anarchiste de tel ou tel groupement, souvent militant syndical, quelquefois condamné pour son activité politique.

Ces caractères sont dosés différemment suivant les individus, créant des nuances, mais pour la plupart les notices individuelles ne nous permettent pas d'aller au-delà de ce portrait.

Pour un certain nombre de suspects cependant, les motifs d'inscription sont un peu plus diserts et nous apprennent à quelles manifestations ils ont participé, des détails sur leur carrière militante, leurs fréquentations...

Celui-ci, avant de travailler à l'Arsenal, était cheminot à la Compagnie du Nord, d'où il fut révoqué à la suite de la dernière grève des chemins de fer. Militant vigoureux, il a, au cours d'une réunion privée des ouvriers de l'Arsenal, vivement félicité le saboteur G. (11).

Celui-là « s'est fait remarquer maintes fois, notamment depuis qu'il est secrétaire général du Syndicat du port (janvier 1913) par ses appels à l'indiscipline, à l'agitation, à la révolte. Collabore au journal anarchiste *Le Finistère Syndical* »...

---

(11) Condamné à 3 ans de prison. cf. ci-dessus.

En voici un d'un style un peu particulier puisqu'il est marchand-forain : « militant anarchiste dangereux... Il exerce sa propagande sous le couvert d'un certain courtage... a été arrêté à Brest le 13 juin 1913 pour coups à gendarmes et rebellion au cours de la retraite aux flambeaux où il se faisait remarquer par ses chants antimilitaristes. Connaît tous les « compagnons » brestois... ».

Un autre est un « meneur » : « Il a organisé une manifestation en 1913 au cours de laquelle il « injuria » le préfet maritime. C'est un membre influent à la fois de la Jeunesse syndicaliste, du Syndicat de l'Arsenal, du Comité de Défense social, du Comité régional de grève... », un autre encore, « ami intime du saboteur G... », doit être considéré comme « très dangereux surtout en période de mobilisation... ».

Ces hommes étaient-ils donc vraiment dangereux ? C'est-à-dire avaient-ils la volonté et les moyens de « saboter une mobilisation » ?

Il est difficile de répondre à cette question pourtant fondamentale : nous savons que de nombreuses et virulentes déclarations en ce sens avaient été faites. Mais était-ce autre chose que déclamations ? Il n'y a guère de preuves concrètes : les motifs d'inscription ne mettent finalement en valeur ni groupes solidement organisés, ni préparation effective de sabotage, ni plans, ni saisie de matériel... (12).

Ce n'est pas suffisant cependant pour répondre par la négative. Il suffit de la création d'un climat psychologique pour que, dans une conjoncture favorable, des mouvements révolutionnaires puissent éclater. Combien de révolutions n'ont connu qu'une préparation « matérielle » extrêmement brève ?

Or les autorités étaient convaincues — nous avons essayé de le montrer dans notre première partie —, — et c'est cela qui est important — de la création de ce climat psychologique propice au sabotage d'une mobilisation, ou tout au moins elles étaient persuadées que cette éventualité ne pouvait pas être ignorée.

Ceci explique le nombre particulièrement élevé des inscrits à Brest : la présence d'un Arsenal, point sensible du dispositif militaire français, a amené les autorités à procéder à des inscriptions larges afin d'éviter tout risque d'oubli.

---

(12) En fait, il y a tout de même une allusion à un groupe d'action organisé. La notice d'un des inscrits comporte ceci : « est secrétaire de la Jeunesse Syndicaliste qui comporte en son sein l'équipe de saboteurs dont fait partie l'anarchiste G... ».

On pourrait évidemment se poser une autre question. Pourquoi tant « d'individus dangereux » étaient-ils maintenus dans un Arsenal ? La réponse est simple : l'Administration disposait de présomptions, donc était dans la nécessité d'exercer une surveillance, mais n'avait pas les preuves nécessaires à une révocation.

Il est un autre point que les fiches du Carnet B permettent de préciser : la date de leur établissement. Ces dates d'inscription sont assez démonstratives : 56, soit plus de la moitié des inscrits l'ont été en 1909, pour la plupart très précisément le 18 février : or c'est par une lettre du 5 février 1909 (13) du préfet de la Lozère que nous connaissons l'Instruction suivant laquelle à partir de ce moment devaient être inscrits les Français pouvant porter atteinte à la mobilisation : le rapport de cause à effet est évident.

24 autres inscrits l'ont été en 1911, en septembre pour la plupart : c'est l'époque d'Agadir, du ministère Caillaux ; le gouvernement pour faciliter la tâche des négociateurs veut montrer la détermination française, dissuader l'adversaire de faire fond sur des dissensions internes.

Un dernier détail : l'indication « à surveiller » a été remplacée sur les fiches par celle « à arrêter », sans que le comportement des inscrits se soit entre temps modifié. Là encore c'est le résultat d'une circulaire de septembre 1911 (14), manifestation de la volonté de brider toute opposition intérieure.

Ainsi dans le Finistère, le Carnet B a été établi de façon rapide, systématique, en liaison précise avec les instructions gouvernementales et avec le danger croissant que semblait représenter l'antimilitarisme ouvrier, en fonction de la situation internationale.

Mais, brusquement après 1911, il n'y a pratiquement plus d'inscriptions : 4 en 1913 et 1 en 1914. Il est normal qu'après les « grandes années », le flot diminue, mais pas à ce point : les antimilitaristes ne faisaient-ils donc plus d'adeptes ? Les jeunes se détournaient-ils de ce courant ? On peut voir là la manifestation d'un phénomène souvent indiqué, la baisse de vigueur du mouvement ouvrier immédiatement avant 1914, ce dont nous pouvons trouver confirmation dans les modifications qu'a connu le Carnet du Finistère entre 1909 et 1914.

---

(13) cf. 2ᵉ partie, Chap. II.
(14) cf. 2ᵉ partie, Chap. II.

Si l'on fait abstraction d'un inscrit décédé et de 10 qui ont quitté le département pour différents motifs (prison, service militaire, manque de travail...) et qui ont été vraisemblement transférés au Carnet B d'un autre département, 7 autres inscrits dont une femme ont été radiés. Pour l'un d'entre eux, il est nettement indiqué que ses opinions ont changé (peut-être avaient-elles été exagérées ?), mais pour les 6 autres, la décision de radiation a été prise le même jour — 7 mars 1914 — sans que la moindre explication en soit fournie. Comme leur dossier est à peu près le même que bien d'autres dont les titulaires sont maintenus au Carnet, on peut en déduire que cette radiation — assez massive — a été provoquée par des changements d'attitude dûment contrôlés et cela correspondrait à cette baisse du ton du mouvement ouvrier. Il est par ailleurs curieux de constater que ce ne sont pas pour la plupart des ouvriers de l'Arsenal, mais, semble-t-il, des isolés : le noyau dur de l'antimilitarisme se maintient donc à l'Arsenal, ou du moins l'importance de cet établissement nécessite une grande prudence dans les radiations éventuelles.

D'ailleurs l'Arsenal est une source de préoccupation durable pour les autorités : à preuve cette curieuse affaire. Deux ouvriers de la Fonderie Nationale de Ruelle, en Charente, inscrits en 1909 au Carnet B de ce département pour avoir, dans les années précédentes, participé à des affichages antimilitaristes et distribué la brochure « la crosse en l'air », sont admis en 1913 à « l'Ecole de Maistrance » de Brest, préparant aux emplois supérieurs des Arsenaux de l'Etat.

Lorsque le préfet du Finistère l'apprend, il s'étonne que l'on ait admis à cette école « deux antimilitaristes notoires » et il ajoute cette réflexion désabusée : « Il n'est pas étonnant dans ces conditions que plus de 50 ouvriers de nos Arsenaux d'Etat soient inscrits au même Carnet B ». On voit par là que le préfet ne laissait pas d'être inquiété par cette situation.

Dans le cas qui nous occupe, une solution est trouvée, car sur proposition du préfet de la Charente, corroborée par les résultats de la surveillance exercée par le commissaire de Brest, il est admis que l'antimilitarisme de nos deux inscrits était une faute de jeunesse, qu'ils se sont depuis amendés et qu'il est donc possible de les rayer. On peut le croire, on peut croire aussi que les autorités charentaises compromises dans une affaire déplaisante ont trouvé ce moyen élégant de s'en sortir.

Si, au Carnet B, il y avait des arrangements avec le ciel, les radiations en général n'étaient pas acquises sans difficultés : un commis à la Trésorerie Générale de Brest a été taxé d'anarchisme, « d'être un admirateur de la bande à Bonnot » et accusé de prendre « part à toutes les manifestations contre le gouvernement et l'ordre public », ce qui lui a valu d'être inscrit au Carnet en 1911 ; l'ayant appris, il proteste vivement, fait intervenir en sa faveur le député radical-socialiste Jules Le Louédec, qui transmet au préfet une lettre dans laquelle notre homme se plaint d'être victime de machinations ignominieuses et des plus basses calomnies.

Peine perdue : après enquête, l'inscription est maintenue...

Le Carnet B de l'Aube

Le département de l'Aube offre également un Carnet B étoffé, mais d'un type assez différent de celui du Finistère.

Les caractéristiques du département sont d'ailleurs autres : situé à l'Est, sans être encore un département frontière, les craintes de l'espionnage s'y manifestent de façon plus aiguë que dans le Finistère ; de population moins nombreuse (15), l'implantation ouvrière y est importante et plus diffuse à cause de l'industrie de la bonneterie : l'activité industrielle se répartit entre plusieurs centres, Troyes, Romilly... Par contre, il n'y a pas de grand établissement militaire comme l'Arsenal de Brest. Le mouvement ouvrier est actif, animé par plusieurs Bourses du Travail et les voix obtenues par le Parti socialiste sont assez nombreuses, comme à Brest d'ailleurs (16).

Aussi ne serons-nous pas surpris de constater que les dossiers des suspects d'espionnage se trouvent dans ce département en proportion plus importante : sur 39 inscrits au Carnet B, (17) 12 le sont pour ce motif, c'est-à-dire presque le tiers. A vrai dire dans cette catégorie, les inscriptions ne semblent pas toujours faites avec beaucoup de discernement.

Il y a d'une part 6 Français : si le cas de l'un d'entre eux est indiscutable, puisqu'il a été condamné auparavant à 5 ans de prison après avoir été arrêté à la frontière porteur du plan détaillé d'un fort, si un autre manifeste des sentiments peu amicaux à l'égard des Français « les Français, c'est tout de la pourriture » aurait-il dit, et en particulier des militaires à qui il cherche querelle fréquemment (mais un espion se

---

(15) Population de l'Aube en 1900-1914 : 250000 habitants.
(16) Voix socialistes dans l'Aube en 1914 : 11400 sur 46886 votes
             dans le Finistère : 17784 sur 160601
             mais à Brest : 10562 sur 31679.
(17) A.D. Aube. Série continue 4262.

montrerait-il aussi agressif ?), un troisième inscrit à la demande des autorités militaires l'a peut-être été à la légère : c'est un Alsacien qui a opté pour la France, mais à qui l'on reproche de trop fréquents voyages en Alsace ; est-ce vraiment étonnant puisqu'il a conservé une partie de sa famille à Mulhouse ? C'est l'avis du ministère de l'Intérieur qui ordonne sa radiation, l'autorité civile semblant dans cette affaire assez heureuse de faire pièce à l'autorité militaire !

Les 6 autres sont des étrangers : 4 Allemands, dont 3 sont en fait des Alsaciens, mais on peut constater non sans étonnement — et la même remarque a d'aileurs pu être faite dans les Vosges — que les services de police ne semblent faire aucune différence entre Allemands de souche et Alsaciens. Sans vouloir en tirer des conséquences excessives, ne peut-on voir là une certaine distorsion entre les discours officiels sur les « provinces perdues » et le sentiment populaire. Il ne s'agit là que d'une hypothèse qui demanderait à être étayée plus solidement, mais beaucoup de Français ne continuaient-ils pas à ressentir davantage l'humiliation de la perte de l'Alsace-Lorraine en tant que territoire, que celle des habitants eux-mêmes mal différenciés des Allemands ? On le verra d'ailleurs d'une autre façon à la déclaration de guerre où leur accent valut à beaucoup d'Alsaciens de sérieux avatars de la part de « patriotes ».

Quant aux deux derniers, l'un est un pauvre horloger russe-polonais que l'on suspecte parce que ses affaires sont peu florissantes et que ses ressources sont mal définies, mais il vit si misérablement ! et l'autre un italien, dont le cas est curieux : Giuseppe P. est inscrit au Carnet B, et lors d'une enquête provoquée par un changement de domicile, on se demande bien pourquoi. Finalement, on découvre que ce fut en vertu d'une Instruction interministérielle du 18 février 1910 prévoyant que seraient inscrits tous les étrangers, même non suspects, résidant à proximité d'un fort, ouvrage d'art..., ce qui était le cas du malheureux Giuseppe P.

Devant l'afflux d'inscriptions nouvelles (18) — qui n'habite pas plus ou moins près d'un ouvrage d'art ? — et l'impossibilité de procéder à tant d'arrestations en cas de guerre, on suspendit l'exécution de la circulaire et cet inscrit peu suspect fut radié...

Les inscriptions de ces suspects d'espionnage sont souvent anciennes (la première date de 1903) et fort réparties dans le temps ; ce n'est pas le cas pour le reste des inscrits.

---

(18) Dans les Ardennes, on avait inscrit des étrangers au Carnet B pour le seul fait qu'ils résidaient dans un rayon de moins de 6 km d'un pont sur la Meuse ! (A.D. Vosges, 8 bis M 42 (cf. *A. 25*).

Des 27 autres dossiers, il faut d'ailleurs faire encore deux parts. En effet le département de l'Aube abrite la Maison Centrale de Clairvaux, où un certain nombre d'antimilitaristes condamnés purgeaient leur peine. Or pendant le temps de leur détention, ils étaient inscrits au Carnet B de l'Aube. Une première part est donc formée de ces hôtes temporaires et involontaires du département : ils sont au nombre de 5, non compris les prisonniers de Clairvaux pour espionnage.

Sur ces 5 emprisonnés, 3 sont des individus « en marge ». Le premier est désigné comme « anarchiste, antimilitariste et malfaiteur dangereux ». Couvreur de profession, sans domicile fixe, abondamment tatoué, arrêté à Saint-Etienne en 1912 pour agression nocturne et vol, il a été trouvé porteur de lettres établissant ses relations avec les milieux libertaires. Il n'a d'ailleurs pas caché au commissaire stéphanois des sentiments anarchistes et antimilitaristes qui lui ont valu, dans le passé, des démêlés avec différents conseils de guerre, 3 ans de prison d'abord, 18 mois ensuite à quoi s'est ajouté un mois pour outrages à un chef de gare. Sa dernière arrestation lui vaut deux nouvelles années de prison qu'il accomplit à Clairvaux avant de passer les années de guerre dans différents pénitenciers. Antimilitariste peut-être, mais il relève plutôt du « droit commun ».

Il en est de même pour le second, un coiffeur de 25 ans en 1914, originaire de la Meuse dont l'inscription au Carnet fut bien provoquée par l'antimilitarisme — et qui confirma ses sentiments en désertant lors de son service militaire —, mais dont la dernière condamnation par un tribunal de la Seine a été prononcée en février 1914 pour vol et vagabondage.

Le troisième est un coloriste sur cartes postales de 32 ans. Très tôt, il a fréquenté les groupes anarchistes et en 1905 dans une réunion des Causeries Populaires, il a préconisé l'insoumission. Inscrit au Carnet B en 1909, il est condamné en 1913, à Amiens, pour « provocation à un crime contre la sûreté de l'Etat et apologie du crime de meurtre », à 3 ans de prison et est enfermé à Clairvaux. Cet inscrit ne relève pas du « droit commun », mais notre documentation ne nous permet pas de le rattacher à quelque centre ouvrier ou à quelque organisation bien définie.

Il n'en est pas de même des deux autres pensionnaires de Clairvaux : ce sont des militants ouvriers très représentatifs, de formation anarchiste et exerçant des responsabilités syndicales : l'un est un ancien secrétaire général de la Bourse du Travail de Brest, dont nous possédons également la fiche dans le Carnet B du Finistère et l'autre, George Dumoulin, personnalité bien connue du mouvement syndical d'avant et d'après la guerre. Trésorier-adjoint de la C.G.T., inscrit au Carnet B de la Préfecture de Police en 1909 après avoir fait ses premières armes dans le Pas-de-Calais dont il est originaire, aux côtés de Broutchoux, sa notice le considère alors comme un des membres les plus « fougueux » du groupement révolutionnaire de Lens et un propagandiste très militant des théories antipatriotiques et antimilitaristes parmi les ouvriers des houillères du Pas-de-Calais. Puis son activité s'étend : en 1906, le Parquet de Bourges s'émeut d'un article « très virulent»qu'il écrivit au moment du départ des jeunes soldats, « A ceux qui reviennent, à ceux qui s'en vont » ; il est maintes fois condamné jusqu'en 1912, année où le tribunal de Charleville le frappe de 2 ans de prison pour « provocation directe à des crimes contre la sûreté intérieure de l'Etat dans un but de propagande anarchiste », à la suite d'un meeting contre la guerre tenu à Nouzon (Ardennes) (19). Cela lui vaut un séjour, d'ailleurs assez bref, à Clairvaux, d'où il sort pour reprendre ses fonctions syndicales à Paris.

On peut également classer dans une catégorie à part un soldat, qui ne figure au Carnet B de l'Aube que depuis son affectation à une unité de Troyes en 1912. C'est un caviste parisien, originaire d'Epernay : il a été inscrit au Carnet B de la Marne parce qu'il fréquentait le groupe anarchiste local et qu'il était un propagandiste militant. Considéré comme « sournois », « violent » et dangereux, son inscription le suivit à Paris, lorsqu'il vint y résider bien que là on n'ait rien trouvé à lui reprocher. Ceci n'empêche pas cependant une étroite surveillance de chacun de ses déplacements lors de ses permissions.

Finalement le Carnet B spécifiquement aubois se réduit à 21 dossiers : ici encore, quoique cependant à un degré moindre, les inscrits sont fortement enracinés dans leur département comme l'étaient ceux du Finistère : 18 sur 21 sont nés dans l'Aube ou les départements limitrophes ; on relève toutefois parmi eux un Anglais, mais qui a été élevé par l'Assistance publique de l'Aube, et un Italien qui a quitté son pays après avoir déserté le 12ᵉ Bersagliers.

12 résident à Romilly où se trouve le plus gros noyau antimilitariste du département, 4 à Troyes, 2 à Arcis-sur-Aube. Agés de 21 à 59 ans, la plupart on entre 30 et 40 ans. Ils sont en général mariés. La majorité est formée d'ouvriers : 6 sont bonnetiers, 4 caoutchoutiers, 2 tourneurs aux Ateliers des chemins de fer de l'Est, 1 coutelier. Les 8 autres appartiennent encore aux milieux populaires (20).

_____

(19) cf. le récit de cet épisode par G. Dumoulin lui-même. *Carnets de route,* op. cit. p. 61.

(20) 3 camelots, 1 marchand de lait, 1 chiffonier, 1 livreur, 1 gérant de la Maison du Peuple, 1 employé de bureau.

La définition politique des inscrits au Carnet B apparaît plus complexe dans l'Aube que dans le Finistère.

Sur le plan syndical, les indications fournies sont peu nombreuses : l'un cependant des inscrits est le secrétaire de la Bourse du Travail de Romilly (il fut, après la guerre, le secrétaire général (très majoritaire) des cheminots du réseau de l'Est).

Sur le plan strictement politique, les affiliations sont souvent assez vagues : 6 sont nommément désignés comme libertaires ou anarchistes, ou tout au moins comme « professant des idées libertaires », « professant les théories anarchistes », 2 sont membres du Parti socialiste unifié, dont l'un, désigné comme « un des chefs du P.S.U. à Romilly » a été candidat aux élections législatives en 1910 dans l'arrondissement de Nogent-sur-Seine. Mais quelques recoupements permettent des précisions supplémentaires : des 12 inscrits de Romilly, 6 appartiennent à une organisation qui a « pignon sur rue », puisqu'elle possède même son porte-drapeau, le Comité Central de l'Agglomération romillanne. Quelle est la couleur de ce groupement ? Deux de ses membres sont par ailleurs signalés comme socialistes ; d'autre part ce terme de Comité Central est étranger au vocabulaire anarchiste, alors qu'il rappelle celui du Comité révolutionnaire central (blanquiste) de Vaillant. On peut donc en déduire que ce groupement est composé de socialistes.

Deux inscrits sont signalés comme appartenant à un groupement « la Jeunesse révolutionnaire d'Arcis-sur-Aube » fondé en 1909 : l'un en est le secrétaire, l'autre un « membre influent » :

« Intelligent, parlant avec facilité — il s'agit de l'Anglais mentionné plus haut — il est un propagandiste écouté par un clan de plusieurs jeunes gens d'Arcis qui s'assimilent facilement les idées émises. »

Comme nous savons par ailleurs qu'il est libertaire, on peut penser que tout le groupement se rattache à l'anarchie. Ajoutons que dans une lettre, le sous-préfet d'Arcis précise que ce groupement est formé à peu près entièrement d'ouvriers bonnetiers.

Si les inscrits sont donc plutôt socialistes à Romilly, et à Arcis, anarchistes, à Troyes, ils sont clairement étiquetés comme anarchistes : là aussi ils forment un groupe organisé puisque l'un d'entre eux a loué un local en 1912, où ils se réunissent toutes les semaines — de préférence la nuit — pour discuter des idées anarchistes.

Ainsi les inscrits au Carnet B recouvrent dans l'Aube un éventail politique plus large que dans le Finistère et, comme ils appartiennent à des groupes structurés, leur rayonnement s'étend probablement au-delà de leurs personnes.

Dans la mesure où les notices individuelles s'attachent assez médiocrement aux opinions politiques et aux responsabilités syndicales des inscrits, comment sont donc motivées les inscriptions ? Evidemment par l'antimilitarisme, se réduisant pour l'essentiel d'ailleurs à des activités de propagande.

Les membres de « l'agglomération romillanne » sont presque tous accusés d'avoir voté l'affichage et participé à l'apposition de l'affiche « Aux Conscrits » en 1907. De plus, l'un d'entre eux a ouvert les portes de l'école dont il était alors concierge pour favoriser le passage des afficheurs. La plupart des inscrits sont signalés comme responsables de la diffusion des organes de la doctrine antimilitariste. Il n'est pas précisé de quels journaux il s'agit, sauf pour les membres du groupe d'Arcis, la *Guerre Sociale et le Pioupiou de l'Yonne,* la presse inspirée par Gustave Hervé. Il est plus que probable qu'il en est de même à Romilly. Nous sommes dans un département limitrophe de l'Yonne, fief de G. Hervé, ces hommes sont des socialistes. Il n'est donc pas impossible que ce soit des antimilitaristes de la tendance Hervé, mais les dossiers ne nous en donnent pas d'autre preuve.

De plus, en dehors des affichages, de la diffusion de journaux, de l'apposition de papillons antimilitaristes, de violences verbales — tel est accusé « de prendre toujours la parole dans les réunions publiques » — de souscriptions en faveur de la propagande antimilitariste, on a retenu à charge une série d'incidents avec des militaires : la distribution de brochures antimilitaristes à des soldats du 23ᵉ Dragons cantonnés à Arcis, des injures envers un officier de Dragons conduisant une patrouille, en 1907, des manifestations, des cris lors des retraites militaires de 1913 (21).

Comme ceux du Finistère, les inscrits aubois sont soupçonnés d'être capables de saboter la mobilisation, sans qu'un commencement de preuve en soit apporté. Entre crier sur le passage des troupes, coller des affiches ou des papillons, vendre des journaux et saboter la mobilisation, il y a un pas considérable à franchir dont rien ne dit qu'il aurait été franchi, dont rien ne dit non plus qu'il ne pouvait pas l'être. Toutefois, ils appa-

---

(21) Dans ce cas, c'est un « meneur » qui s'est également distingué sur le plan social. A la tête de groupes de rebrousseurs, il manifeste dès son jeune âge et préconise la grève pour des motifs (que les services de police estiment) les plus futiles. Il subit deux condamnations pour outrages et rébellion à agents. Un autre manifestant est également condamné à 15 jours de prison.

Dans l'ensemble, les inscrits aubois ont encouru peu de condamnations, sauf l'un deux condamné 8 fois, mais pour filouterie, vagabondage et chez qui l'instruction engagée contre les dirigeants de la C.G.T. à propos du Sou du Soldat conduit les enquêteurs, mais sans donner de résultats appréciables.

raissent d'une certaine façon moins « dangereux » que ceux du Finistère, car ils ne forment pas une masse imposante groupée dans une seule entreprise et dont l'influence devait s'étendre à l'ensemble de l'entreprise, mais, par ailleurs, ils constituent des groupes organisés et relativement stables.

La grande originalité des inscrits du Carnet B de l'Aube réside dans leurs appartenances politiques : l'élément socialiste, pratiquement absent du Carnet brestois, est ici fort bien représenté. A départements différents correspondrait-il une attitude différente des autorités et des militants des différentes tendances politiques ? Ce n'est pas sûr. A regarder les choses de plus près, on peut estimer qu'il y a deux « générations » successives d'inscrits au Carnet B. Une première génération fut celle de 1909 qui a été « victime » de la fameuse circulaire de cette année. C'est alors la grande période de l'antimilitarisme inspiré par G. Hervé, de « l'insurrectionnalisme » ; le « général » Hervé est au sommet de son influence, de sa gloire. Tout naturellement on inscrit — quand il y en a — ses disciples dont faisaient partie les membres de « l'Agglomération romillanne ». Effectivement, des 10 inscrits de 1909, 6 sont des membres de cette organisation. Ils sont tous de Romilly, et peut-être sont-ils, même quand ce n'est pas indiqué, en liaison avec « l'Agglomération romillanne ».

Quoi qu'il en soit, sur ces 10, outre 1 qui a quitté le département pour la Marne et dont nous ne connaissons pas le sort ultérieur, 6 ont été rayés du Carnet en 1912, 1913 ou 1914. Parmi eux sont rayés 3 des 5 membres de « l'Agglomération romillanne », restés dans le département. Or, depuis quelque temps, G. Hervé a commencé à réviser ses positions, à nuancer son mot d'ordre d'insurrection en cas de guerre. On peut donc penser que ses adeptes suivent la même ligne de conduite et qu'ils ont été ainsi progressivement rayés du Carnet. Car dans l'Aube comme dans le Finistère, être socialiste n'est pas suffisant pour être inscrit : si les motifs des radiations ne sont pas, en général, indiqués, il est dit cependant à propos de deux suspects : « leur attitude ne permet plus de les maintenir sur la liste des antimilitaristes bien que militants très actifs du Parti socialiste unifié ».

A ce propos d'ailleurs advint un incident curieux : le fait d'être inscrit au Carnet B était en général connu de l'intéressé par la surveillance — souvent peu discrète — dont il faisait l'objet. Or l'un de ces inscrits — radié — quitte l'Aube, pour s'établir en Seine-et-Marne ; les notifications de sa radiation n'ont, semble-t-il, pas été faites en temps utile partout où cela était nécessaire, et les gendarmes enquêtent chez son nouveau patron. Indignation de notre homme : il écrit au sous-préfet de Nogent-sur-Seine pour, excipant hautement de sa qualité de socialiste, rejeter l'antimilitarisme des anarchistes et exhaler son indignation dans une belle envolée :

> « J'ose espérer que ma protestation aura pour résultat ma radiation du Carnet B et que désormais la police n'aura plus à exercer sa surveillance sur ma modeste personne. Mais est-il permis de ne pas croire qu'en cette période de réaction la liberté individuelle et le droit des gens ne sont que des fictions ? » (28 juin 1913).

Effectivement le préfet de Seine-et-Marne lui donna raison.

Ainsi le nombre de socialistes inscrits au Carnet et non radiés en 1914 est-il très faible.

Au contraire la « seconde génération » d'inscrits date de 1911-1912, et surtout 1913 : 8 inscrits, dont 5 pour la seule année 1913. Or à l'exception d'un, tous sont maintenus au Carnet en 1914, et tous sont considérés comme des anarchistes.

Finalement, derrière une apparence plus complexe, le Carnet B de l'Aube nous livre à peu près les mêmes indications que celui du Finistère : ouvriers enracinés dans le département, anarchistes, propagandistes de l'antimilitarisme plus par la parole que par le fait, les inscrits de l'Aube apparaissent cependant moins bien « placés » que ceux du Finistère pour être « dangereux ».

Par contre le Carnet B de l'Aube offre un exemple supplémentaire des incertitudes qui entourèrent certaines inscriptions. Ainsi 2 inscrits de l'Yonne sont passés dans l'Aube : l'un, un livreur, était taxé d'être militant de l'antimilitarisme dans son département d'origine ; blessé 3 fois pendant la guerre, il sollicite en 1918 une radiation du Carnet qui lui est accordée. A cette occasion, le préfet de l'Aube écrit :

> « Je suis même convaincu qu'au moment de son inscription l'intéressé a attiré l'attention par son langage inconsidéré et ses mauvaises fréquentations beaucoup plus que par une attitude sérieusement suspecte. »

Le second est un chiffonnier considéré comme « très dangereux » dans l'Yonne, alcoolique, violent... Dans l'Aube, il est tempérant et bien loin d'être antimilitariste :

> « Il apporte le plus grand dévouement dans ses fonctions de moniteur de la société de préparation militaire. »

On peut s'étonner de ces contradictions — il est certain que d'un préfet à l'autre les appréciations variaient —, on peut aussi penser que l'attitude d'un homme n'est pas donnée une fois pour toutes et qu'elle peut se transformer profondément. Toujours est-il que le préfet de l'Aube veut le radier et pour aboutir à ses fins, il est amené à toute une correspondance avec le préfet de l'Yonne, avec le général commandant le 20ᵉ Corps qui se montre le plus longtemps intransigeant, et avec le ministère de l'Intérieur...

Enfin, la police était convaincue qu'un autre inscrit en cas de mobilisation « n'hésiterait pas à commettre des actes de sabotage ». Il est « mort pour la France » le 17 juin 1915 à Neuville-Saint-Wast.

Est-ce contradictoire ? Ce n'est pas sûr !

LE CARNET B DU CHER

Un troisième exemple de Carnet B complet nous est fourni par le département du Cher.

Nous disposons ici de 32 fiches : 2 des inscrits seulement, des Allemands d'ailleurs, sont suspectés d'espionnage ; ce qui confirme les conclusions déjà tirées de l'étude des Carnets B de l'Aube et du Finistère : le nombre des inscrits de cette catégorie diminue lorsqu'on s'éloigne des frontières.

Des 32 fiches, il faut également mettre à part un soldat inscrit momentanément au Carnet B du Cher — il sert au 95ᵉ Régiment d'Infanterie stationné dans le département —, mais il était auparavant inscrit au Carnet de Seine-et-Oise, où — représentant de commerce — il fréquentait les anarchistes d'Argenteuil et 6 suspects qui présentent l'originalité d'avoir été rayés pour « inscription irrégulière ». Tous les 6 sont taxés d'anarchisme et d'antimilitarisme, l'un même d'antimilitarisme « acharné » ; ils sont tous — du moins quand nous avons le renseignement — originaires du département ; deux résident à Mehun-sur-Yèvre, trois à Bourges, un à Saint-Florent ; quatre sont des ouvriers, mais de profession diverse (22), et des deux autres, l'un dirige l'Imprimerie ouvrière, et l'autre gère le journal *Le Combat*. Nous ne savons pas en quoi consiste l'irrégularité de leur inscription et les renseignements dont nous disposons, semblables à ceux concernant bien d'autres inscrits au Carnet, ne nous permettent pas de faire une hypothèse. Nous ne pouvons que constater le fait de cette radiation effectivement réalisée en novembre 1911.

_____

(22) 1 journalier, 1 ouvrier-tôlier, 1 porcelainier, 1 employé aux Etablissements militaires.

Restent donc à considérer 23 cas, chiffre appréciable, si l'on songe qu'il s'agit d'un département à large prédominance agricole. Le fait cependant s'explique aisément : la Bourse du Travail de Bourges est une des plus anciennes de France — 1887 —, et des plus actives (23), et il y en a encore quatre autres dans le Cher — Vierzon, Mehun-sur-Yèvre, La Guerche et Saint-Amand — marque d'une vie syndicale importante ; les forces socialistes sont également nombreuses, puisque deux sur cinq des députés élus en 1914 sont socialistes (24) ; enfin, la présence à Bourges d'une fonderie de canons et de la pyrotechnie appelle de la part des autorités une surveillance particulière : 7 des inscrits d'ailleurs travaillent ou ont travaillé dans ces établissements. L'un d'entre eux est même considéré comme le chef :

> « d'un clan de 200 à 250 violents et mécontents, pour la plupart ouvriers
> des Etablissements militaires, qui trouvent que les socialistes unifiés n'ont
> pas les idées assez avancées » ;

d'ailleurs ses rapports avec les syndicalistes ne sont guère meilleurs puisqu'il a été exclu du Syndicat des ouvriers des Etablissements militaires.

Comme dans les départements que nous avons déjà étudiés, la majorité des inscrits (14 sur 21 pour lesquels nous avons les renseignements) est née dans le département ; ce sont des hommes d'âge mûr (16 sur 21 ont entre 30 et 50 ans), mariés. Outre les employés des Etablissements militaires, ce sont principalement des ouvriers (25) ; seuls trois inscrits n'exercent pas de profession régulière : l'un est forgeron, mais sans travail, l'autre, ancien expéditionnaire à l'Ecole centrale de pyrotechnie, n'a plus de « profession stable », enfin un troisième est dit ne se livrer à aucun travail et on ne mentionne aucun métier.

Ils sont nombreux à être des responsables syndicaux : les secrétaires général et adjoint de la Bourse du Travail de Bourges figurent sur la liste, ainsi que le secrétaire général de la Bourse du Travail de Mehun, le secrétaire du sous-comité de la grève générale, plusieurs membres de la Commission Administrative de la Bourse du Travail de Bourges.

Là encore les options politiques ne sont pas définies avec une grande précision : 6 sont désignés nommément comme anarchistes, 2

---

(23) Rappelons (cf. 1. II) que c'est la Bourse du Travail de Bourges qui en 1905 avait pris l'initiative de soumettre à l'ensemble de la C.G.T. la question suivante : « A la déclaration de guerre, répondrez-vous par la grève générale révolutionnaire, c'est-à-dire par la Révolution ? »

(24) 28623 voix socialistes sur 92794 votants.

(25) 1 forgeron, 1 ferblantier, 3 porcelainiers, 2 ouvriers des P.T.T., 1 ouvrier cordonnier, 1 ouvrier carrier, 1 menuisier, 1 ajusteur, 1 journalier, 1 garçon-livreur.

comme syndicalistes-révolutionnaires, 2 sont baptisés socialistes-révolutionnaires, mais le plus grand nombre, 9, sont tout simplement des révolutionnaires, militants, propagandistes... Les affiliations sont d'autant plus douteuses que l'un des inscrits, taxé d'anarchisme, est également signalé comme secrétaire du Comité socialiste unifié de Mehun, tel autre décrit en même temps comme syndicaliste-révolutionnaire et administrateur du journal socialiste *l'Emancipateur.*

Les services de police ont — semble-t-il — eu plus de mal encore qu'ailleurs à choisir parmi les nuances du mouvement ouvrier ou bien ils ont peut-être été victimes de l'imbrication traditionnelle de l'anarchie et du socialisme dans le Berry (26).

Pourquoi ces hommes ont-ils été inscrits au Carnet B ? Plus qu'ailleurs nos renseignements sont limités. Tous sont évidemment — nous dit-on — des antimilitaristes, mais on ne nous explique guère pourquoi et comment. Ce qui ne veut pas dire qu'il n'y ait pas eu de dossiers, car si nous prenons l'exemple du secrétaire général de la Bourse de Bourges, un seul mot est employé pour le définir, « antimilitariste », mais nous savons par ailleurs qu'il fut l'un de ceux dont les lettres au titre du Sou du Soldat étaient particulièrement vigoureuses (27).

Quelques-uns cependant ont droit à des appréciations un peu plus détaillées, même si d'ailleurs elles n'ont pas toujours de rapport avec l'antimilitarisme :

« propagandiste révolutionnaire et antimilitariste très dangereux »,

« partisan de l'action directe et préconise le sabotage du travail. Se livre à une propagande assidue surtout à l'époque de la conscription » ;

« antimilitariste très militant et très dangereux » ;

« meneur de grèves, partisan de la violence et de l'action directe ».

Le Carnet B du Cher présente aussi plusieurs originalités : d'abord les dates d'inscription : une seule inscription a été faite en 1909, quant aux autres, elles datent de 1911 (9) et de 1912 (9). Cela semble indiquer que les instructions du ministère de l'Intérieur ont été suivies avec une certaine mollesse, surtout si l'on songe aux traditions antimilitaristes des syndicalistes berrichons. Pourquoi un homme comme le secrétaire général

---

(26) On peut également souligner qu'Edouard Vaillant était originaire de Vierzon et que, si ses activités étaient surtout parisiennes, il n'avait pas perdu le contact avec le Cher. Il était le dirigeant socialiste le plus proche de la C.G.T. et y jouissait du « prestige et du respect affectueux le plus marqué ». (cf. Dommanget, *Edouard Vaillant, un grand socialiste.* Paris, 521 p., 1956).

(27) Cf. 1re partie, Ch. 1. Il fut d'ailleurs arrêté pour cette raison en juillet 1913.

de la Bourse du Travail de Bourges, militant aux opinions connues, n'a-t-il été inscrit qu'en décembre 1911 alors qu'il figure au répertoire des principaux révolutionnaires de province (28) ?

Ainsi, dans certains départements, la circulaire de 1909 a déclenché l'établissement du Carnet B, mais dans d'autres on a manifesté une certaine passivité, attendant les instructions de 1911 pour passer à l'exécution.

Deuxième originalité : si 5 des inscrits ont été rayés parce qu'ils ont quitté le département, 6 l'ont été lors de la révision du 6 mai 1914, avec les remarques suivantes :

« n'a jamais été un antimilitariste bien dangereux »,

pour deux d'entre eux ;

« ne se fait plus remarquer au point de vue antimilitariste, reste un fervent syndicaliste »,

appréciation renforcée d'un satisfecit supplémentaire « très bon employé » ; même remarque pour un troisième qui est gratifié d'un « bon ouvrier » ; ou bien encore :

« n'est plus un antimilitariste actif », également pour deux inscrits.

D'ailleurs si les autorités du Cher ont dû inscrire au Carnet B, sous la poussée impérative des instructions gouvernementales, un certain nombre de suspects, elles l'ont fait avec discernement et — semble-t-il — sans le parti-pris habituel à l'égard d'hommes dont on ne partage pas les convictions.

Si elles ne sont pas très assurées de la vigueur de l'antimilitarisme de ces suspects ou tout au moins du danger qu'ils représentaient pour une éventuelle mobilisation, elles croient par contre très nettement à une baisse de leur « tonus » antimilitariste à la veille de la guerre, à un certain déclin, après les violences de langage de la période précédente, du mouvement antimilitariste.

D'une façon générale, n'est-ce pas un nouvel indice de la perte de vitesse de la C.G.T. à ce moment ?

LE CARNET B DE LA LOIRE-INFERIEURE

Les trois Carnets, dont nous avons tenté l'analyse jusqu'à présent, présentent un fond commun, mais aussi des divergences de conception :

---

(28) A.N. F 7 13053.

« dur » dans le Finistère, « complexe » dans l'Aube, « compréhensif » dans le Cher. En Loire-Inférieure, le Carnet apparaît d'abord énigmatique.

Nous disposons ici de deux groupes de documents : les notices individuelles de 25 inscrits et des listes comportent 41 autres noms, soit au total 66 noms, ce qui est considérable.

Le Carnet B de la Loire-Inférieure ne fait aucune place à l'espionnage, dans la mesure du moins où les documents que nous étudions sont complets, ce qui dans ce cas n'est pas sûr.

Des 25 premiers suspects, nous pouvons n'en retenir que 24, le 25ᵉ étant seulement en « transit » dans le département (29). Parmi eux, 7 ont été inscrits au Carnet en 1909, 14 en 1911, ce qui correspond aux deux grandes vagues d'inscription déjà soulignées. Leur moyenne d'âge est assez élevée, 7 sont nés avant 1860. 9 seulement sont nés dans le département : 2 à Nantes et 7 autres en Loire-Inférieure. Ils habitent normalement les centres ouvriers : 9 à Nantes, 9 à Saint-Nazaire et Penhoët, 2 à Trignac, 2 à La Montagne dont les habitants travaillent traditionnellement aux Etablissements d'Indret.

Sur le plan professionnel, l'échantillonnage est assez large, mais beaucoup sont des ouvriers peu qualifiés : 7 sont désignés comme manœuvres et 2 seulement sont des ajusteurs à l'Etablissement maritime de l'Etat d'Indret (30). Et encore de ces deux derniers, l'un ne travaille pas régulièrement, l'autre, presque jamais ; ils sont instables : quelques-uns ont changé de résidence plusieurs fois en quelques années.

De leurs options politiques, retenons que 16 d'entre eux sont désignés comme anarchistes, tandis que pour 6 autres, tous de Saint-Nazaire, nous relevons le terme de « socialiste-révolutionnaire » : ce n'est pas une indication vague pour désigner une appartenance politique mal définie entre le socialisme et l'anarchie, mais bien une formulation précise, puisque l'un d'eux est dit « militant du parti socialiste révolutionnaire ». De quoi s'agit-il ? Vraisemblablement du parti socialiste révolutionnaire, issu du Comité révolutionnaire central d'inspiration blanquiste. On y trouvait

---

(29) Inscrit originaire du Finistère dont nous avons vu le dossier dans le Carnet B de ce département. Il ne séjourna à Nantes que le temps d'y subir une condamnation pour insoumission.

(30) Par ailleurs, 1 cheminot, 1 chauffeur, 1 maçon, 1 docker, 1 plâtrier, 2 coiffeurs, 1 ouvrier ajusteur, 1 charpentier, 1 machiniste aux Ateliers de la Loire, 1 sculpteur, 2 typographes, 1 publiciste, 1 employé de commerce.

les amis et disciples de Blanqui, en particulier Edouard Vaillant. Mais cette appellation est fort ancienne et maintenant périmée, puisque le parti socialiste révolutionnaire après avoir formé le Parti socialiste de France en compagnie du Parti ouvrier français s'est fondu ensuite, en 1905, dans le Parti socialiste unifié. Il est compréhensible que les hommes de ce groupe, branche la plus avancée du mouvement socialiste français à l'origine, aient été surveillés particulièrement par la police ; on comprend moins bien qu'en 1909 et plus tard on ne se contente pas de les désigner comme socialistes. Toujours est-il qu'il s'agit bien de socialistes et non d'anarchistes : d'ailleurs, l'un d'eux est le gérant du *Travailleur de l'Ouest,* hebdomadaire des socialistes de Saint-Nazaire. Ainsi, le Carnet B de la Loire-Inférieure contient un contingent appréciable de socialistes.

Les inscriptions sont justifiées pour un grand nombre par des déclarations et quelquefois des actes antimilitaristes : désobéissance « prêchée » aux militaires en 1905 — critique véhémente de la société capitaliste et de l'armée — capable de prêcher la désertion — a dit à maintes reprises qu'il ne devrait pas y avoir de patrie, qu'il est honteux de faire faire une mascarade militaire par des jeunes gens — prend une part active à toutes les manifestations antimilitaristes, distributeur à des soldats en 1905 de brochures provoquant à la révolte, à la désobéissance, à la désertion — se dit partisan de l'abolition des armées permanentes — conseille le sabotage des vaisseaux — s'est dit à plusieurs reprises l'ennemi de la patrie — a été cassé de son grade de caporal et envoyé aux Bat. d'Af. en 1905 pour avoir assisté en tenue à une réunion antimilitariste à Trélazé. Pour d'autres, les imputations restent plus vagues : propagande sans précision de nature, militant très actif qui suit avec ponctualité les réunions à la Bourse du Travail, considéré comme dangereux — vendeur de journaux anarchistes et révolutionnaires, fait de la propagande dans son salon de coiffure — dévoué à la Bourse du Travail de Saint-Nazaire — vendeur du journal anarchiste *Le Révolté* — violent et exalté, traite Clemenceau de « bandit de la place Beauveau »...

Comme ailleurs, ce sont donc plus souvent des paroles que des actes qui sont reprochés, mais avec une plus grande variété de formulation. On peut remarquer d'ailleurs que lorsque les accusations sont datées, elles sont assez anciennes.

Les documents apportent peu de renseignements d'ordre syndical : quelques inscrits, les socialistes-révolutionnaires de Saint-Nazaire, sont notés comme militants syndicaux ou dévoués à la C.G.T. sans autre précision.

Mais ce Carnet B réserve une surprise considérable : de ces 24 inscrits, presqu'aucun ne le restait en 1914 ! 7 ont quitté le département, dont 1 pour le service militaire et leur inscription a été transférée, le phénomène est normal, bien qu'ici la proportion apparaisse élevée. Par contre 6 sont morts, ce qui est un chiffre bien étonnant. Faute d'épidémie dont les membres du Carnet B auraient été les victimes, il faut retenir l'hypothèse d'inscrits déjà bien affaiblis pour mourir dans un délai aussi proche, tel ce sculpteur décédé un mois après son inscription !

Quant aux 11 autres, 10 ont été rayés, soit en 1911, 1912 ou en 1913.

Les motifs et les conditions de ces radiations sont surprenants comme en fait foi le tableau suivant :

1) inscrit en novembre 1911, rayé en mai 1912 : « se tient à l'écart de la propagande ».
2) mêmes dates, même motif.
3) inscrit en octobre 1911, rayé en février 1912 : « ne fait plus aucune propagande ».
4) inscrit en novembre 1911, rayé en mai 1912 : « âgé et malade, ne fait plus aucune propagande ».
5) inscrit en novembre 1911, rayé en janvier 1913 : « ne fait plus partie de la Bourse du Travail et a cessé toute propagande révolutionnaire ».
6) même date d'inscription, rayé en février 1913 : même motif.
7) mêmes dates : « ne fréquente plus les milieux anarchistes ou antimilitaristes ».
8) inscrit en octobre 1911, rayé en janvier 1913 : « c'est surtout un ivrogne invétéré devenu incapable de toute propagande ».
9) inscrit en octobre 1911, rayé en février 1913 : « c'est un malfaiteur de droit commun. Il ne fréquente plus la Bourse du Travail ».
10) inscrit de la Seine en juillet 1911, rayé en juin 1913 : « son attitude s'est sensiblement modifiée ».

Ajoutons que si le 11ᵉ n'est pas rayé, peut-être un oubli, il est infirme et vit à l'hôpital.

Il y a là un phénomène étrange : on a inscrit des gens au Carnet B et, dans un espace de quelques mois, ils meurent, ou bien ils partent, ou bien on s'aperçoit qu'ils ne sont plus dangereux, qu'ils sont vieux, qu'ils sont ivrognes...

Tout cela est même beaucoup trop étrange pour ne pas avoir une explication. Si nous dressons la liste des anomalies que présente ce Carnet

B par rapport à ceux que nous avons préalablement étudiés, moyenne d'âge élevée, motifs d'inscription anciens, dénominations politiques périmées, enracinement peu marqué, instabilité, médiocrité professionnelle, il semble logique d'admettre que lors des deux vagues d'inscriptions, en 1909 et en 1911, l'Administration poussée par les instructions supérieures et désireuse de mettre sur pied un Carnet B en rapport avec l'importance de la population ouvrière du département, a inscrit un peu n'importe qui, sur la base de rapports de police plus ou moins anciens et plus ou moins contrôlés. Il est bien possible que tel ou tel ait changé d'attitude, toutefois ce ne fut pas après son inscription, mais avant ! Ce Carnet apparaît plutôt comme un ramassis d'individus, dont un bon nombre sont plus en marge de la classe ouvrière que représentatifs de celle-ci. Pour établir ce Carnet, on a utilisé les fonds de tiroir de la police, c'est le Carnet B « fourre-tout ». Le travail a été fait en hâte, au reçu d'instructions mal assimilées — on n'a même pas pris soin de mettre à jour les dénominations politiques —, mais par la suite dans le calme et par le jeu des radiations, on a repris les choses avec plus de sérieux (31).

Si ce processus est réel, il reflète les incertitudes qu'ont manifestées pendant un certain temps les services préfectoraux sur les critères d'inscription et par ailleurs, il peut expliquer que — contrairement à ce que nous croyons — le Carnet B a pu avoir la réputation d'être assez fantaisiste.

Mais les Archives de Loire-Inférieure nous fournissent une deuxième série de documents qui composent un Carnet B, plus logique, plus systématique. Malencontreusement ces documents sont incomplets.

Une première liste de 23 noms est celle des inscrits de la ville de Nantes ; il est facile d'en vérifier l'authenticité : elle comporte les deux noms d'inscrits du Finistère dont nous savons qu'ils ont quitté ce département pour la Loire-Inférieure (32). Mais nous n'avons comme renseignements sur ces inscrits que la profession de 13 d'entre eux. Sauf un commis à la trésorerie générale et un débitant, ce sont tous des ouvriers (33) : ceci confirme la composition habituelle des Carnets B.

---

(31) Cette hypothèse peut être confirmée par la façon dont — dans les années suivantes — le dossier d'un homme d'équipe, employé à la gare de Nantes, est scrupuleusement étudié. La proposition d'inscription a été faite par le commissaire central de Nantes sur le motif suivant : « professe des théories nettement révolutionnaires ; 16 décembre 1912 : manifestation à Nantes de protestation contre une guerre éventuelle, vend sur la voie publique le journal libertaire, *La Voix du Peuple*.

Très intelligent et capable de commettre toutes sortes de mauvaises actions. Aussi dans son service, il est toujours accompagné par « un chef d'équipe ». Le motif, toutefois, ne semble pas suffisant au préfet qui, le 8 mai 1913, refuse l'inscription et propose d'attendre.

(32) Cf. Carnet B du Finistère.

Une deuxième liste est particulièrement parlante : elle comprend 18 employés des Etablissements d'Indret, ajusteurs, chaudronniers, forgerons, fondeurs... C'est un milieu cohérent, pouvant à tort ou à raison être considéré comme mettant en péril un secteur de la Défense nationale et dont il fallait préventivement neutraliser les éléments les plus en vue.

Faute de renseignements supplémentaires, nous ne pouvons pas pousser plus loin l'analyse, mais nous retrouvons ici une situation comparable à celle de l'Arsenal de Brest.

Dernière remarque : 41 inscrits seulement pour Nantes et Indret — il est vraisemblable qu'une autre liste a existé au moins pour Saint-Nazaire — est un chiffre important.

Enfin, de même que le Carnet B du Cher, le Carnet de la Loire-Inférieure a été, comme le prouvent ses transformations, établi avec sérieux. Il montre aussi clairement un affaiblissement de l'antimilitarisme diffus des masses ouvrières après la flambée de la première décennie du siècle.

CONFIRMATIONS ET NUANCES

Les quatre Carnets que nous avons étudiés jusqu'à présent, Finistère, Aube, Cher, Loire-Inférieure, nous ont apporté l'essentiel de notre documentation, cependant les Carnets ou fragments de Carnets d'autres départements nous permettent de confirmer ou de nuancer les traits que nous avons pu déterminer.

C'est ainsi que le Carnet B des Vosges (34) reflète l'attention particulière avec laquelle les problèmes de l'espionnage continuent d'être considérés dans les départements frontaliers.

Malgré l'augmentation progressive du nombre des antimilitaristes inscrits depuis 1909, le Carnet B des Vosges est encore fortement influencés par la place accordée dans les premiers temps à l'espionnage.

---

(33) 2 manœuvres, 2 serruriers, 1 ajusteur, 1 tourneur, 1 outilleur, 1 ouvrier aux Chantiers de la Loire, 1 tanneur, 1 docker, 1 voilier.

(34) A.D. Vosges 8 bis M 42. Peu de dépôts d'Archives possèdent un dossier aussi important sur le Carnet B. Mais l'abondance des pièces et les particularités du Carnet des Vosges ont rendu très difficile le rétablissement de listes aussi proches que possible de la réalité.

PRÉFECTURE
DE LA
LOIRE-INFÉRIEURE

I^e DIVISION

I^e BUREAU

N° D'ENREGISTREMENT

ON EST PRIÉ DE RAPPELER
EN MARGE DE LA RÉPONSE LES
INDICATIONS CI-DESSUS.

OBJET :

CARNET B.

RÉPUBLIQUE FRANÇAISE

Nantes, le 191

SECRET

Le Préfet de la Loire-Inférieure

à Monsieur l' INGÉNIEUR en CHEF des PONTS et CHAUSSÉES à NANTES.

A raison de la mobilisation, il y a lieu de procéder à l'arrestation immédiate de certains individus suspects travaillant à l'établissement d'INDRET.

Afin de faciliter l'opération précitée, il a été décidé qu'elle se fera au cours du travail, dans les ateliers mêmes, par une force composée de I0 gendarmes et de 20 agents de police, sous la direction du Commissaire spécial de NANTES.

Cette petite troupe se rendra sur les lieux à l'aide d'un vapeur que vous voudrez bien mettre à ma disposition le   à

Le PRÉFET,

es dispositions prévues pour l'arrestation des inscrits au Carnet B travaillant aux Etablissements d'In

PRÉFECTURE
DE LA
LOIRE-INFÉRIEURE

—

Ire DIVISION

···

Ier BUREAU

—

N° D'ENREGISTREMENT

—

ON EST PRIÉ DE RAPPELER
EN MARGE DE LA RÉPONSE LES
INDICATIONS CI-DESSUS.

···

OBJET :

CARNET B

RÉPUBLIQUE FRANÇAISE

Nantes, le   191

SECRET.

Le Préfet de la Loire-Inférieure

à Monsieur le Commissaire spécial à NANTES

A raison de la mobilisation, j'ai l'honneur de vous prier de procéder à l'arrestation immédiate des individus inscrits au carnet B travaillant à l'établissement d'INDRET.

Pour procéder à cette opération, vous serez assisté de MM.

Vous disposerez d'une force de 10 gendarmes et 20 agents de police de Nantes.

Le rassemblement se fera au Bureau du Port où l'embarquement s'effectura sur un vapeur du service des Ponts et Chaussées.

Il a été convenu que la présente lettre vous accréditera auprès du Conducteur du service des dragages.

Ci-joint les mandats de perquisition et d'amener nécessaires.

Le PRÉFET.

Toujours dominées par cette préoccupation, les autorités locales ont d'ailleurs eu quelques difficultés à répartir les suspects entre les différentes catégories : contrairement à la conception habituelle, la différence paraît mince entre les étrangers suspectés d'espionnage et ceux considérés comme dangereux pour la sécurité nationale : dans le Carnet B des Vosges, en gros, les uns peuvent avoir fait de l'espionnage, les autres pourraient en faire ! (35) Au total une vingtaine d'étrangers sont inscrits au Carnet B des Vosges et les motifs de suspicion à leur égard semblent bien aléatoires : il suffisait par exemple à un étranger d'habiter une ferme isolée ou proche de la frontière pour être inscrit. En effet, le Général Pau, commandant le 20ᵉ Corps d'Armée à Nancy, en 1909, avait prescrit une surveillance particulière dans ce cas.

Si on ajoute que parmi les Français, les suspects d'espionnage sont au nombre de 8 — on a inscrit d'un seul coup les 4 membres d'une famille de fermiers alsaciens insallée à proximité de la frontière —, on constate que le Carnet B des Vosges conserve une majorité d'inscrits dont les activités ne relevaient pas de l'antimilitarisme.

Les Français du deuxième groupe, mis à part des inscrits trop provisoires (36), ont été au nombre de 19 de 1909 à 1914 : en fait 2 d'entre eux sont rangés dans cette catégorie par inadvertance ou du moins une fois de plus par une interprétation spécifique au département des Vosges : on leur reproche non pas de vouloir saboter la mobilisation, mais d'avoir des sympathies pour l'Allemagne. Pour l'un d'eux, par exemple, est noté ce curieux signe particulier : « démarche droite et raide du soldat allemand » ! Evidemment cela n'est pas suffisant pour être incriminé d'espionnage, donc rangé dans la première catégorie, ni non plus pour être soupçonné de vouloir saboter la mobilisation, ce qui relève de la seconde. Une troisième catégorie aurait été nécessaire... pour ceux dont la démarche ne convenait pas aux autorités !

Restent donc 15 inscrits, si l'on fait abstraction encore de deux hôtes passagers du département, qui y accomplissent leur service militaire. L'un est un jeune anarchiste de Villeurbanne considéré comme très violent après qu'il eut assommé, dans un meeting contre les 3 Ans, un employé des contributions indirectes qu'il avait pris pour un policier,

---

(35) La conception habituelle — conforme à la réglementation — était pour les étrangers comme pour les Français de prévoir deux catégories, suspects d'espionnage d'une part, antimilitaristes de l'autre.

(36) C'est le cas de Jean Goldsky, un des principaux lieutenants de G. Hervé, journaliste à la *Guerre Sociale*. Il figure pendant quelques jours au Carnet B des Vosges, parce qu'affecté à un régiment de ce département. Mais il est presqu'aussitôt renvoyé à La Rochelle.

l'autre un employé de commerce parisien, membre des jeunes gardes révolutionnaires de G. Hervé. Leur attitude au régiment ne soulève d'ailleurs aucune critique et sur proposition du ministre de l'Intérieur en 1913, leur radiation est envisagée. Le chef du 20ᵉ Corps ne le croit pas possible parce que :

> « des faits récents ont trop souvent montré que les fauteurs de désordre dangereux se trouvaient parmi ceux qui tout en conservant des attaches révolutionnaires donnaient toute satisfaction au point de vue de leur conduite sous les drapeaux » (9 avril 1914).

Cet exemple souligne d'ailleurs que l'autorité militaire se montrait souvent plus sourcilleuse que l'autorité civile. Mais il n'a pas fallu plus d'un an pour que le premier obtienne sa radiation d'office (effectuée seulement en 1921) ; il avait été tué à Aix-Noulette dans le Pas-de-Calais.

Restent donc 15 autres inscrits dont les cas ont été difficilement analysables à cause des renseignements quelquefois incomplets que nous possédons : certaines notices individuelles manquent.

Pour 11, le lieu de naissance est indiqué, 5 sont des Vosgiens, 2 sont originaires d'Alsace et un huitième de Meurthe-et-Moselle. Ils possèdent un domicile fixe, la majorité (7) à Epinal, 6 autres à Raon-l'Etape ou à proximité immédiate. Professionnellement, ils forment un ensemble assez hétéroclite et médiocrement prolétarien : à côté d'un cheminot, d'ailleurs révoqué après la grève de 1910 et devenu cafetier avant d'émigrer vers les aciéries de Meurthe-et-Moselle, d'un sagard, d'un maçon, on trouve plusieurs artisans, coiffeur (37), cordonnier, des employés de presse — 3 typographes ou lithographes —, des employés de commerce — comptable, représentant, livreur — et une journaliste (38).

Il faut également souligner la présence insolite d'un expéditionnaire à la Chefferie du Génie, à propos duquel d'ailleurs plusieurs rapports s'étonnent qu'on l'y conserve.

Peu de fonctions syndicales sont signalées : cependant le cheminot avant sa révocation était le secrétaire de la Section d'Epinal du Syndicat national des Chemins de fer...

---

(37) Dans un article récent du *Mouvement Social*, n° 56, juillet-septembre 1966, p. 105, Antoine Perrier consacre un fort intéressant article de souvenirs à ce coiffeur anarchiste. Bien plus tard, ce dernier se demandait s'il avait été inscrit au Carnet B. Nous aurions pu lui répondre — s'il n'était pas mort en 1944 — qu'il le fut.

(38) Directrice d'un journal féministe et libertaire : *La femme affranchie*.

Par contre, les convictions politiques de ces hommes sont homogènes : sur 9 pour qui nous possédons ce renseignement, 8 sont anarchistes ; le 9ᵉ par contre est secrétaire du groupe socialiste, mais un socialiste qui n'hésite pas à coudoyer les anarchistes dans les meetings antimilitaristes. Tous sont des antimilitaristes décidés, même si l'un d'eux porte un tatouage représentant un « zouave tuant un soldat prussien ».

Il en est peu à qui l'on reproche des actes antimilitaristes concrets, mais leur passé politique les fait présumer dangereux, d'autant plus que l'affaire de Raon-l'Etape, en 1907, n'est pas oubliée ; elle explique le grand nombre d'inscrits de cette localité : pour 3 d'entre eux, leur participation aux événements de Raon est effectivement signalée dans leurs motifs d'inscription.

Mise à part l'hétérogénéité professionnelle qui a pu surprendre, le Carnet B des Vosges, dans sa fraction antimilitariste, présente les caractères habituels. Mais il ne semble tout de même pas que les autorités locales aient été réellement persuadées du danger que pouvait présenter l'antimilitarisme : comme le souligne un rapport, la propagande antimilitariste a peu d'écho parmi les populations des frontières. Si deux groupes ont bien été déterminés, celui d'Epinal qui avec la publication d'un journal anarchiste, la *Vrille,* manifeste une certaine vitalité, et le groupe de Raon, plutôt héritier des luttes sociales d'antan, au total, le nombre d'inscrits est assez limité, surtout si l'on considère que 4 ont quitté le département de 1909 à 1912 et qu'un autre meurt en 1914.

Cela ne signifie d'ailleurs pas que les autorités faisaient preuve d'un excès de mansuétude : lorsqu'il est question de radier la journaliste libertaire — femme déjà âgée et les femmes sont bien rares au Carnet —, le préfet s'y oppose : il met en évidence la vigueur de la campagne qu'elle a menée contre les 3 Ans et affirme que si son attitude est plus effacée depuis quelques mois, elle a conservé toute son énergie et toute son ardeur de militante : elle reste très capable de prêcher, durant des périodes de trouble ou de mobilisation, l'insurrection et la désertion.

Cependant les préoccupations des autorités des Vosges demeurent plus tournées vers l'extérieur que vers l'intérieur : elles ont donc établi un Carnet B, nouvelle formule, sans beaucoup de conviction. Le Carnet B des Vosges — tout en corroborant certains traits relevés ailleurs — ne s'est pas vraiment intégré dans ce grand ensemble de lutte contre l'antimilitarisme qu'ont voulu être les Carnets B.

Les Archives du Tarn, elles, confirment qu'il y eut peu d'inscrits dans les départements dépourvus de grands établissements industriels et, par leur situation géographique, d'importance stratégique.

Un seul inscrit à notre connaissance dans le Tarn (39) et encore un inscrit de « passage », un soldat au 15ᵉ Régiment d'Infanterie d'Albi. Originaire du Carnet B de Paris, où il fut inscrit en 1910, mouleur de profession, il est taxé d'anarchisme et d'antimilitarisme ; il a collaboré à la fondation du groupe « les Causeries populaires du 19ᵉ arrondissement ». Ses démêlés ont été fréquents avec la police puisque de 1905 à 1907, il a été condamné sept fois pour divers délits.

Il en est à peu près de même de la Sarthe, dont nous avons pu également, grâce à des recoupements, connaître le Carnet B complet, mais avec des renseignements très incomplets (40).

Dans une note du 20 février 1913, le Colonel commandant la gendarmerie de la Sarthe indique que 6 personnes sont inscrites au Carnet B des brigades du Mans et qu'il n'y a pas d'autres inscrits dans le reste du département. Ce renseignement, uniquement d'ordre numérique, est donc intéressant dans la mesure où il confirme le petit nombre des inscriptions dans un département à large prédominance agricole, mais possédant cependant un centre industriel où les opinions sont traditionnellement plus avancées : mais dans leur ensemble, les électeurs de Joseph Caillaux ne sont pas relevables du Carnet B !

Par contre, la présence d'un grand établissement militaire suscite immédiatement l'intérêt des autorités : c'est le cas de l'Arsenal de Rochefort. Un rapport du sous-préfet de Rochefort (41), en 1907, fait état d'une section antimilitariste de 12 membres, tous liés à un titre quelconque à l'Arsenal. D'après les remarques faites sur chacun d'eux, il est assez probable qu'ils ont été ultérieurement inscrits au Carnet B, mais nous n'en possédons la preuve que pour l'un d'entre eux : son inscription est signalée dans le compte rendu d'un meeting contre les 3 Ans tenu à La Rochelle par le groupe socialiste. Ouvrier dessinateur à l'Arsenal de Rochefort, né à Saintes, âgé de 40 ans en 1910, il est considéré comme très militant, orateur de réunions publiques, violent, diffuseur de la presse antimilitariste. Il s'agit très vraisemblablement d'un militant socialiste, socialiste-révolutionnaire est-il précisé.

Ce dernier exemple et celui de la Saône-et-Loire prouvent d'ailleurs que les socialistes ne sont pas tout à fait absents du Carnet B. Dans un rapport de 1913 (42), le commissaire spécial de Mâcon fait état d'un

(39) A.D. Tarn. Dossier Carnet B, 1910.
(40) A.D. Sarthe. M. supplément 402.
(41) A.D. Charente-Maritime, 4 M 6.

groupe de socialistes unifiés de Tournus et des environs fort d'environ 150 membres qui subit l'influence d'un antimilitariste, inscrit au Carnet B. Il est fait grief à ce groupe d'être à l'origine de l'affichage sur les murs de la ville du manifeste signé par des socialistes français et allemands pour protester contre les armements et la loi de 3 Ans. D'ailleurs à côté de cet inscrit socialiste, la Saône-et-Loire en possède au moins un autre, anarchiste, chiffonnier à Epinac-les-Mines, dont on estime, même après la guerre qu'il a faite, qu'il n'offre pas assez de garanties pour être radié !

Mais aux Carnets B, sont, de préférence, inscrits les syndicalistes : c'est vrai de la Sarthe. Outre les renseignements numériques dont nous avons déjà fait état pour ce département, nous disposons également des résultats de l'enquête (43) sur les inscrits au Carnet B « susceptibles d'avoir des attaches avec la Marine ». Pour 3 d'entre eux, le commissaire central du Mans n'a rien trouvé, mais par contre pour les 3 autres, il possède quelques indices ; l'un d'eux est le secrétaire de la Bourse du Travail du Mans, et ses fonctions l'amènent à correspondre avec les syndicats ouvriers des Arsenaux de la Marine des ports de guerre, Cherbourg, Brest, Lorient, Rochefort, Toulon.

C'est vrai également de la Charente-Maritime (44) : en 1909, le préfet a invité le commissaire de La Rochelle à lui fournir une liste des suspects « au point de vue national », en « espérant qu'il n'en existe pas ». Quelques jours plus tard, le commissaire a réussi à en découvrir 2, qui au moins pour un ne fut pas retenu, puisqu'il est de nouveau proposé à l'inscription en 1912. Finalement nous n'avons pas la certitude qu'il fut inscrit : né à La Rochelle en 1876, maçon tailleur de pierre, il était secrétaire général du Syndicat du Bâtiment de cette ville. Enfin ce même commissaire de La Rochelle propose deux nouvelles inscriptions en décembre 1912 : à la suite des réunions préparatoires à la journée de manifestation contre la guerre du 16 décembre, il peut signaler un ancien secrétaire général de la Bourse du Travail de La Rochelle et un docker de La Pallice, « militant bien connu ». Le premier, en fait, n'est plus charentais : il est maintenant un militant de la C.G.T. à Paris et il est venu faire une tournée de propagande dans son département d'origine, où il a naguère travaillé comme docker. Pendant cette tournée, il a appelé « au sabotage le jour d'une mobilisation ».

C'est encore plus vrai du Pas-de-Calais pour lequel nous possédons des fragments du Carnet B, concernant les arrondissements de Montreuil et de Béthune.

---

(42) A.D. Saône-et-Loire, 30 M 25.
(43) A.D. Sarthe, M supplément 402.
(44) A.D. Charente-Maritime, 4 M 6.

Le Carnet B de l'arrondissement de Montreuil (45) se présente de façon assez curieuse. Mis à part deux militaires, qui ont d'ailleurs « une bonne conduite » à l'Armée, ce Carnet B comprend 5 cheminots, employés à la Compagnie d'intérêt local, Berck-Paris-Plage. On peut être étonné de ce foyer d'antimilitarisme à Berck, mais les notices permettent de constater que ces 5 cheminots sont tous des révoqués de la Compagnie du Nord après la grève de 1910 et qu'ils se sont en quelque sorte « reclassés » sur cette ligne d'importance secondaire (46). On comprend ainsi mieux l'intérêt tout particulier que leur portaient les autorités, d'autant plus que sans être militants, ils étaient tous les cinq considérés comme anarchistes et recevaient des journaux, comme *la Bataille Syndicaliste*, *l'Anarchie*... L'un d'entre eux est même signalé comme ayant donné asile à Soudy, de la « bande à Bonnot ».

Si le préfet du Pas-de-Calais ne semblait guère croire au danger représenté par les 5 exilés, ce n'est pas l'avis du sous-préfet qui craignait, non pas tant pour la ligne Berck-Paris-Plage, que pour la grande ligne qui passe à proximité.

Mais l'intérêt porté par les pouvoirs publics aux syndicalistes et parmi eux aux syndicalistes révolutionnaires put se manifester tout particulièrement dans le bassin minier. Il n'est pas étonnant que le bassin minier du Pas-de-Calais, aux rudes traditions ouvrières, ait eu un important Carnet B. Nous n'en possédons malheureusement que des lambeaux. Notre principale documentation concerne la sous-préfecture de Béthune (47) et plus précisément la zone couverte par le commissariat de Lens.

En 1907, c'est-à-dire avant la constitution du Carnet B, section antimilitarisme, un état nominatif des « individus signalés comme se livrant à la propagande antimilitariste » dans les houillères du Pas-de-Calais (secteur du commissariat de Lens) a été établi ; il comprend 7 noms : parmi eux des personnalités de stature nationale, Benoît Broutchoux, Georges Dumoulin (48) qui fit là ses premières armes ; on y trouve également le fils d'un conseiller d'arrondissement socialiste, secrétaire général du « Vieux Syndicat » des Mineurs du Pas-de-Calais. Ce dernier semble d'ailleurs déplacé à côté de Broutchoux et de ses amis.

---

(45) A.D. Pas-de-Calais, 3 Z 180.

(46) En marge de l'histoire du Carnet B, c'est là un détail intéressant sur le sort des cheminots révoqués en 1910. D'ailleurs, lorsque l'un d'eux quitte la ligne, c'est immédiatement un autre cheminot révoqué de la Compagnie du Nord qui le remplace.

(47) A.D. Pas-de-Calais. 1 Z 227.

(48) Cf. Carnet B de l'Aube.

Benoît Broutchoux est le dirigeant anarchiste le plus connu du Pas-de-Calais, bien qu'il soit originaire de Saône-et-Loire. Il est aussi, quoique terrassier de son métier, le fondateur du « Jeune Syndicat » des mineurs, de tendance révolutionnaire, et à ce titre, il livre un combat « au couteau » au « Vieux Syndicat » réformiste, animé par le député-mineur socialiste, Basly.

La notice de Broutchoux le considère comme :

> « l'importateur dans le Bassin houiller du Pas-de-Calais, particulièrement dans la région de Lens, des doctrines antipatriotiques et antimilitaristes. Préconise dans son journal l'**Action syndicale** et dans les réunions publiques, sur la Patrie et l'Armée, les théories de M.G. Hervé avec qui il est d'ailleurs en relations directes.

> Colportait naguère avec le journal l'**Action syndicale** qu'il s'est efforcé de propager dans la région de Lens. »

Mais cet état nominatif des « individus signalés comme se livrant à la propagande antimilitariste » n'est pas le Carnet B et il nous faut attendre le 2 août 1914 pour disposer d'une liste des inscrits du Carnet B de la sous-préfecture de Béthune : elle comporte 16 personnes, sur la plupart desquelles nous n'avons pas de renseignements. En dehors de Broutchoux, deux seulement figuraient sur la liste des antimilitaristes de 1907, deux anciens mineurs devenus l'un manœuvre, l'autre colporteur. Les notices précisent pour le premier :

> « un des adeptes les plus fougueux des théories professées par le groupement de Broutchoux. Se déclare antipatriote et préconise très ouvertement les doctrines antimilitaristes dans les cabarets où il a l'habitude de pérorer. Présida la conférence antimilitariste et antipatriotique que le libertaire antimilitariste André Lorulot fit à Billy-Montigny, le 25 avril 1907 » ;

pour le second :

> « révolutionnaire très militant, ami intime de Broutchoux et de G. Dumoulin, collabore à l'**Action syndicale**. Articles très virulents. Se déclare antipatriote et antimilitariste. »

Ce dossier apporte également quelques renseignements sur un inscrit plus tardif : venu de la Charente-Inférieure, il est employé comme ouvrier

---

(49) André Roulot, dit Lorulot, succéda à Libertad à la tête de *l'Anarchie*. Ancien ouvrier typographe, collaborateur d'autres journaux anarchistes, comme les *Temps Nouveaux*, auteur de nombreuses brochures de propagande, il était considéré comme un « orateur très violent » (A.N. F 7 13053).

typographe à l'Imprimerie communiste de Harnes, où s'imprime le *Révolté,* organe révolutionnaire de la région des houillières. Il est également considéré comme un ami intime de Broutchoux et il a pris la parole à diverses réunions antimilitaristes.

Malgré les lacunes de notre documentation, il est clair que le Carnet B des régions minières est surtout composé de « Broutchouistes », représentant la tendance anarchiste de la C.G.T.

Il est bon également de noter que même dans ce département où les antagonismes politiques sont traditionnellement vifs, les inscriptions au Carnet B étaient étroitement contrôlées. Ainsi, le préfet propose en 1914 quatre radiations d'inscrits qu'il ne considère pas comme véritablement dangereux. Il n'obtient d'ailleurs que partiellement gain de cause, car le commissaire de Lens fait remarquer pour l'un que :

> « cet individu qui est ouvrier-mineur à la fosse 6 de Courrières est connu des dirigeants de cette Compagnie et des autorités locales de sa Commune comme susceptible d'entraver le cas échéant le fonctionnement de la mobilisation »,

et pour l'autre que :

> « mineur à la fosse 7 de Courrières, il a été récemment expulsé de plusieurs estaminets pour avoir développé des théories antimilitaristes au sujet de la loi de 3 Ans, qu'il s'adresse ordinairement aux jeunes gens sur le point de partir au régiment et qu'il doit donc être considéré comme dangereux du point de vue de la mobilisation. »

CHAPITRE VI

LES PRINCIPAUX REVOLUTIONNAIRES DE PROVINCE
ET DE PARIS

Le dépouillement des Carnets B de quelques départements ne nous permet pas de dire : « Voilà ce que fut le Carnet B ». Il nous donne cependant de nombreux renseignements qu'un dernier groupe de sources nous permet encore de compléter.

A la fin de 1911 ou au début de 1912, la Sûreté Générale a établi un état des principaux révolutionnaires de province ; il comprend 207 noms dont la ventilation s'établit ainsi :

AISNE	10	MAINE-ET-LOIRE	1
ALLIER	6	MANCHE	1
ALPES-MARITIMES	7	MARNE	3
ARDENNES	8	HAUTE-MARNE	3
BOUCHES-DU-RHONE	13	MEURTHE-ET-MOSELLE	6
CHER	1	MORBIHAN	5
CORREZE	1	NORD	9
DROME	1	PAS-DE-CALAIS	8
EURE	1	BASSES-PYRENEES	1
FINISTERE	20	RHONE	16
GARD	2	SAONE-ET-LOIRE	3
HAUTE-GARONNE	2	SEINE-INFERIEURE	7
GIRONDE	6	SEINE-ET-MARNE	1
ILLE-ET-VILAINE	2	SEINE-ET-OISE	14
ISERE	1	SOMME	12
JURA	7	VAR	7
LOIRE	6	VENDEE	1
LOIRE-INFERIEURE	2	HAUTE-VIENNE	2
LOIRET	2	YONNE	10

38 départements sont donc représentés, mais il apparaît immédiatement que des départements pour lesquels nous connaissons l'existence d'un Carnet B ne figurent pas sur cette liste, tels l'Aube, la Sarthe...

Il est possible d'admettre que les inscrits de ces Carnets étaient considérés comme dangereux sur le plan local, sans être pour cela classés parmi les principaux révolutionnaires, d'où leur absence sur cet état.

Peut-on penser, par contre, que si tous les inscrits au Carnet B ne figurent pas sur cette liste, tous ceux qui y figurent sont inscrits au Carnet B ?

Dans la notice individuelle accompagnant chaque nom, cette inscription est quelquefois mentionnée, exactement dans 27 cas. Cela ne signifie pas que les autres ne le soient pas : nous avons pour certains, en effet, la preuve du contraire : dans le Finistère, 3 seulement des 20 qui sont mentionnés ici sont indiqués en même temps comme inscrits au Carnet B, mais le Carnet B du Finistère nous révèle que les 17 autres le furent également.

Pour le Cher, un seul nom est signalé, sans indication d'appartenance, au Carnet : or il y était également inscrit... Pour 1 seul également sur les 8 du Pas-de-Calais, l'inscription au Carnet B est indiquée, mais nous en avons la preuve pour quatre autres.

Paraîtra-t-il excessif dans ces conditions — nous pourrions ajouter d'autres exemples — de considérer qu'il est extrêmement vraisemblable que la totalité ou presque de ces « principaux révolutionnaires » de province ont été inscrits au Carnet ?

L'analyse de ces listes ne peut pas donner la physionomie d'un Carnet B sur le plan départemental, puisqu'elles ne sont que partielles ; elle ne peut même pas nous donner l'indice d'une proportion : en effet sur une centaine d'inscrits du Finistère, 20 sont indiqués ici, donc environ 1 sur 5. Par contre pour le Cher, 1 sur 23 et pour l'Aube, 0 sur 21. Cela signifie que dans l'établissement de cet état, on ne s'est pas préoccupé de chercher dans chaque département une proportion à peu près fixe d'individus considérés comme plus dangereux que les autres inscrits. On peut également supposer que c'est l'autorité départementale qui a signalé au ministère de l'Intérieur ces éléments les plus dangereux et que le jugement du préfet, subjectif, a fait désigner dans un département tel dont le cas dans un autre aurait été jugé beaucoup moins grave.

Les notes consacrées à chacun de ces « révolutionnaires » sont d'ampleur très variée et de nature très différente des notices du Carnet B : pour certains quelques lignes, pour d'autres plusieurs pages, la longueur ou la brièveté n'étant d'ailleurs pas toujours en rapport avec l'importance du personnage.

Les renseignements ne sont pas les mêmes d'une note à l'autre : pour l'un manquent la date ou le lieu de naissance, pour l'autre la profession, la résidence... Ces fiches sont donc loin d'avoir été faites sur un modèle unique et de façon systématique. Elles donnent l'impression d'une sorte de brouillon plus ou moins chronologique dont la synthèse resterait à faire. Ceci est d'ailleurs logique dans la mesure où pour tous ces hommes, nul ne pouvait affirmer qu'environ deux ans plus tard, l'éclatement de la guerre permettrait de tirer un trait, soit sur leur carrière de militant, soit sur une phase bien déterminée de cette carrière. Ces fiches étaient donc par nature éminemment provisoires.

Pour l'essentiel, ces documents rassemblent des déclarations faites dans des meetings, déclarations souvent fracassantes — mais coupées de leur contexte — et fort peu d'actes. Cependant ils signalent également les meneurs de mouvements de grève, les présomptions de sabotage, les poursuites engagées, les condamnations subies par les uns ou par les autres.

Malgré des renseignements souvent incomplets, un certain nombre d'observations peuvent être faites : sur 195 de ces révolutionnaires dont la profession est indiquée, 121 sont des ouvriers : ils forment donc la majorité, mais dans une proportion tout juste supérieure à 60 %. Or dans les Carnets B que nous avons analysés, les ouvriers forment en général la presque totalité des listes. Un assez grand nombre d'autres inscrits sont des artisans : cordonniers (8), coiffeurs (3), débitants de boissons (6)... (Ces derniers étaient souvent d'ailleurs des ouvriers qui, renvoyés et ne trouvant plus de travail, ouvraient un petit estaminet). N'est-ce pas là simplement l'héritage du mouvement ouvrier français qui, au XIXᵉ siècle recrutait principalement chez les artisans : un certain nombre d'entre eux sont restés les cadres du mouvement ouvrier moderne.

L'examen des professions permet encore une remarque : le nombre assez élevé (8) de cheminots révoqués après la grève de 1910 qui figurent sur cette liste.

Environ 120 de ces inscrits sont anarchistes, libertaires..., mais plus de 20 autres sont simplement accusés d'être révolutionnaires, ce qui semble avoir le même sens sous la plume des rédacteurs, et une dizaine, syndicalistes-révolutionnaires dont les liens avec l'anarchie sont connus. Si l'on ajoute que pour 20, l'option politique n'est pas indiquée, cela donne aux différentes nuances de l'anarchie une énorme prépondérance.

Cependant les anarchistes ne sont pas seuls à être inscrits : il y a 8 socialistes unifiés et 8 autres sont désignés comme socialistes-révolutionnaires : ce sont probablement là encore d'ex-blanquistes intégrés ensuite au parti socialiste ou bien peut-être faut-il comprendre, d'après le contexte, tout simplement des Hervéistes en rupture de ban avec le Parti unifié.

Dans cet état, le nombre des cadres syndicaux est également considérable : compte tenu des omissions sûrement nombreuses, figurent ici 18 secrétaires anciens ou en exercice d'une Bourse du Travail ou d'une Union des Syndicats départementaux (1), une cinquantaine d'autres ont des responsabilités syndicales importantes, soit sur le plan départemental, soit sur le plan national, tels dans les Bouches-du-Rhône, Ange Rivelli, secrétaire de la Fédération Nationale des Inscrits maritimes, ou encore dans l'Eure, Yves-Marie Bidamant, membre du Conseil d'administration du Syndicat National des Cheminots et un des principaux protagonistes de la grève de 1910.

Cependant, si, dans certains départements, presque tous les inscrits ont des responsabilités syndicales, comme dans la Gironde, dans d'autres, ils n'en ont pas ou très peu : ainsi dans le Rhône ou le Nord. C'est là, semble-t-il, la traduction de la domination des syndicats locaux soit par les éléments révolutionnaires, soit par les éléments réformistes qui, eux, n'étaient pas justiciables du Carnet B.

Mais pour les autorités, un caractère essentiel est l'attitude face à la défense nationale : si seulement un peu plus d'une centaine sont nommément indiqués comme « antimilitaristes », pour la plupart des autres, leurs déclarations permettent de les ranger dans la même catégorie : en fait c'est le dénominateur commun de ces révolutionnaires. Mais est-ce un antimilitarisme organisé ? Il est fait souvent allusion à des groupes anarchistes, révolutionnaires, antimilitaristes (2) dont les personnages retenus étaient secrétaires, « chefs » ou jouaient un rôle déterminant.

---

(1) Bourses du Travail de Saint-Quentin, Sedan, Bourges, Nîmes, Bordeaux, Chaumont, Brest, Nancy, Lorient, Oullins, Toulon. Union des Syndicats des Alpes-Maritimes, Ardennes, Meurthe-et-Moselle, du Havre, Var.

(2) Par exemple, les groupes de Montluçon, Nouzon (Ardennes), Saint-Etienne, de l'Aube Nouvelle à Nantes, Chaumont, de la Fédération révolutionnaire du Nord-Pas-de-Calais, Villefranche, Oullins, Montceau-les-Mines, Epinac, Le Havre, Rouen, Argenteuil, Auxerre...

Existe-t-il une certaine liaison nationale entre ces groupes ? Sans en exagérer l'importance, il faut remarquer les très fréquentes références à la *Guerre Sociale*. Beaucoup d'inscrits sont les correspondants de ce journal et, qu'ils soient anarchistes, syndicalistes ou socialistes, c'est autour de G. Hervé que le rassemblement paraît se faire. L'exemple de l'Yonne est démonstratif. 10 noms cités : parmi eux des anarchistes et des socialistes (3), mais plus ou moins brouillés avec leur parti ; ils essaient de mettre sur pied la Fédération socialiste-révolutionnaire de l'Yonne qui aurait pu être le point de départ de ce grand parti révolutionnaire et antimilitariste, dont l'Hervéisme aurait été la doctrine. Ceci est compréhensible dans la mesure où ces listes furent établies en 1911-1912 avant le déclin de l'Hervéisme.

La liste des « principaux révolutionnaires de Paris et de la Seine » comporte 142 noms : si les « provinciaux » sont, à part quelques exceptions, peu connus, sauf peut-être sur le plan local, il n'en est pas de même pour les « parisiens ». On peut relever sur la liste les noms des dirigeants de la C.G.T., Bourderon, Merrheim, Péricat, Monatte, Georges Yvetot, secrétaire de la C.G.T. au titre de la section des Bourses du Travail, l'ancien secrétaire général et le nouveau, Griffuelhes et Léon Jouhaux, le trésorier Marck et son adjoint G. Dumoulin, les secrétaires de l'Union des Syndicats de la Seine, Bled, Marie et Savoie, deux des « héros » du procès intenté au Sou du Soldat du Syndicat parisien de la Maçonnerie et de la Pierre, Dumont et Viau, les journalistes et théoriciens de l'Anarchie, Sébastien Faure, Jean Grave « un des doyens de l'Anarchie », Charles Malato, Pouget, de l'ancien *Père Peinard,* Lorulot, Henri Combes, le chansonnier Montéhus, le secrétaire du Comité de Défense sociale, Jean-Louis Thuillier, et bien sûr, le « général » Gustave Hervé et ses principaux lieutenants parmi lesquels Miguel Almereyda, Bruckère, Goldsky, Merle, Victor Méric.

Sauf Gustave Hervé, il n'y a pas un seul socialiste parmi ceux que nous avons cités et d'ailleurs dans la liste complète, il n'y en a pas non plus.

Comme pour les révolutionnaires de province, une question préalable se pose : cette liste est-elle uniquement formée d'inscrits au Carnet B ? Cela n'est indiqué que pour 7 ; pour 16 autres nous avons mention de leur appartenance au Carnet B dans l'état établi en 1915 ou 1916 « de la situation militaire des militants anarchistes, syndicalistes et socialistes

---

(3) Parmi les 10, Aristide Jobert qui est élu député socialiste de l'Yonne en 1914, et qui est ainsi désigné : « Hervéiste, antimilitariste, antipatriote ».

qui se sont signalés depuis la mobilisation par leur attitude révolutionnaire ou pacifiste » ; pour d'autres encore, il semble évident que l'on n'aurait pas fiché au Carnet B, par exemple, les Hervéistes « du rang » en laissant de côté les chefs, et enfin il apparaît logique de considérer que la composition de l'état des « principaux révolutionnaires de Paris » a répondu aux mêmes principes que celui des « provinciaux ».

45 sont des ouvriers au moins d'origine, car il y a parmi eux de nombreux « fonctionnaires » syndicaux, mais il n'est pas indiqué de profession pour 55 sur 142. La proportion d'ouvriers dans ces conditions n'est guère supérieure à 50 %, mais il n'est pas étonnant que dans le milieu parisien, les militants politiques professionnels, les publiscistes plus ou moins d'occasion (4) soient assez nombreux, de même que les représentants d'autres fractions sociales, tels les employés de commerce. D'ailleurs le mouvement ouvrier a toujours recruté une partie de ses cadres dans d'autres milieux sociaux.

Sur le plan politique, cette liste parisienne est dominée par deux tendances, les anarchistes au nombre de 90 — la plupart ont rejoint la Fédération Communiste Révolutionnaire — et les Syndicalistes révolutionnaires au nombre de 30, mais dont quelques-uns sont également notés comme anarchistes.

D'autres groupements apparaissent : celui des jeunes gardes révolutionnaires, cette organisation qu'Hervé avait créé pour faire pièce aux Camelots du Roi, représentés par 18 des leurs, et « l'Organisation de Combat » dont 15 membres sont fichés (5).

Mais c'est surtout sur le plan syndical que les inscrits de la région parisienne sont représentatifs : 60 occupent des fonctions importantes à la tête des syndicats parisiens ou nationaux (6), de nombreux inscrits sont

---

(4) Les rédacteurs de la *Guerre Sociale* figurent en grand nombre sur cet état, en même temps que ceux de journaux moins « spécialisés », *le Libertaire, les Temps nouveaux*

(5) Cf. 1re partie, chap. 2, p. 66.

(6) Les secrétaires :
du Syndicat parisien des charpentiers en fer,
    »   des Employés de Paris,
    »   des charpentiers en bois de Paris,
    »   des couvreurs-plombiers-zingueurs de Paris,
    »   des bijoutiers,
    »   parisien de la Maçonnerie et de la Pierre,
    »   des cochers-livreurs,
    »   parisien des travailleurs du papier et du carton,
    »   des gaziers,
    »   des terrassiers,
    »   des menuisiers de Paris,

également les délégués des Bourses de province auprès de la C.G.T., puisque celles-ci avaient l'habitude de se faire représenter par des militants parisiens.

Evidemment, enfin, la plupart sont taxés d'antimilitarisme.

Derrière une certaine différence de tonalité due aux critères de leur composition, ces listes finalement confirment la physionomie du Carnet B, telle que les dossiers des Archives départementales nous l'on fait connaître.

---

des chambres syndicales des employés de commerce,
       »   des pompes funèbres,
       »   des ouvriers briqueteurs et aides du département de la Seine,
       »   de l'Union des métaux,
de la Fédération horticole,
       »   agricole du Midi,
       »   nationale des dockers,
       »   du Tonneau,
       »   de l'Alimentation,
       »   de la Voiture,
       »   des scieurs-découpeurs,
       »   des Cuirs et Peaux,
       »   des maréchaux-ferrants,
       »   de la Bijouterie-Orfévrerie,
       »   des métaux.

CONCLUSIONS

Notre propos n'était pas d'étudier l'antimilitarisme dans la période précédant la guerre de 1914, ni d'en évaluer l'extension réelle ; cela aurait exigé de faire appel à des sources infiniment plus importantes que celles que nous avons utilisées ici et de procéder à bien d'autres investigations ; il aurait fallu en particulier non plus se maintenir à la surface, mais pénétrer dans les profondeurs d'un secteur de l'opinion publique, parvenir à analyser non plus seulement les attitudes extérieures, mais à déterminer les sentiments intimes, ces sentiments qui peuvent transformer les paroles en actions ou encore qui limitent l'action à des paroles.

Nous avons visé le but plus modeste d'apprécier comment les pouvoirs publics ont réagi face à l'antimilitarisme.

Pour juger de l'antimilitarisme, les autorités ont disposé de multiples sources de renseignements : compte rendus de réunions effectués par les commissaires, articles de journaux, affiches, manifestations, brochures éditées au grand jour ou clandestinement, rapports fournis par les informateurs sur les réunions de tel ou tel groupement. De ces différentes informations, l'Administration a tiré la conviction que le mouvement ouvrier s'était imprégné progressivement de la haine de la Patrie et de l'Armée, et qu'en cas de mobilisation, il chercherait à saboter celle-ci.

Conviction gratuite ? Certes non, puisque ces conceptions et ces intentions, le mouvement ouvrier les a proclamées à de très nombreuses reprises. Tout le mouvement ouvrier ? Non, car les socialistes, sauf dans leur frange hervéiste, sont en général plus circonspects. Ce que les socialistes haïssent, et ils ne s'en cachent pas, c'est la guerre, la « guerre impérialiste », et ils luttent contre tout ce qui peut la provoquer. Ils voudraient pouvoir l'empêcher par un mouvement simultané des classes ouvrières des différents pays, mais de là à saboter une mobilisation, de là à faire sauter les rails ou les ponts... !

L'attitude des anarchistes et des syndicalistes-révolutionnaires est à la fois plus véhémente et plus complexe : eux aussi haïssent la guerre, mais ils ont en quelque sorte incarné cette haine et son objet presque exclusif est l'Armée, parce que l'Armée est l'instrument de la guerre impérialiste, mais aussi plus encore peut-être, parce que l'Armée est l'instrument de la « guerre sociale », parce que l'Armée est la force de police qu'ils trouvent toujours en face d'eux dans les grèves.

Cette haine de l'Armée peut paraître paradoxale dans un pays où le service militaire fait de tous les Français des soldats au moins temporaires, mais justement chacun rapporte de son temps de service, les souvenirs des humiliations subies au nom d'une discipline souvent nécessaire, mais quelquefois aveugle, les souvenirs du pouvoir presque discrétionnaire des gradés placés dans la pratique au-dessus ou à côté des lois. La haine de l'Armée, c'est surtout celle des officiers considérés en bloc comme la caste ennemie par excellence.

Les militants ouvriers admettent mal également que leurs camarades d'hier, que leurs enfants puissent être utilisés contre eux, qu'un ouvrier syndiqué parce qu'il est revêtu de l'uniforme militaire puisse être obligé de tirer sur d'autres ouvriers, sur d'autres syndiqués.

L'Armée est devenue le symbole d'une Société dans laquelle ils estiment que les ouvriers n'ont pas leur place, d'une Patrie dont ils disent qu'elle n'est pas la leur, qu'elle n'est qu'une valeur truquée et pour laquelle ils ne veulent pas se battre ; ils veulent empêcher qu'on les y force.

C'est tout cela qui est contenu dans les déclarations, les affiches, les brochures que les autorités ont collationnées.

Mais dans les documents que nous avons analysés, il n'apparaît guère que les autorités se soient souciées de faire le départ entre les divers composants de l'antimilitarisme ouvrier : elles n'ont pas pris conscience de ce véritable transfert qui s'est effectué, de la haine de la guerre à la haine de l'Armée ; elles n'ont donc pas cherché par une discipline militaire plus humaine et surtout en enlevant à l'Armée son rôle dans le maintien de l'ordre, à désamorcer l'antimilitarisme populaire. L'antimilitarisme sous toutes ces formes, l'antipatriotisme, le Sou du Soldat, les projets de sabotage de la mobilisation ont été pris en bloc et combattus en bloc.

Il apparaît également qu'au fil des années la Sûreté Générale a émis de plus en plus de craintes devant un mouvement multiforme et diffus qui lui semblait gagner en profondeur : il n'y a aucune tentative de délimiter quelles couches de la classe ouvrière étaient vraiment concernées : le monde ouvrier est vu comme une masse compacte et hostile, très largement dominée par les idées nouvelles, ce qui est fort excessif.

Dans ces conditions, pour endiguer le flot de l'antipatriotisme, il ne restait plus qu'à réprimer, et pour ce faire, il fallait d'abord convaincre le pouvoir politique du danger : c'est un des buts des « rapports de synthèse » visant, par l'accumulation des faits, à établir la réalité de la montée des périls, d'autant plus que les autorités avaient spontanément tendance à réagir avec mesure et nuances. Bien sûr, les gouvernements ont adressé des instructions comminatoires et répétées, mais celles-ci furent appliquées avec une certaine mansuétude par les autorités locales, moins d'ailleurs par une compréhension plus ou moins grande des mobiles du mouvement ouvrier que par une appréciation diverse du danger réellement représenté.

Il faut dire qu'il était également bien souvent difficile de faire le départ devant les tribunaux entre ce qui était atteinte à l'ordre public ou à la sûreté de l'Etat et ce qui était seulement la manifestation publique d'une conviction politique, donc une démarche légale.

De plus, à l'échelon local, tel ou tel acte pouvait paraître d'importance médiocre.

Cependant, avec les années, les poursuites, les arrestations, les condamnations (1) se sont multipliées, les surveillances se sont renforcées, les interdictions d'affichage, de réunions, de spectacles se sont accrues.

Mais cette vigilance minutieuse, cette alerte constante n'apaisent pas toute crainte d'une véritable explosion en cas de guerre : l'antimilitarisme apparaît trop enraciné pour pouvoir être arraché par des moyens partiels. Il est nécessaire lors d'une éventuelle mobilisation de disposer d'une arme globale, c'est le Carnet B.

Destiné à l'origine à recenser les suspects d'espionnage, le Carnet B a perdu pour l'essentiel ce rôle depuis 1909. Sans doute ceux-ci restent inscrits, mais leur nombre n'est important que dans les départements proches de la frontière allemande. Le Carnet B est devenu une institution chargée de parer à un éventuel sabotage de la mobilisation par le mouvement ouvrier, éventualité que décidément les autorités étaient loin de mépriser, même si elles avaient plus de moyens de réagir que ne pouvaient le laisser supposer les déclarations un peu fanfaronnes de bien des militants révolutionnaires.

Cette fonction admise, il ne semble pas que le Carnet B ait été un document fantaisiste comme on l'a souvent dit par la suite. Certes, comme toutes les entreprises de ce genre, celle-ci pouvait donner lieu à des

_____

(1) Les condamnations étaient souvent fort sévères et beaucoup d'antimilitaristes ont fait de longs séjours en prison : à titre d'exemple, G. Hervé recueillit de nombreuses années de prison.

interprétations d'une extension variée : les préfets n'avaient pas tous, surtout au début, la même notion de ce qui pouvait mettre la Défense Nationale en péril. Pour certains, le fait d'être d'opinions révolutionnaires semblait suffisant, et encore en avril 1914, le ministre de l'Intérieur rappelait au préfet des Vosges (2) à propos d'un inscrit douteux :

« qu'il devait être bien examiné si le sieur N. doit ou non être tenu comme susceptible d'entraver le bon fonctionnement de la mobilisation. *C'est en effet le seul motif qui puisse être retenu pour justifier son inscription au Carnet B.* »

Il faut dire d'ailleurs que la tâche des préfets n'était pas simple. Si les décisions étaient prises au vu d'un dossier, résultat souvent d'enquêtes minutieuses, il manquait l'essentiel, c'est-à-dire la possibilité de déterminer les ressorts psychologiques qui feraient ou ne feraient pas agir tel ou tel homme, dans telle ou telle circonstance.

Mais les inscriptions opérées étaient réexaminées chaque année, et pas seulement pour la forme — nous en avons la preuve au moins dans certains cas ; elles donnaient lieu à correspondance et consultation entre administrations civiles et militaires intéressées. Les inscriptions n'étaient pas — c'est le moins qu'on puisse dire à consulter ces dossiers épais — le fruit de l'improvisation, une fois les errements du début passés. On aurait donc tort de prendre le Carnet B pour un document fourre-tout où l'Administration plaçait tous ceux qui s'étaient fait remarquer, fût-ce pour une incartade mineure.

La composition du Carnet B le confirme. D'abord sa composition purement sociale. On y trouve sans doute quelques représentants de cette frange indécise qui se situe aux frontières du prolétariat, déclassés, repris de justice..., mais il y en a peu, et c'est d'ailleurs dans cette catégorie que les choix sont les plus incertains. Mais l'essentiel du Carnet n'est pas là : la majorité est constituée d'ouvriers du rang, bien plantés dans la vie et dans leur vie professionnelle, des hommes ayant une situation de famille bien définie, un domicile connu, un métier et une profession stables, des hommes dont les liens avec le monde du travail sont étroits et directs.

Bien sûr, stabilité relative en rapport avec les conditions de l'époque : chaque Carnet B départemental s'est vu amputé ou grossi d'inscrits « mutés ». C'est qu'un changement de travail provoque souvent un changement de résidence. Or beaucoup d'inscrits au Carnet, placés en point de mire par leur activité politique, étaient amenés, s'ils perdaient leur emploi, à quitter le département pour retrouver de l'embauche.

_____

(2) A.D. Vosges, 8 bis M 42.

Il est vrai également que tous les inscrits ne sont pas des ouvriers : cela est sensible dans un département comme les Vosges et encore plus dans les listes des principaux révolutionnaires de Paris et de province. C'est que dans ce dernier cas et même dans les Vosges où les inscriptions semblent avoir été étroites, nous avons affaire à des cadres plus qu'aux simples militants et les cadres du mouvement ouvrier n'ont jamais été composés uniquement d'ouvriers.

La composition politique du Carnet confirme de même sa significaton et sa portée réelle : des militants socialistes sont inscrits au Carnet B, mais pas n'importe lesquels : d'une façon générale le fait d'être un cadre socialiste met à l'abri de l'inscription ; la politique même « unifiée » est honorable avant 1914. Nous n'avons en fait relevé en tout et pour tout que deux dirigeants socialistes, G. Hervé, dont le moins qu'on puisse dire est qu'il était un franc-tireur du Parti socialiste et Aristide Jobert, qui allait devenir député de l'Yonne, mais qui est un fidèle de G. Hervé.

A l'échelon local, les choses sont différentes : la lutte contre le danger de guerre a été vigoureusement menée par bon nombre de socialistes et cette action était fortement teintée d'antimilitarisme, de sorte que ceux-là ont été inscrits au Carnet. Il en est de même des socialistes-révolutionnaires qui conservaient les traditions blanquistes et se sont longtemps mal fondus dans l'ensemble du P.S.U.

La proportion des socialistes reste cependant faible et on peut dire que l'on était inscrit bien que socialiste et non parce que socialiste.

Le gros du Carnet est en fait composé d'anarchistes. Là encore il faut préciser : si les anarchistes sont les plus nombreux à être inscrits, tous les anarchistes ne le sont pas, loin s'en faut. Parmi les copieuses collections d'anarchistes dont disposaient les préfets, un choix a été opéré. L'anarchiste isolé n'intéresse guère le Carnet ; ce qui inquiète, ce sont les groupements d'anarchistes qui, sous des vocables divers, existent dans de nombreuses villes et surtout la fraction des anarchistes qui militent dans le mouvement syndical, la fraction syndicaliste-révolutionnaire. Il n'y a aucun doute : sur le plan local comme sur le plan national, le Carnet B est surtout la fraction révolutionnaire de la C.G.T. et ce l'est d'autant plus avec le déclin de l'Hervéisme.

De la composition sociale comme de la structure politique du Carnet B, il résulte donc qu'on ne saurait faire de l'antimilitarisme d'avant 1914 un courant marginal animé par quelques rêveurs et déclassés : l'antimilitarisme est, bien au contraire, au cœur de la pensée politique du mouvement ouvrier. Ce sont les représentants authentiques de la classe ouvrière organisée qui sont fichés comme antimilitaristes : l'influence des idées pacifistes et antimilitaristes a incontestablement pénétré la classe ouvrière, dans la mesure où celle-ci était influencée par la C.G.T., c'est-à-dire que la force de l'antimilitarisme peut assez bien être définie par la force de la C.G.T.

Les autorités étaient convaincues que le mouvement antimilitariste était un danger pour une éventuelle mobilisation et elles pensaient avoir pris, avec l'établissement du Carnet B, la mesure préventive efficace qui éliminerait immédiatement les dirigeants éventuels du mouvement.

Cette conviction n'était pas due à la découverte de plans d'action, de groupes hiérarchisés et entraînés, de dépôts d'armes. Bien sûr, certains groupes d'anarchistes avaient établi quelques plans, mais la disproportion de ceux-ci avec les moyens utilisables et l'opposition prévisible des autorités les rendaient bien fantaisistes, d'autant plus, qu'en général, la police les connaissait. Les autorités n'ont pu apporter la preuve que de la formation d'un état d'esprit. Il est symptomatique que les notices de renseignements comportent plus souvent un relevé de déclarations que d'actes. On ne dit pas que les suspects sont des saboteurs, sauf dans certains cas très limités, mais qu'ils pourraient l'être dans la mesure où ils s'affirment partisans du sabotage.

De plus, dans les années précédant la guerre, le mouvement ouvrier était dans une phase de retrait : la C.G.T. est en repli, l'échec de la grève des Cheminots, le procès du Sou du Soldat l'ont affaiblie et, à son repli, correspond un affaissement du mouvement antimilitariste.

Les craintes gouvernementales étaient-elles donc dépassées, exagérées, vaines ? Il serait bien hardi de répondre à cette question.

Les inscrits au Carnet B étaient des hommes qui avaient proclamé leur volonté de s'opposer par tous les moyens à la guerre. Ces moyens, ils n'avaient pas commencé à les mettre en pratique ; ils s'étaient contentés d'en parler. Mais ils étaient les cadres d'un mouvement de protestation de la classe ouvrière française contre une guerre éventuelle.

Les circonstances du déclenchement de la guerre de 1914 ont été telles que tous les mouvements antérieurs d'opposition se sont dissipés comme volutes de fumée. Il n'y a cependant pas de fumée sans feu, dit la sagesse populaire.

Que se serait-il passé en d'autres circonstances ?

ANNEXES

A 1

APPEL lancé par la C.G.T. à la veille du départ de la classe 1900

« Nous savons tous que, dès que l'un des nôtres devient soldat, il rompt tous liens avec ses camarades de la veille et absorbé par les inutiles autant qu'absurdes exercices militaires, il désapprend son métier, perd le goût du travail et, ce qui est encore plus triste, il oublie trop souvent qu'il est un homme et que ses 3 ans de caserne accomplis, il cessera d'être le défenseur armé du Capital pour redevenir jusqu'à la tombe, l'éternel exploité [...].

Il faut qu'il se trouve entouré d'amis qui [...] lui rappellent, que soldat par la loi, il ne doit jamais commettre le crime de lever contre ses frères de travail l'arme que lui ont confiée ses ennemis de classe [...]. »

(Extraits) A.N. F 7 133333.

A 2

Circulaire du Syndicat des Mineurs de la Ricamarie (septembre 1911)

« Camarades, une fois de plus, le Conseil d'Administration du Syndicat des Mineurs fait un pressant appel à tous les mineurs de cœur et soucieux de leurs intérêts, et en même temps fiers de leur corporation, non encore syndiqués, et en particulier les jeunes gens qui voudraient bénéficier du Sou du Soldat adopté dans une récente réunion générale.

Qui de vous, jeunes ouvriers d'aujourd'hui et soldats de demain, ne serez-vous pas heureux et contents de recevoir tous les mois quelques piécettes blanches pour améliorer votre ordinaire de régiment ou pour prendre de douces parties de plaisir dans vos moments de loisir et de permission qui adouciraient vos tristesses en pensant que vous êtes sous le joug d'une rigoureuse discipline aux profits et aux honneurs des gros bourgeois et des capitalistes. C'est pourquoi nous pensons et comptons sur vous en grand nombre pour vous faire inscrire à partir de 18 ou 19 ans au moins pour pouvoir en bénéficier quand vous serez incorporés, et l'on ne pourra pas nous dire que les ouvriers ricamariens sont des arriérés, qu'on puisse compter et marcher au premier rang, tout à l'honneur de notre vaillante cité [...]. »

(A.N. F 7 12911).

A 3

Circulaire du Syndicat des Préparateurs en Pharmacie
(7 janvier 1914)

« [...] Nous espérons que vous n'oubliez pas vos camarades et que l'uniforme dont on vous a affublé ne vous donne pas un faux orgueil, ni une mentalité rétrograde. Nous espérons aussi que le servage qui vous est imposé ne vous est pas trop pénible.

Je vous demande de m'accuser réception du bon de poste et en même temps de me donner une adresse en ville.

Si vous êtes isolé, je vous conseille fort d'aller voir le Secrétaire de la Bourse du Travail de votre ville [...].

Signé : J. Schmit.

A.N. F 7 13333.

A 4

Circulaire de la Chambre Syndicale de la Pierre
et parties similaires du Département de la Seine
(mai 1914)

« L'insouciante imprévoyance de la multitude a laissé s'accomplir le projet liberticide, artificieusement préparé par nos cabotins de la politique [...].

La misère engendrée qui va s'accroissant chaque jour et dont nous sommes menacés augmente singulièrement l'impopularité de l'entreprise troisanniste [...].

Nous a-t-on répété, clamé sur tous les tons que notre frontière était à la merci d'une attaque brusque des étrangers, si on ne levait pas immédiatement une troisième classe pour renforcer les effectifs encasernés ! Que voit-on ?

Depuis que nos discoureurs ont obtenu gain de cause, cette frontière que l'on voulait inviolable, reste grande ouverte aux centaines de milliers d'ouvriers recrutés hors frontière par nos exploiteurs de tout acabit, du patriotisme en particulier.

C'est ainsi qu'un chômage intense, inconnu depuis de nombreuses années à Paris, a été créé, menaçant sérieusement les quelques libertés qui nous restent, tout effort combattif devenant difficile, sinon impossible quand la faim tenaille les entrailles [...].

Ainsi nous avons l'absolue conviction que le premier mai 1914 sera le point de départ d'un mouvement protestataire grandiose, dont l'importance grandissante par la suite, acquerra avant peu une puissance assez formidable pour renverser les bastilles édifiées par la bourgeoisie pour entraver toute tentative d'émancipation de l'avenir [...]. »

A.N. F 7 13333.

A 5

Manifeste de la C.G.T. établi au Comité Confédéral du 7 avril 1914
et publié par la *Bataille Syndicaliste* du 14 avril

ASSEZ DE BOUE ! PLACE AU PEUPLE !

« Une fois de plus, les lois scélérates, condamnées par toutes les consciences honnêtes, viennent d'être appliquées aux syndicalistes.

165 mois de prison, tel est le bilan de la dernière comédie judiciaire.

Le Sou du Soldat syndical poursuivi, condamné ; le Sou du Soldat catholique permis, reconnu, licite ; voilà ce que proclame la logique bourgeoise.

En prison, les militants ouvriers !

En liberté, les financiers escrocs, les ministres concussionnaires et détrousseurs d'Archives, les parlementaires « affairistes » !

La loyauté, la probité, l'honnêteté sont déclarés défauts ; la fourberie, le reniement, la malhonnêteté constituent des qualités.

Les premières ouvrent les portes des geôles, les secondes mènent au pouvoir.

La justice n'existe plus, les juges agissent selon les ordres reçus.

CLASSE OUVRIERE !

Toute cette corruption te montre un régime qui finit. Cette marée de boue qui monte sans cesse est précurseur d'une fin sociale.

Puise dans l'arbitraire qui te frappe, qui frappe tes militants, la force et la conscience nécessaire pour donner ton dernier coup d'épaule.

Prépare-toi à agir !

Dans les bagnes militaires, tes frères soldats te font appel. Dans les prisons civiles, les détenus politiques attendent toujours leur liberté.

LAW — au bagne depuis 1906 — pour un coup de revolver qui ne tua personne, réclame ton intervention.

L'antimilitarisme ouvrier, le Sou du Soldat syndical doivent poursuivre leur tâche de solidarité et d'éducation.

Une tâche immense t'est dévolue !

Pour la réaliser, réagis sur toi-même, sur l'atmsophère déprimante avec laquelle on t'empoisonne dans l'espérance de diminuer ton courage, de faire fléchir ta volonté ; 165 mois de prison aux tiens, c'est le coup de clairon qui te sonne le réveil !

Que le 1er mai prochain soit ton premier geste !

Le Comité Confédéral.

A 6

Déclaration du Congrès Extraordinaire du Parti socialiste unifié
(21 novembre 1912)

« Le Congrès national du Parti socialiste constate avec joie que les prolétaires français répondant à l'appel de l'Internationale ont manifesté contre la guerre.

Il voit dans ces manifestations le prélude d'un effort d'organisation qui seul permettra à la Classe ouvrière de notre pays de remplir son devoir.

Jamais ne fut plus impérieuse la nécessité de lutter contre toutes les menaces de conflit. Jamais guerre plus monstrueuse, plus antinationale et plus antihumaine n'aurait éclaté sur l'Europe.

Si les grandes nations européennes y étaient entraînées, ce ne serait ni par souci de leur indépendance, ni par des raisons vitales, mais par l'aberration la plus folle et les combinaisons les plus artificielles. Ni les travailleurs, ni les démocrates de France ne permettront que notre pays soit jeté dans le conflit le plus horrible par des traités secrets dont la démocratie ne connaît aucune clause. C'est pour épargner à la civilisation le plus cruel désastre, à la race humaine la plus douloureuse épreuve, à la raison l'humiliation la plus funeste, que les prolétaires français lutteront à fond contre toute tentative de guerre.

Ils useront pour la prévenir de tous les moyens légaux. Au Parlement, ils appelleront la lumière sur les traités secrets. Ils insisteront pour les procédures d'arbitrage totales. Ils dénonceront les vues exclusives et étroites dans la diplomatie. Dans le pays, ils multiplieront les réunions, les manifestations de masse pour éveiller les citoyens de leur torpeur et pour les prévenir du mensonge.

Et si malgré leurs efforts des minorités imprudentes déchaînent le conflit, si la France est jetée à la guerre par des combinaisons de diplomatie occultes, les travailleurs et les socialistes de France auront le droit de dire, avec la pleine conscience de leurs possibilités, que jamais ne fut plus justifié, pour les peuples, qu'on tenterait de mettre aux prises, le recours aux moyens révolutionnaires, grève générale ou insurrection afin de prévenir ou d'arrêter le conflit et d'arracher le pouvoir aux classes dirigeantes qui auraient déchaîné la guerre.

Le Congrès est convaincu que la meilleure garantie de la paix est que les gouvernements sachent bien qu'ils ne pourront sans péril pour eux-mêmes, provoquer le désastre d'un conflit universel.

Il espère que l'effort commun de propagande et d'action des prolétaires de tous les pays préviendra l'explosion de guerre générale, dont le monde est périodiquement menacée.

Il donne à ses délégués au Congrès de Bâle mandat de travailler, en plein accord avec l'Internationale et, par une résolution unanime, à intensifier partout la propagande et l'action contre la guerre.

(ratifiée à l'unanimité).

A 7

Affiche de la C.G.T. « Contre la Guerre »
(11 janvier 1906)

« Travailleurs,

Demain peut-être, nous serons en face d'un fait accompli : la Guerre DECLAREE !

Depuis cinq ans, un parti colonial français dont Delcassé fut l'homme-lige prépare la conquête du Maroc. Capitalistes et officiers poussent à l'invasion de ce pays. Les uns pour tripoter et s'enrichir, les autres pour ramasser dans le sang galons et lauriers.

L'Allemagne capitaliste et militariste, désireuse d'avoir elle aussi sa part de butin, s'est interposée.

Les gouvernants allemands et français, fidèles serviteurs des intérêts capitalistes seuls en cause, ont élevé ces querelles entre agioteurs à l'état de conflit aigu.

Pour assouvir les appétits illimités de cette coalition d'intérêts, les dirigeants des deux pays sont prêts à lancer les unes contre les autres, les masses ouvrières d'Allemagne et de France.

Qui ne frémit à l'horreur de ces carnages ? Des milliers d'hommes s'entrechoquant... — fusils à tir rapide, canons et mitrailleuses accomplissant leur œuvre de mort...

Qui pourrait calculer les milliards gaspillés, arrachés au travail des paysans et des ouvriers ?

Ce tableau n'a rien d'exagéré. Actuellement on arme dans les ports de guerre ; l'armée de terre est prête à partir.

En juin 1905, la déclaration de guerre ne fut évitée que par le départ de Delcassé. Depuis lors la guerre est à la merci du moindre incident. C'est tellement vrai que le 19 décembre 1905 l'ordre de rappel de l'Ambassadeur d'Allemagne à Paris ayant été connu par le gouvernement français, les communications téléphoniques restèrent suspendues pendant 4 heures, afin que le ministère pût, si besoin était, lancer les ordres de mobilisation en toute célérité.

La presse sait ces choses... et elle se tait.

Pourquoi ? C'est qu'on veut mettre le peuple dans l'obligation de marcher, prétextant d'HONNEUR NATIONAL, de guerre inévitable parce que défensive.

Et de la Conférence d'Algésiras que l'on nous présente comme devant solutionner pacifiquement le conflit, peut sortir la guerre.

Or **le peuple ne veut pas la guerre !** S'il était appelé à se prononcer, unanimement il affirmerait sa volonté de Paix.

La Classe ouvrière n'a aucun intérêt à la guerre. Elle seule en fait tous les frais, — payant de son travail et de son sang ! C'est donc à elle qu'il incombe de dire bien haut QU'ELLE VEUT LA PAIX A TOUT PRIX !

Travailleurs,

Ne nous laissons pas abuser par le mot : « Honneur national ». Ce n'est pas une lâcheté que de faire reculer la horde des financiers qui nous conduisent aux massacres.

D'ailleurs en Allemagne, comme en France, la communion d'idée est formelle sur ce point : le prolétariat des deux pays refuse de faire la guerre !

Ainsi que nous, autant que nous, nos frères les travailleurs d'Allemagne veulent la Paix. Comme nous, ils ont horreur des tueries. Comme nous, ils savent qu'une guerre, en satisfaisant les intérêts capitalistes, est préjudiciable à la cause de l'Emancipation Ouvrière.

Donc, par notre action commune et simultanée, forçons nos gouvernements respectifs à tenir compte de notre volonté.

Nous voulons la paix ! Refusons-nous à faire la guerre !

Le Comité Confédéral.
(publiée par la *Voix du Peuple*, 14 au 21 janvier 1906).

A 8

Résolution du Congrès de la C.G.T. d'Amiens sur l'antimilitarisme
(13 octobre 1906)

« Le Congrès de la C.G.T. tenant compte de la majorité significative qui s'est affirmée sur l'adoption des rapports du Comité confédéral, de la section des Bourses et de la Voix du Peuple, comprend que les ouvriers organisés de France, ont suffisamment démontré leur approbation de la propagande antimilitariste et antipatriotique ; cependant le Congrès affirme que la propagande antimilitariste et antipatriotique doit devenir toujours plus intense et toujours plus audacieuse.

Dans chaque grève, l'Armée est pour le patronat ; dans chaque conflit européen, dans chaque guerre entre nations, ou coloniale, la classe ouvrière est dupe et sacrifiée, au profit de la classe patronale, parasitaire et bourgeoise.

C'est pourquoi le 15ᵉ Congrès approuve et préconise toute action de propagande antimilitariste et antipatriotique qui peut seule compromettre la situation des arrivées et des arrivistes de toutes les classes et de toutes les écoles politiques. »

La motion a été rapportée par Yvetot et adoptée par 488 voix pour, 310 contre et 44 blancs.

En fait les « contre » se considéraient comme tout autant antipatriotiques que les auteurs de la motion, mais s'opposaient sur la formulation.

(*Voix du Peuple*, 28 octobre, 4 novembre 1906).

A 9

Affiche de la C.G.T. « Contre la Guerre »
(27 juillet 1911)

« Pour protester contre les manœuvres dangereuses des bandits coloniaux au Maroc, la C.G.T. organise pour le vendredi 4 août un grand meeting de protestation CONTRE LA GUERRE.

Après les incidents d'Agadir avec l'Allemagne, après ceux d'El-Ksar avec l'Espagne, il est nécessaire que la volonté ouvrière se manifeste.

Ces incidents peuvent demain se renouveler avec des conséquences plus tragiques.

Devant cette situation trouble, devant l'imminence du danger menaçant la paix du monde, rester indifférent serait lâche et dangereux.

En face de la coupable apathie du Parlement et de la servilité gouvernementale, la Classe ouvrière doit réagir.

Une guerre n'est possible qu'avec le consentement du peuple : avec nous, avec les délégués représentant des peuples frères, vous viendrez clamer votre volonté de vous opposer par tous les moyens à toutes les possibilités de guerre.

Pour faire cesser les agissements criminels des requins de la colonisation, vous assisterez nombreux à la

Grande Manifestation Ouvrière
qui aura lieu le
vendredi 4 août, 8 heures du soir, Salle Wagram,

avec le concours assuré d'orateurs Espagnols, Anglais, Allemands et Hollandais.

Prendront la parole pour la France :

L. Jouhaux, G. Yvetot, secrétaires de la C.G.T.	Savoie, Union des Syndicats de la Seine,
Merrheim, de la Métallurgie.	Péricat, du bâtiment.

A 10

Manifeste de la C.G.T. du 18 octobre 1912

« GUERRE A LA GUERRE »

« Dans les Balkans, la guerre est déclarée ! Monténégrins, Serbes, Bulgares et Turcs commencent à s'entr'égorger.

Ainsi l'Europe sortant de la crise que fit naître la France capitaliste et financière par son abominable agression contre le Maroc, voit surgir, dans le présent conflit, les redoutables possibilités d'une conflagration guerrière, dressant les unes contre les autres les puissances européennes.

Les désirs d'expansion territoriale de l'Autriche et de la Russie, la recherche de débouchés nouveaux pour certaines autres nations s'ajoutant aux convoitises des groupes financiers et industriels, mettent en péril la paix du monde.

Les excitations cléricales, les haines de race font de cette guerre, non pas seulement une vaste flibusterie capitaliste, mais une croisade fanatique.

Dans la complexité des intérêts engagés, dans le caractère implacable de cette guerre, peu de place est laissée aux espérances de la localiser, espérance avec laquelle la presse bourgeoise tente d'apaiser les inquiétudes populaires.

En effet à ce jour, les puissances n'ont pas su ou pas voulu empêcher la guerre. Pourquoi ? Parce que l'opinion publique est restée indifférente.

Les puissances voudront-elles, aujourd'hui, localiser le conflit et limiter la durée ? Oui, si l'opinion publique, enfin éclairée, veut et sait intervenir.

Si tous les partisans sincères de la paix entre les peuples ne se montrent pas vigilants et actifs, en élevant une vigoureuse protestation, ils risquent de voir les événements se précipiter et de se trouver désemparés devant la brutalité du fait accompli.

Quant aux travailleurs, leur haine de la guerre s'est trop souvent affirmée pour qu'ils restent impassibles.

Pour les uns comme pour les autres, c'est notre devoir et c'est notre intérêt d'intervenir.

Dans l'opposition nécessaire aux desseins criminels des gouvernements capitalistes et des sectes religieuses, la C.G.T. veut dresser les peuples dans une volonté unanime de paix.

C'est là une tâche dictée à la Confédération Générale du Travail par la résolution de son Congrès de Marseille qui dit : « le Congrès rappelle la formule de l'Internationale. Les TRAVAILLEURS N'ONT PAS DE PATRIE ! Qu'en conséquence une guerre n'est qu'un attentat contre la Classe ouvrière, qu'elle est un moyen terrible de diversion à ses revendications.

Le Congrès déclare qu'en cas de guerre entre puissances, les travailleurs doivent répondre à la déclaration de guerre par une déclaration de grève générale révolutionnaire. »

A L'OPINION PUBLIQUE

Une vigoureuse action s'impose ! Une vaste agitation populaire est nécessaire.

La C.G.T. pour les déterminer s'adresse à tous les hommes de cœur, à tous les prolétaires et leur crie : Soyez prêts à répondre à nos appels, à participer à nos démonstrations, à nos meetings !

Que de partout s'élèvent de formidables protestations !

La C.G.T. appelle à l'action nécessaire les travailleurs organisés de l'Internationale Ouvrière.

Et s'il est vrai qu'une concordance de vues anime en ce moment le gouvernement français et allemand dans une même tentative pour sauvegarder la paix européenne, il est d'autant plus indispensable aux peuples allemand et français d'être au premier rang de l'intervention et de la protestation imposées par cette redoutable éventualité : la GUERRE !

Le Comité Confédéral.

(publié par *la Bataille Syndicaliste*).

A 11

Circulaire confidentielle n° 50 du 8 mai 1911
du Président du Conseil (Monis) aux préfets, signée du sous-secrétaire d'Etat,
Emile Constant.

« Je suis informé que la Confédération Générale du Travail a invité les Bourses du Travail à lui communiquer les noms des jeunes gens qui accomplissent actuellement leur service militaire et qui étaient auparavant affiliés soit à des syndicats, soit aux Bourses du Travail, en indiquant d'une façon précise leur adresse au régiment, dans le but de leur faire parvenir des brochures de propagande antimilitariste et aussi pour les engager à refuser le service, au cas où ils seraient commandés pour maintenir l'ordre à l'occasion des grèves. La C.G.T. invite en même temps les militants du parti révolutionnaire à ne rien négliger pour assurer la propagation des doctrines antimilitaristes.

J'appelle votre attention sur l'intérêt qui s'attache à surveiller ce mouvement de la façon la plus active. Je vous recommande de me tenir exactement informé de tous les faits par lesquels il se manifeste dans votre département et de déférer au Parquet les auteurs de tous les actes délictueux qui auront pu être matériellement établis. »

A.D. Calvados, Série M.

A 11 bis

Circulaire confidentielle n° 62 du 31 mai 1911
du Président du Conseil (Monis) aux préfets

« A diverses reprises et notamment par trois circulaires en date des 23, 24 janvier 1911 et du 8 mai 1911, mon Administration vous a signalé l'intérêt qui s'attachait à ce que la propagande antimilitariste sous toutes ses formes fut surveillée de très près et à ce que le ministre de l'Intérieur fut tenu très exactement informé de tous les faits et actes par lesquels se manifeste un mouvement qui tend chaque jour à prendre plus d'extension et sur les dangers duquel je n'ai pas à insister, tellement peuvent en être graves les conséquences, tant au point de vue de la Défense Nationale qu'au point de vue du maintien de l'ordre à l'intérieur. Or j'ai le regret de constater presque journellement que la plupart des réunions, affiches, articles de journaux, spectacles et autres moyens de publicité employés par les meneurs des partis révolutionnaires pour propager les idées antimilitaristes passent inaperçus ou du moins ne sont pas signalés [...].

[D'où insistance pressante] « pour [que soient relevés] avec le plus grand soin tous les écrits, discours, chansons, pièces de théâtre, affiches, tracts, prospectus et autres procédés de propagande servant à la diffusion de ces doctrines.

Des procès-verbaux réguliers doivent être dressés contre les auteurs responsables et remis au Parquet avec toutes les indications utiles pour assurer la répression des délits constatés. C'est ainsi que s'il s'agit d'écrits, un exemplaire devra toujours être annexé au procès-verbal. S'il s'agit de paroles, on ne devra pas se borner à en relater le sens, mais en reproduire autant que possible la teneur même avec toute la précision et toute la fidélité requises en pareille matière... »

[Toutes les négligences sont menacées d'être durement sanctionnées].

A.D. Calvados, Série M.

A 12

Circulaire confidentielle n° 124 du 30 octobre 1911
du Président du Conseil (Caillaux) aux préfets

« J'ai le regret de constater que malgré des instructions fréquemment renouvelées par mon Administration, les mesures nécessaires ne sont pas toujours prises pour enrayer la diffusion des doctrines révolutionnaires et antimilitaristes et pour assurer la répression des actes délictueux par lesquels elles se manifestent. C'est ainsi que des réunions publiques organisées par des meneurs du Parti syndicaliste révolutionnaire et antimilitariste se tiennent journellement sur les différents points du territoire, sans qu'un commissaire de police y assiste, soit que l'autorité préfectorale néglige de faire usage des pouvoirs que lui donne l'article 3 (loi de 1881), soit même comme cela est trop souvent arrivé que préoccupée d'éviter quelque difficulté d'ordre secondaire ou purement local, elle prescrive au commissaire de police de s'abstenir de paraître à la réunion, soit enfin que les organisateurs s'opposent à l'entrée du commissaire de police dans le local où se tient la réunion, prétendant qu'il s'agit d'une réunion privée, bien que son caractère de réunion publique soit manifeste... »

[Des instructions impératives exigent qu'il n'y ait plus de réunion sans présence d'un fonctionnaire qui devra en faire le compte rendu le plus fidèle qui soit et la répression sévère de toute négligence ou de toute faiblesse est promise].

id. Calvados.

A 13

Télégramme chiffré du ministre de l'Intérieur (Steeg) aux préfets du 15 mai 1912

« Mon attention est fréquemment attirée sur l'apposition d'affiches tombant sous l'application de l'article 25 de la loi du 29 juillet 1881 qui prévoit et punit la provocation adressée par l'un des moyens énoncés en l'article 23 à des militaires dans le but de les détourner de leur devoir militaire et de l'obéissance qu'ils doivent à leurs chefs.

Je crois devoir rappeler que l'article 49 modifié par la loi du 12-12-1893 en permet la saisie préventive ; vous devrez donc [...] en faire opérer la saisie, autant que possible avant qu'elles aient pu être apposées ; quant à celles qui auront déjà été placardées, vous les ferez arracher ou recouvrir... »

id. Calvados.

A 14

Lettre du préfet de Saône-et-Loire au commissaire spécial de Mâcon du 21 mai 1913, reprenant une demande de renseignements provenant du gouvernement

« A la suite de la manifestation militaire signalée dans votre département, je vous prie de me faire connaître de toute urgence et par télégramme chiffré si des agitateurs civils ont été vus depuis quelques jours dans votre région et quelles sont les causes véritables de ces agissements parmi les troupes ; ces protestations sont-elles dues à des excitations de meneurs antimilitaristes ; dans cette hypothèse, vous voudrez bien me faire observer et me signaler ceux qui seraient venus depuis quelques jours. »

[Une directive est jointe].

1. Rechercher l'origine des manifestations qui se sont produites. Quels sont les individus qui les ont provoquées ?

II. Rechercher le travail qui peut être fait actuellement auprès des militaires dans les villes où il y a lieu de craindre de nouvelles ou de semblables manifestations.

III. Rechercher si les militaires qui se sont livrés ou qui se livreraient à des manifestations ne faisaient pas partie avant leur incorporation des groupements désignés dans la note jointe.

Rechercher s'ils n'avaient pas conservé ces relations depuis leur arrivée au régiment.

[...]

[Suit également la liste des groupements et organisations pouvant avoir des relations avec les militaires] (cf. note 9, p. 94).

A.D. Saône-et-Loire, 30 M 44.

A 15

Note « très confidentielle » adressée par télégramme
du ministère de l'Intérieur aux préfets le 2 juin 1913

[invitant les autorités locales à s'abstenir d'accepter toute invitation à des cérémonies où pourraient être évoqués le maintien de la classe sous les drapeaux ou le projet de loi militaire].

2° « Vous ne devrez pas manquer de me signaler ainsi qu'aux ministères intéressés avec indication des sanctions nécessaires tous fonctionnaires qui se seraient livrés publiquement à un acte quelconque d'hostilité concernant le maintien de la classe actuellement sous les drapeaux, décidé par le gouvernement et approuvé par les Chambres. Tous actes de cette nature ne peuvent en effet être considérés de la part des fonctionnaires que comme des actes d'excitation à la révolte [...].

3° Vous devrez me faire connaître les personnes déléguées par votre administration à diverses fonctions telles que celles de membre de commission administrative des hospices, de bureau de bienfaisance, etc. qui prennent part à des manifestations contre le maintien de la classe actuellement sous les drapeaux ou à des actes de propagande antimilitariste... »

A.D. Calvados, Série M.

A 16

Affiche éditée par le « Comité de Défense des Soldats » (juillet 1913)

A TOUS LES HOMMES DE CŒUR
AUX FAMILLES DES SOLDATS !

« On connaît les condamnations impitoyables, quelques-unes féroces, prononcées par les Conseils de guerre contre les soldats mutinés. On n'a pas oublié que, hier encore, les juges militaires de Montpellier distribuaient plus de 32 années de prison et de bagne ! Ce qu'on ne sait pas dans le public, c'est que les Compagnies de discipline ont déjà reçu des hommes par centaines ; c'est que les prisons régimentaires regorgent ; c'est que chaque nuit des garnisons de l'Est, des soldats partent encore pour des destinations inconnues : Corse, Algérie ou Maroc !

Ce que l'on ne sait pas, c'est que la répression des mutineries s'est accompli et s'accomplit encore chaque jour, dans des conditions abominables, honteuses !

On a frappé au hasard, pour la terreur et pour l'exemple, sans aucun souci de justice.

Nulle part, les garanties légales ne furent observées.

Pas d'enquête sérieuse, pas de défense véritable. Mis au secret le plus absolu, le prévenu dut accepter l'avocat d'office qu'on lui imposa. Quelques-uns n'étaient même pas sur le lieu des mutineries quand elles se produisirent. Des témoins se présentèrent pour le certifier. On refusa de les entendre (cas des soldats Guettault et Langlois).

D'autres, sans être plus compromis que leurs camarades, furent choisis uniquement parce qu'affiliés au syndicat de leur profession.

Nous nous sommes livrés partout à de minutieuses enquêtes et nous l'affirmons à nouveau : jamais répression ne fut plus brutale, plus aveugle, ni plus arbitraire. Jamais elle ne fut plus vile.

Un odieux régime d'inquisition et de terreur pèse, encore aujourd'hui, sur les casernes. On écoute aux portes. On décachète les correspondances, on fouille les paquetages. On encourage, on récompense la délation. Des policiers de la plus basse espèce, mouchards et provocateurs, se sont installés dans les garnisons.

A Nancy, à Toul, à Verdun, à Saint-Mihiel, des agents de la sûreté, déguisés en soldats, se mêlent à la troupe.

Les gouvernants sans honneur et sans conscience qui usent de tels moyens ne tarderont pas — espérons-le — à rendre leurs comptes.

L'amnistie qui s'impose libèrera nos gars.

En attendant, il faut leur venir en aide. Il faut porter secours au petit soldat de France, brimé et persécuté par des ministres de réaction. Il faut lui crier qu'on ne l'abandonne pas. Il faut dans la mesure du possible adoucir son sort.

Il faut aussi venir en aide aux familles où les décisions brutales des conseils de guerre et de discipline ont jeté, avec la douleur, la gêne et le désarroi.

Un Comité spécial — le Comité de Défense des Soldats — s'est constitué dans ce but.

Il fait appel à tous les hommes de cœur sans distinction de classe, ni de nuance politique.

Des sommes importantes ont été déjà recueillies. Et il s'en recueille chaque jour de nouvelles.

Que les parents, que les amis des soldats frappés s'adressent à nous sans crainte, qu'il nous exposent leur cas, qu'ils nous racontent leurs misères. Nous ferons de notre mieux pour leur être utile. Ils peuvent être assurés que nous nous apporterons dans nos rapports avec eux la plus entière discrétion. Toutes les précautions voulues seront prises pour que notre intervention n'attire pas sur la tête des intéressés de nouvelles rigueurs.

Anatole France, Octave Mirbeau, Lucien Descaves, Maurice Bouchor, Marguerite Audoux, Docteur Halmagrand, Hermann-Paul, Docteur Henri Wallon, Alfred Naquet, C. A. Laisant, Gustave Hervé, Elie Faure, Léon Balzagette, François Crucy, Fanny Clar, Docteur Meslier, Francis Jourdain, Georges Besson, L. Vildrac, F. Delaisi, J. Grave, E. Lafont, Madame Ménard, Dorain, Turpain, Sébastien Faure, Jean Colly, etc.

Les secrétaires : Charles Albert, Léon Werth.

Le trésorier : Ch. Gogumus.

(publiée par la Bataille Syndicaliste, 4 juillet 1913).

A 17

Affiche éditée par le

COMITE DE DEFENSE DES SOLDATS (septembre 1913)

MUTINS OU NON,

TOUS DE LA CLASSE

« Dans quelques semaines la Classe 1910 sera libre.

Après avoir prétendu la garder une année de plus sous les drapeaux, on ne lui impose plus qu'une prolongation de service de quelques jours.

A l'heure où la libération approche, est-il possible d'oublier que si les portes des casernes vont s'ouvrir toutes grandes, il est des centaines de jeunes hommes sur qui elles resteront lourdement fermées.

Ce sont les soldats condamnés à la suite des mutineries du mois de mai et qui se trouvent aujourd'hui dans les bagnes et les prisons militaires, dans les compagnies de discipline et jusque dans les bataillons d'Afrique ?

Vont-ils y rester ?

Ce n'est pas possible.

Nous disons que leur libération s'impose et nous demandons à l'opinion publique de la réclamer.

Nous n'avons pas besoin de rappeler avec quelle légéreté fut prise, avec quelle brutalité fut annoncée la décision pourtant si grave de maintenir la classe.

C'est par la voie de la presse, sans aucune préparation, que les soldats libérables apprirent un beau matin la terrible mesure, mesure qui allait devenir pour beaucoup en raison de leur situation de famille une véritable catastrophe.

Déjà ils avaient réglé leur vie. Certains étaient impatiemment attendus par leurs vieux parents. D'autres allaient enfin retrouver la femme et les enfants dont l'existence avait été si dure pendant deux années.

Comment de malheureux jeunes gens dont on détruisait aussi brutalement les rêves et les projets, ne se seraient-ils pas laissés emporter à quelque geste de colère ?

Tout cela pourtant ne compta pour rien au moment de la répression. Celle-ci, on le sait, fut impitoyable. On frappa presque au hasard, au petit bonheur, uniquement pour l'exemple. Et l'on frappa durement, trop durement. Nous avons dénoncé. dans une précédente affiche, la cruauté et l'injustice dans la plupart des condamnations prononcées. Inutile d'y revenir.

Mais aujourd'hui où le gouvernement s'est en quelque sorte dégagé en trouvant par l'incorporation à vingt ans, le moyen de libérer la classe, personne ne comprendrait que l'on gardât aux sections de discipline, en prison ou au bagne, de malheureux enfants cent fois trop punis déjà.

En tout cas nous qui sommes unis pour prendre la défense de ces enfants, nous ne le permettrons pas. Et nous commençons avec l'affiche une active campagne pour l'amnistie immédiate, pleine et entière des soldats mutins.

Qu'on nous aide !

Que leurs parents, que leurs amis, que leurs camarades de travail se joignent à nous !

Que tous les braves gens, sans distinction de parti mêlent leur voix à la nôtre.

Qu'ils disent avec nous qu'il ne se contenteront pas d'une libération de la classe, qui laisserait derrière elle, dans les geôles, des centaines d'innocents !

Il faut que ceux-là aussi soient de la Classe !

Anatole France, Octave Mirbeau, Lucien Descaves, Maurice Bouchor, Marguerite Audoux, Docteur Halmagrand, Hermann-Paul, C. A. Laisant, Docteur Henri Wallon, Alfred Naquet, Gustave Hervé, Elie Faure, Léon Balzagette, François Crucy, Fanny Clar, Docteur Meslier, Francis Jourdain, Georges Besson, L. Vildrac, E. Lafont, Mme Ménard, Dorain, Turpain, Jean Colly, Florent Schmitt, Maurice Ravel, M. Luce, Ferdinand Hérold, Sicard de Plauzoles, A. Durand, André Mater, Sorgue, Henri Delobel, Philippe Dain, Frantz Jourdain, P. Vallot, Vigné d'Octon, Pierre Laval, Louis Oustry, Georges Mauranges, Docteur Claussat, etc.

(publiée par la Bataille Syndicaliste, 22 septembre 1913).

A 18

Affiche de la C.G.T.

« LIBEREZ-LES ! »

« En juillet dernier, le ministère Barthou faisait procéder à l'arrestation de 19 militants syndicalistes. Le motif : sauver la politique troisanniste, obtenir le vote de la loi réactionnaire de retour aux 3 Ans.

Depuis cet acte arbitraire, le gouvernement de M. Barthou dût faire des concessions — libération de la classe 1910 —, il reconnaissait ainsi la légitimité de la protestation populaire et militaire.

Cependant, nos camarades restaient en prison. Cependant les soldats, condamnés par les Conseils de guerre, pour avoir protesté contre le maintien illégal de cette même classe 1910, étaient maintenus loin des leurs, dans les bagnes militaires.

Le ministère Barthou vient de tomber sous le ressentiment justifié du vote des 3 Ans. Les portes des prisons ne se sont pas ouvertes. Vont-elles s'ouvrir ?

Nous voudrions le croire, puisque le seul motif des poursuites, la loi de 3 Ans vient de subir un premier échec.

TRAVAILLEURS !

Il faut nous dire que la libération des nôtres dépend uniquement de notre action.

Que partout, les Unions départementales, les Bourses du Travail, organisent les meetings de protestation.

Que les syndiqués, les ouvriers fassent — sous toutes les formes — entendre leurs voix protestataires.

L'arbitraire cessera. La liberté sera rendue aux militants ouvriers et aux soldats mutins. Le ministère des 3 Ans n'est plus ; avec lui doit disparaître l'objet des poursuites actuelles.

LIBEREZ-LES !

Le Comité Confédéral.

A.N. F 7 13348.

A 19

Affiche éditée par les « Causeries Populaires »
des Xe et XIe Arrondissements — 1909

Aux Soldats

« Faites donc comprendre à l'ouvrier qui va quitter l'atelier, au paysan qui va déserter les champs, pour aller à la caserne, qu'il y a des droits supérieurs à ceux que la discipline voudrait imposer... Et si l'ordre à tirer persistait, si l'officier tenace voulait quand même contraindre la volonté du soldat, les fusils pourraient partir, mais ce ne serait pas dans la direction indiquée. »

Aristide Briand, ministre de la Justice.

« Savez-vous quelque chose de plus navrant que l'existence de ces malheureux qu'on enlève à son champ, à son village, et qu'on jette, pour deux ans, dans une caserne, loin des siens, loin de tout ce qu'il aime, condamné à vivre avec d'autres hommes aussi à plaindre que lui ? Que voulez-vous qu'il reste à un pays de vigueur en réserve, lorsque dans 20 ans, tous les hommes auront passé par cette terrible filière ? »

Edouard Drumont.

« L'alcoolisme, la prostitution et l'hypocrisie, voilà ce qu'apprend la vie à la caserne. »

Charles Richet, professeur à l'Université de Paris.

« Le soldat entre au régiment ignorant et honnête, il en sort trop souvent aussi ignorant, mais corrompu. »

de Freycinet, ministre de la Guerre.

« L'Armée est l'école du crime. »

Anatole France, de l'Académie française.

[...]

« Une combinaison favorable m'a empêché de faire partie de cette belle armée française, où je n'aurais d'ailleurs pas donné d'autre exemp.e que celui de la désertion. »

Henri Rochefort.

« Si les peuples se servaient de leurs armes contre ceux qui les ont armés la guerre serait morte. »

Guy de Maupassant.

Soldat, réfléchis et conclus toi-même.

A.D. Calvados, Série M.

A 20

Affiche de la C.G.T., mai 1913

COUP DE FORCE !

« D'un mot, d'un trait de plume, nos gouvernants imposent à toute une génération une inutile et criminelle aggravation de la servitude militaire.

C'est là un coup de force !

Une fois de plus la République se ravale au rang des régimes les plus abjects.

Les raisons d'une pareille décision ?

Enrichir les requins internationaux constructeurs d'armements, entretenir au Maroc une armée d'occupation de plus de 100.000 hommes ; préparer une mainmise nouvelle de la réaction sur les destinées de ce pays.

Au prix de beaucoup de sacrifices et d'une action ininterrompue, nous sommes parvenus à affaiblir l'esprit militaire, à diminuer la puissance du militarisme au bénéfice du développement économique du pays. Les projets gouvernementaux en enlevant au travail utile et fécond 160.000 hommes de plus, jetant dans le gouffre de mort des milliards supplémentaires, arrêteraient cet essor, si nécessaire à l'extension du mouvement syndical et aux progrès de l'humanité. Aussi disons-nous au prolétariat : un grave danger nous menace !

Pour l'éviter, un grand effort est indispensable. Cet effort, nous devons le réaliser.

Toutes les fois que la classe ouvrière a apporté dans sa protestation une grande vigueur, une rare ténacité, elle a fait reculer ses adversaires. Nous sommes à un moment où se décident les destinées de tout un peuple. Notre voix plus forte que jamais, doit se faire entendre.

La décision du gouvernement relative au maintien à la caserne de la classe libérale, montre sa résolution d'imposer, malgré la protestation du pays, la loi de 3 Ans.

Contre ce coup de force, il faut nous dresser dans un élan irrésistible.

Prenons la défense de nos frères encasernés. En divers centres vont être organisées de grandes démonstrations ; elles seront l'occasion d'affirmer notre volonté de sauvegarder contre la réaction notre avenir. Tous, organisations et militants, préparons-nous à ce grand effort.

En face de toutes les forces du passé, dressons les espérances de l'avenir.

Classe ouvrière !

Sois prête à répondre à l'appel de tes gouvernants, afin qu'aux rendez-vous fixés, imposante par le nombre soit la levée en masse des prolétaires.

Nous voulons qu'en septembre prochain, nos frères soldats soient libérés.

A bas les 3 Ans.

Le Comité Confédéral.

(publiée par la Bataille Syndicaliste, 17 mai 1913).

A 21

Affiche éditée par la C.G.T., juillet 1913

« LA C.G.T. RESTE DEBOUT »

« Après les perquisitions, sont venues les arrestations de militants : dix neuf d'entre eux sont déjà incarcérés.

Qu'espère le Gouvernement ?

Aurait-il la naïveté de vouloir supprimer le mouvement ouvrier et son organisation naturelle, la Confédération Générale du Travail ?

Qu'on se souvienne que l'assaut d'aujourd'hui a été précédé d'assauts identiques, et cependant la C.G.T. est restée debout, grandissant au milieu des difficultés.

Demain comme hier, les désirs gouvernementaux ne se réaliseront pas.

Les ministres passent, la C.G.T. demeure et se développe.

Marquons que le nouveau coup du pouvoir dépasse en criminelle inconscience tous les actes arbitraires passés.

Le but du gouvernement a été en opérant ces arrestations, de consolider son autorité, de protéger son existence. Craignant d'échouer dans ses plans militaristes et réactionnaires, il a voulu, par un nouveau coup de force, rassurer les uns, inquiéter les autres.

Quoi qu'il en soit, il fait montre d'impuissance.

Il y a cinq ans, au lendemain des tueries de Villeneuve-Saint-Georges, de nombreuses arrestations étaient opérées ; trois mois après, l'accusation s'effondrait lamentablement. Il en sera de même aujourd'hui.

Malgré la campagne de haine des journaux chauvins, il sera impossible d'établir un lien entre les mutineries militaires et l'œuvre du Sou du Soldat.

Le Sou du Soldat est l'application d'un principe de solidarité : les mutineries militaires ont été l'explosion spontanée des colères des soldats indignés de la forfaiture gouvernementale.

Les apparences de complot que l'on veut donner à cette nouvelle scélératesse, en poursuivant solidairement avec des militants parisiens, des travailleurs vivant à Bourges, Nantes, Saint-Malo, Rouen, Valenciennes, Epinac-les-Mines, ne tromperont personne.

Il ne s'agit là que des misérables manœuvres d'un Pouvoir aux abois.

Oui, l'organisation ouvrière est vivante ; les événements sociaux ne la trouvent jamais inactive ou insouciante.

Mais la C.G.T. a, dans le cerveau de tous ses membres suffisamment conscience du caractère et de la vigueur de son action pour, à tous moments, être à même de mesurer la valeur des événements, dont elle est, ou le témoin ou l'acteur.

Forte des sympathies de la classe ouvrière, elle se rit des mesures prises et des menaces dressées. Elle affirme une fois de plus que rien ne peut l'arrêter dans son œuvre de propagande et d'organisation.

Pour l'accomplissement de sa tâche, elle a cette force irrésistible, indestructible, d'être l'émanation directe du Prolétariat en lutte contre les forces d'exploitation.

Les mesures du gouvernement viennent trop tard.

Le mouvement contre les 3 Ans a acquis une extension que l'intimidation ou la menace sont impuissantes à réduire.

Barthou, Etienne ont fait fausse route.

Au milieu de la décomposition sociale, qui se manifeste par l'arrogance nouvelle de la réaction et des partisans des régimes déchus, la C.G.T. apparaîtra comme la grande force de progrès, autour de laquelle tous les hommes épris de justice sociale doivent se grouper.

C'est en effet l'honneur de la C.G.T. d'être pour la bourgeoisie dirigeante un spectre menaçant, dont l'existence seule contraint les gouvernants aux pires folies et à l'arbitraire le plus abject.

Travailleurs, la C.G.T., forgée de vos mains, reste debout, ardente et pleine d'énergie pour mener à bonne fin la lutte tracée par les résolutions de ses Congrès...

S'inspirant de l'esprit de ces résolutions, elle se déclare prête à faire front aux coups de force de la réaction.

Que chacun de vous redouble dans l'action entreprise.

Préparons cet élan des masses, grâce auquel les victoires se gagnent.

Lutter contre les 3 Ans, c'est également lutter pour la libération des nôtres, militants arrêtés et soldats frappés ; c'est travailler pour l'émancipation sociale.

Le Comité Confédéral.

(publiée par la Bataille Syndicaliste le 6 juillet 1913).

A 22

Lettre du ministre de l'Intérieur au Préfet de l'Allier
(21 août 1890)

« J'ai l'honneur de vous rappeler en son entier ma circulaire personnelle et confidentielle du 23-12-1889 et celle du 21-2 de la même année, en ce qui concerne, pour cette dernière, la portée relative aux enquêtes que vous devez diriger personnellement, par tous les moyens dont vous disposez et avec le concours du commandant de gendarmerie de votre département, enquêtes qui doivent aboutir au classement en deux catégories : suspects et non suspects au point de vue national des étrangers établis dans le ressort de votre juridiction [...] »

A.D. Allier, 22 R 3, 2.

A 23

Lettre du ministre de l'Intérieur au préfet de l'Allier
(21 janvier 1898)

« Par une circulaire du 7 juillet 1897, en vous transmettant l'Instruction secrète du 10 mai précédent [...], je vous priais de procéder, d'accord avec l'autorité militaire, à la réfection de la liste des individus classés dans la catégorie des suspects au point de vue national. La plupart de vos collègues m'ont déjà transmis cette liste définitivement arrêtée et remise à jour qui est la reproduction exacte du Carnet « B » de la gendarmerie ; ils me signalent depuis lors et au fur et à mesure les mutations apportées au Registre de leur préfecture [...].

En cas de mobilisation, certaines mesures pouvant être prises à l'égard des suspects dès le commencement des hostilités, je n'ai pas besoin d'insister davantage sur l'intérêt qu'il y a au point de vue de la Défense Nationale, à ce que les prescriptions des deux circulaires précitées soient appliquées d'urgence et strictement. »

id. Allier.

A 24

Annexe à l'Instruction du 1er novembre 1912
sur le Carnet B

1. Contrôles de la Marine.

Il est tenu, dans chaque Etat-Major d'arrondissement maritime un contrôle récapitulatif de tous les individus qui, figurant aux Carnets B des départements compris dans l'arrondissement, font partie du personnel de la Marine en activité de service (gradés et marins des équipages de la flotte, ouvriers des arsenaux et établissements [...] ou qui ont avec la Marine des relations habituelles [...].

2. Tenue des contrôles.

Les contrôles sont formés de notices individuelles (modèle n° 3 annexé à l'Instruction du 1ᵉʳ novembre 1912). Ces notices établies au nom de chaque inscrit, doivent faire mention de la situation de celui-ci au regard de l'Administration de la Marine et contenir toutes les indications nécessaires à une judicieuse et efficace surveillance.

3. Autorités maritimes prescrivant les Inscriptions au Carnet B.

Les vices-amiraux préfets maritimes ordonnent au même titre que les autorités civiles et militaires indiquées dans l'Instruction du 1ᵉʳ novembre 1912 (article 6), les inscriptions au Carnet B, toutes les fois qu'il s'agit d'individus faisant partie du personnel de la Marine ou ayant avec la Marine des relations habituelles.

4. Avis d'inscription.

Les vice-amiraux préfets maritimes font connaître les inscriptions qu'ils ordonnent en adressant un duplicata de la notice individuelle, de modèle réglementaire, établi au nom de l'individu suspect, au préfet du département où cet individu doit être inscrit en exécution de l'article 5 ci-après.

De leur côté, les préfets adressent au vice-amiral préfet maritime, un duplicata de la notice individuelle des individus qu'ils inscrivent au Carnet B, d'accord avec l'autorité militaire, lorsque ceux-ci ont une attache avec la Marine.

5. Transmissions des duplicata de notices individuelles aux préfets.

Le duplicata de la notice individuelle de tout individu dont l'inscription au Carnet B a été ordonnée par un vice-amiral préfet maritime, est transmis par cet officier général :

a) au préfet du département où réside le nouvel inscrit, si ce dernier n'appartient pas au Corps des Equipages de la Flotte ;

b) au préfet du département où est situé le port chef-lieu de l'arrondissement maritime auquel l'inscrit appartient par son immatriculation, s'il s'agit d'un gradé ou marin des Equipages de la Flotte.

Dès la réception de la notice individuelle, le préfet procède à l'inscription au Carnet B de son département, établit le mandat et le folio mobile réglementaire et informe le général commandant le Corps d'Armée et le ministre de l'Intérieur [...].

Dans le cas où le vice-amiral préfet maritime ne serait pas d'accord avec le préfet du département au sujet de l'inscription au Carnet B d'un individu [...] chacun d'eux en réfère au ministre dont il relève [...]. Le différend est tranché d'accord entre les ministères de la Marine et de l'Intérieur.

6. Mutations.

[Modalités à observer lors d'un changement de résidence].

7. Appel sous les drapeaux d'un Inscrit affecté à l'Armée de mer.

[...].

8. Radiations d'office.

Sont rayés d'office du Carnet B et du Contrôle de la Marine :

1) les inscrits décédés.

2) les inscrits dont la trace est perdue et ceux qui sont partis pour l'étranger. Toutefois en ce qui concerne ces deux catégories, la radiation ne sera opérée qu'à l'expiration d'un délai de deux ans après la disparition ou le départ pour l'étranger.

[...].

9. Propositions de radiation.

Toutes autres radiations que les radiations d'office ne sont opérées qu'après approbation du ministre de l'Intérieur.

[Nécessité d'une consultation préalable entre vice-amiral préfet maritime, préfet du département et général commandant le Corps d'Armée].

10. Embauchage dans les Arsenaux et Etablissements de la Marine.

[Avant de procéder à un embauchage, les vice-amiraux préfets maritimes doivent s'assurer si le candidat ne figure pas au Carnet B].

[Consultation du préfet du département intéressé et si nécessaire possibilité de renseignements] « au ministère de l'Intérieur où est établi le Contrôle général de tous les inscrits au Carnet B ».

11. Recommandations relatives aux inscriptions au Carnet B.

En raison de la gravité des conséquences que peut entraîner l'inscription au Carnet B, les vice-amiraux préfets maritimes, qui prescrivent cette inscription, devront procéder personnellement à l'examen des dossiers, contrôler avec soin tous les renseignements et n'effectuer une inscription qu'après avoir entendu eux-mêmes les fonctionnaires qui ont recueilli les renseignements.

12. Transmission confidentielle des pièces de correspondance.

[...]

13. Entrée en vigueur de la présente Instruction.

1ᵉʳ novembre 1913

Paris, le 10 octobre 1913   Le ministre de la Guerre,
               Eugène Etienne.

Le ministre de la Marine,   Le ministre de l'Intérieur,
  P. Baudin.   L. L. Klotz.

A.D. Sarthe. M supplément 402.

A 25

Circulaire du ministre de la Guerre du 10-11-1910
Etat-Major, 2ᵉ Bureau — Section des renseignements
Nº 6318. 2. SR.

_____

11

« Mon attention a été attirée [...] sur la grande quantité d'étrangers dont l'inscription au Carnet B vient d'être prescrite récemment, dans certains Corps d'Armée. Ces nouveaux inscrits sont si nombreux qu'il serait pratiquement impossible d'assurer leur arrestation lors de la mobilisation.

La grande quantité de ces inscriptions nouvelles a été provoquée par le paragraphe insuffisamment précis de l'Instruction interministérielle du 18-2-1910 prescrivant l'inscription d'office « des étrangers qui sans être suspects, habitent le voisinage d'un fort ou d'un ouvrage d'art, d'intérêt stratégique ».

Il résulte des renseignements qui me sont parvenus que cette disposition a été comprise généralement dans un sens beaucoup trop étendu. C'est ainsi par exemple, que dans les Ardennes, on a inscrit des étrangers au Carnet B, pour le seul fait qu'ils résidaient dans un rayon de moins de 6 kilomètres d'un pont sur la Meuse. Il y a là évidemment une interprétation abusive qui conduirait à inscrire, sans exception, tous les étrangers des départements frontières, car tous habitent à moins de 6 kilomètres d'un pont ou d'un ouvrage de fortifications.

En attendant que l'on ait adopté une définition ne laissant pas place à des généralisations semblables, vous voudrez bien surseoir à toutes les inscriptions d'étrangers **non suspects,** et rayer celles d'entre elles qui auraient déjà été prescrites uniquement en exécution du paragraphe susvisé [...] »

Signé : Brun.

A.D. Vosges 8 bis M. 42.

SOURCES ET BIBLIOGRAPHIE

I. Sources

1. ARCHIVES

A. *Archives nationales*

Parmi les dossiers de la série F 7 que nous avons été autorisés à consulter, un certain nombre de liasses intéressaient notre sujet :

12911. Dossier intitulé : « tracts pacifistes, attitude des socialistes 1912-1917 ». Il comprend en outre une note de synthèse « la propagande révolutionnaire dans l'Armée, le Sou du Soldat », qui sous une forme légèrement différente, se retrouve dans F 7 13333.

13053. Dossier très volumieux centré sur l'anarchisme : il comprend, en outre, un état « des principaux révolutionnaires de province » établi fin 1911, début 1912 et des « principaux révolutionnaires de Paris », deux listes établies en 1915-1916 sur la situation militaire « des militants anarchistes, syndicalistes et socialistes, qui se sont signalés depuis la mobilisation par leur attitude révolutionnaire ou pacifiste », un répertoire général sans indication de dates comprenant des renseignements sur des personnalités diverses.

13065. Dossier sur le sabotage :
— les projets de sabotage de la mobilisation,
— la C.G.T. et le sabotage de la mobilisation.

13333. Dossier principalement consacré au Sou du Soldat.
Il est divisé en plusieurs parties :
1) une note de synthèse (en double exemplaire), intitulée « le Sou du Soldat », rédigée fin 1912, avec quelques notes supplémentaires jusqu'en 1914 ;
2) une liasse « Antimilitarisme, le Sou du Soldat », notes avant 1912 (1900-1911) ;
3) une liasse « Antimilitarisme, le Sou du Soldat », notes 1912. On peut remarquer à ce propos le très grand nombre d'informateurs dont la police disposait à l'intérieur des syndicats.
4) une liasse 1914.

13348. Dossier sur l'Antimilitarisme, comprenant entre autres une liasse de notes et coupures de presse sur l'antimilitarisme en 1914, une note de synthèse « les projets de sabotage de la mobilisation » et des notes supplémentaires sur l'agitation antimilitariste à Paris et en province en 1913-1914.

B. *Archives départementales*

Si la première partie de ce travail est largement redevable aux Archives nationales, la deuxième, elle, l'est surtout aux Archives départementales.

La lettre-circulaire suivante avait été adressée le 6 juin 1965 aux directeurs des services départementaux d'archives des 86 départements métropolitains (la Seine mise à part) d'avant 1914 :

« Dans le cadre de nos recherches sur l'opinion publique française en 1914, nous serions heureux de pouvoir consulter les dossiers concernant l'établissement du Carnet B.

Nous vous serions reconnaissants de bien vouloir nous indiquer si, dans votre département, de tels dossiers existent, quelle est leur cote et s'ils sont de nature à être consultés. »

Les 74 réponses se ventilent ainsi :

les recherches entreprises dans 35 départements se sont soldées par un résultat négatif :

Ain	Indre
Alpes-Maritimes	Isère
Basses-Alpes	Jura
Ardèche	Landes
Ariège	Haute-Loire
Aveyron	Loire
Bouches-du-Rhône	Lot
Cantal	Lot-et-Garonne
Charente	Basses-Pyrénées
Corse	Pyrénées-Orientales
Creuse	Savoie
Dordogne	Seine-et-Oise
Eure	Somme
Eure-et-Loire	Vaucluse
Haute-Garonne	Vendée
Gironde	Vienne
Hérault	Yonne
Ile-et-Vilaine	

Dans 6 départements, les dossiers ont été détruits, au moment de l'approche des Allemands en 1914 ou en 1940, ou accidentellement :

Aisne, Ardennes, Loiret, Morbihan, Nord, Seine-et-Marne.

Dans 4 départements, les directeurs d'Archives pensent que les dossiers ont été détruits ou n'ont jamais été versés :

Indre-et-Loire, Gers, Marne, Orne.

Dans d'autres départements au nombre de 12, sans qu'il ait été trouvé des traces du Carnet B, des liasses nous ont été signalées dont certaines pouvaient avoir un rapport au moins indirect avec le Carnet B :

Aude, Corrèze, Drôme, Gard, Maine-et-Loire, Rhône, Haute-Saône, Haute-Savoie, Seine-Maritime, Deux-Sèvres, Tarn-et-Garonne, Var.

Enfin des renseignements concernant directement le Carnet B existent dans 17 départements :

Allier, 22 R 3 2.
Aube, série continue 4262 (A et B).
Calvados, M Police (1907-1914).
Charente-Maritime, 4 M 6.
Côte-d'Or, 20 M 551.
Cher.
Côtes-du-Nord.
Finistère, série M non cotée.
Loire-Atlantique, 1 M 2467, 1 M 2468.
Lozère, VI M 1215 et 1216.
Meuse.
Pas-de-Calais, série M, 1 Z 227, 229, 2 Z 7.
Puy-de-Dôme.
Saône-et-Loire, 30 M 25.
Sarthe, M supplément 402.
Tarn.
Vosges, 8 bis M.

mais ils n'ont pu nous être communiqués dans la Meuse et dans le Puy-de-Dôme.

C. *Archives militaires*

Nous leur avons peu emprunté, cependant des indications intéressantes figurent dans :

Cabinet du Ministre, Cabinet militaire, Télégrammes, entrées et sorties. Registre 1 du 28-11-1912 au 29-7-1914.

D. *Archives du Sénat*

Archives du procès Malvy : elles intéressent surtout le problème de l'application du Carnet B, que nous n'avons pas traité ici.

2. JOURNAUX

Dans la mesure, où nous recherchions le point de vue des pouvoirs publics, une étude exhaustive de la presse aurait été d'une ampleur excessive, cependant nous avons été amenés à y puiser quelques précisions et nous avons notamment utilisé :

— *pour l'affaire du Sou du Soldat des Instituteurs :*

le *Journal Officiel,* débats parlementaires, Chambre des députés (novembre-décembre 1912) ;

le *Rappel,* journal de tendance radicale.

— *pour les projets de sabotage de la mobilisation :*

la *Guerre Sociale,* de G. Hervé (octobre-novembre 1912) ;

le *Mouvement Anarchiste,* organe anarchiste qui eut une existence éphémère d'août à décembre 1912.

— *pour préciser la personnalité de Pengam,* militant syndical brestois qui nous a servi d'exemple :

le *Cri du Peuple* (mars 1920), hebdomadaire de la S.F.I.O. du Finistère après la guerre de 1914.

— *pour les manifestations militaires de mai* 1913, les perquisitions qu'elles provoquèrent, et les arrestations de militants syndicaux (juillet 1913) qui suivirent :

le *Petit Parisien,*
l'*Humanité,*
la *Bataille Syndicaliste,* organe quotidien de la C.G.T.

— *pour le procès du Sou du Soldat* et le jugement qui intervint (mars 1914) :

la *Bataille Syndicaliste.*

— *pour les textes de différents manifestes et affiches de la C.G.T. :*

la *Voix du Peuple,* organe hebdomadaire de la C.G.T.,

la *Bataille Syndicaliste.*

— *pour les rapports du Socialisme et du Syndicalisme dans le Cher,* l'influence d'E. Vaillant et les élections de 1914 dans ce département :

l'*Emancipateur,* « organe socialiste de la région du Cher ».

— *pour définir l'attitude de Clemenceau envers l'antimilitarisme et le Carnet B :*

le *Journal Officiel,* débats parlementaires, Sénat (juillet 1917).

3. IMPRIMES

CHALLAYE Félicien : *Syndicalisme révolutionnaire et syndicalisme réformiste.* Paris, Alcan, 1909, in-16°, 156 p.

JAURÈS Jean : *L'Armée Nouvelle.* Présentation par M. Rébérioux. Paris, 10-18, 1969, 316 p.

JOUHAUX Léon : *Le Syndicalisme français contre la guerre* (recueil d'articles et de discours liés à la campagne contre les Trois Ans). Paris, Rivière, 1913.

LAGARDELLE Hubert : L'idée de Patrie et le socialisme, in *le Mouvement socialiste* (mai, juin, août, septembre 1906).

MONATTE Pierre : (Les Archives de...) *Syndicalisme révolutionnaire et communisme.* Présentation par J. Maitron et Colette Chambelland. Paris, Maspéro, 1968, 464 p.

TARDIEU André : La campagne contre la Patrie, in *Revue des Deux-Mondes* (1ᵉʳ juillet 1913).

YVETOT Georges : *Nouveau manuel du soldat. La Patrie, l'Armée, la Guerre.* 16ᵉ éd. 1908, in-16°, 32 p.

La C.G.T. et le Mouvement Syndical. Paris 1925, 699 p. (Historique et répertoire publié à l'occasion du 30ᵉ anniversaire).

Répertoire des organisations corporatives adhérentes à la C.G.T. Maison des Fédérations, in-8°, 1912.

II. TRAVAUX

Cette partie de la bibliographie est assez sommaire puisque ce travail devait reposer autant que possible sur le dépouillement d'archives en grande partie inaccessibles jusqu'à une date récente.

Histoire générale et de la IIIᵉ République.

AZEMA Jean-Pierre et WINOCK Michel : *Naissance et mort de la IIIᵉ République.* Paris, Calmann-Lévy, 1970, 381 p.

BONNEFOUS Georges : *Histoire politique de la IIIᵉ République.* T. II Paris, P.U.F., 1955 ct sq. in-8°, 476 p.

CHASTENET Jacques : *Histoire de la France sur la IIIᵉ République.* T. IV. *Jours inquiets et jours sanglants* (1909-1918). Paris, Hachette, 1957, in-8°, 408 p.

CROUZET Maurice : *L'époque contemporaine* (T. VII de l'Histoire générale des civilisations). Paris, P.U.F., 1957, 821 p.

PARIAS Louis-Henri : (sous la direction de...) J.M. Mayeur, A. Prost, F. Bédarida, J.L. Monneron. *Histoire du peuple français.* T. V. *Cent ans d'esprit républicain.* Nouvelle Librairie de France, 1964.

RENOUVIN Pierre : *La Crise européenne et la Grande Guerre* (1904-1918). (Vol. 19 de Peuples et Civilisations). Nouv. éd., Paris, P.U.F. 1962, 779 p

RENOUVIN Pierre : *Histoire des Relations internationales,* T. VI. *Le XIXe siècle.* Paris, Hachette, 1955, in-8°, 376 p.

Le mouvement ouvrier

BECKER Jean-Jacques et Annie KRIEGEL : *1914, la guerre et le mouvement ouvrier français.* Paris, A. Colin, col. Kiosque, 1964, in-16°, 244 p.

BECKER Jean-Jacques et Annie KRIEGEL : Les inscrits au « Carnet B ». Dimension, composition, physionomie politique et limite du pacifisme ouvrier, in *Actes du 91e Congrès National des Sociétés Savantes,* Rennes 1966, Paris, Bibliothèque Nationale, 1969 et sq. T. III, p. 359 et in *Mouvement Social,* n° 65, octobre-décembre 1968 (Le Mouvement ouvrier français et anglais au tournant du siècle : colloque tenu à Londres à Pâques 1966).

BECKER Jean-Jacques : Les révolutionnaires parisiens à la veille de 1914, in *Etudes de la Région parisienne,* avril 1967.

BRECY Robert : *Le mouvement syndical en France, essai bibliographique.* Paris-La Haye, Mouton, 1963, in-8°, 219 p.

CHAMBELLAND Colette : *Le syndicalisme ouvrier français.* Editions ouvrières, 1965.

DOLLEANS Edouard : *Histoire du mouvement ouvrier,* T. II (1871-1920), 5e éd. Paris, A. Colin 1953, in-8°.

DOLLEANS Edouard et CROZIER Michel : *Mouvements ouvriers et socialistes. Chronologie et bibliographie. Angleterre, France, Allemagne, Etats-Unis, 1700-1918.* Paris, Les Editions ouvrières, 1950, in-8°, XVI-383 p.

DRACHKOVITCH Milorad M. : *Les socialismes français et allemands et le problème de la guerre* (1870-1914). Genève, Droz, 1953, XIV, 385 p.

DROZ Jacques : *Le Socialisme démocratique* (1864-1960). Paris, A. Colin, Coll. U, 1967, in-8°, 360 p.

DUBIEF Henri : *Le Syndicalisme révolutionnaire.* Paris, A. Colin, Coll. U, 1969, 316 p.

FIECHTER Jean-Jacques : *Le socialisme français de l'Affaire Dreyfus à la Grande Guerre*. Genève, Droz, 1965, 291 p.

GARMY René : *Histoire du mouvement syndical en France, des origines à 1914*. Paris, Bureau d'éditions, 1933, in-8°, 326 p.

GRAVEREAUX Louis : *Les discussions sur le patriotisme et le militarisme dans les Congrès socialistes*. Thèse de Droit, Paris, 1913, 255 pages.

JULLIARD Jacques : *Jeune et vieux syndicat chez les mineurs du Pas-de-Calais*, in le *Mouvement social* (avril-juin 1964).

JULLIARD Jacques : *Clemenceau, briseur de grèves*. Paris, Julliard, coll. Archives. 1965, 202 p.

KRIEGEL Annie : *Aux origines du Communisme français* (1914-1920), contribution à l'histoire du mouvement ouvrier français, deux tomes, thèse lettres. Paris, Mouton, in-8°, 995 p. Edition abrégée. Paris, Flammarion, coll. Sciences de l'Histoire, 1969, 442 p.

KRIEGEL Annie : *Le Pain et les Roses*, jalons pour une histoire des socialismes. Paris, P.U.F., 1968, 255 p.

KRIEGEL Annie et PERROT Michèle : *Le Socialisme français et le pouvoir*. Paris, E.D.I., 1966, 221 p.

LEFRANC Georges : *Le mouvement syndical sous la IIIᵉ République*. Paris, Payot, 1967, in-8°, 455 p.

LEFRANC Georges : *Le mouvement socialiste sous la IIIᵉ République* (1875-1940). Paris, Payot, 1963, in-8°, 461 p.

LEFRANC Georges : *Grèves d'hier et d'aujourd'hui*. Paris, Aubier, 1970, 303 p.

LOUIS Paul : *Histoire du socialisme en France, de la Révolution à nos jours*. Paris, Rivière, 1925, in-8°, 416 p.

LOUIS Paul : *Le syndicalisme français d'Amiens à Saint-Etienne (1906-1922)*. Paris, Alcan, 1924, in-16° 236 p.

LIGOU Daniel : *Histoire du socialisme en France (1871-1961)*. Paris, P.U.F., 1962, in-8°, 672 p.

MAITRON Jean : *Histoire du mouvement anarchiste en France (1880-1914)*, thèse Lettres. Paris, Société Universitaire, 2ᵉ édition, 1955.

MAITRON Jean : *Ravachol et les Anarchistes*. Paris, Julliard, coll. Archives. 1964, 213 p.

MAITRON Jean : Bulletin anarchiste, in *Mouvement social*, janvier-mars 1965, juillet-septembre 1966, oct.-déc. 1969.

PARIAS Louis-Henri : (sous la direction de...) *Histoire générale du travail*, Tome III, par Claude Fohlen et François Bedarida, *l'Ere des révolutions* (1765-1914). Paris, Nouvelle librairie de France, 1960, in-8°, 403 p.

REYNAUD Jean-Daniel : *Les Syndicats en France*. Paris, Armand Colin, Coll. U, 1967, 292 p.

WILLARD Claude : *Les Guesdistes. Le mouvement socialiste en France (1893-1905)*. Paris, Editions Sociales, 1965, in-8°, 771 p.

Le mouvement syndical des instituteurs

BERNARD François, BOUET Louis, DOMMANGET Maurice, SERRET Gilbert : *Le Syndicalisme dans l'enseignement*. Histoire de la Fédération de l'Enseignement des origines à l'unification de 1935. Présentation et notes de Pierre Broué. Grenoble. Collection « Documents » de l'institut d'Etudes politiques. 3 vol. s.d, 916 p.

FERRE Max : *Histoire du mouvement syndical révolutionnaire chez les Instituteurs*. Des origines à 1922. Thèse Lettres. Paris, Sudel, 1955. Gr, in-8°, 335 p.

Patrie, espionnage, « trois ans »...

BAUMONT Maurice : *Aux Sources de l'Affaire (l'Affaire Dreyfus d'après les Archives diplomatiques)*. Paris, les Productions de Paris, 1959, in-8°, 291 p.

DIGEON Claude : *La crise allemande de la pensée française (1870-1914)*. Paris, P.U.F., 1959, in-8°, VIII-568 p.

GIRARDET Raoul : *La société militaire dans la France contemporaine (1815-1939)*. Paris, Plon, 1953, in-16°, 333 p.

MICHON Georges : *La préparation à la guerre : la loi de 3 Ans (1910-1914)*. Paris, Marcel Rivière, 1935. in-8°, 233 p.

OZOUF Jacques : L'Instituteur (1900-1914), in *le Mouvement Social*, n° 44 (juillet-septembre 1963).

OZOUF Jacques : Le thème du patriotisme dans les Manuels primaires, in *le Mouvement Social*, n° 49 (oct.-déc. 1964).

TISON Hubert : *L'Opinion publique française et la loi de 3 Ans*. D.E.S. Sorbonne, 1967.

WEBER Eugen : *L'Action française*. Paris, Stock, 1964, 649 p.

Biographies

GEORGES Bernard et TINTANT Denise : *Léon Jouhaux, cinquante ans de syndicalisme*, T. I, *des origines à 1921*. Paris, P.U.F., 1962, in-8°, 551 p.

DOLLEANS Edouard : *A. Merrheim*. Paris, Librairie syndicale, 1939, in-8°, 47 p.

DOMMANGET Maurice : *E. Vaillant, un grand socialiste (1840-1915)*. Paris, la Table Ronde, 1956. in-8°, 521 p.

SUAREZ Georges : *Briand, sa vie, son œuvre*. T. III. *Le faiseur de calme (1904-1914)*. Paris, Plon, 1938, in-8°.

SUAREZ Georges : *La vie orgueilleuse de Clemenceau*. T. III. *Dans l'Action*. Paris, 1932, in-8°, 346 p.

Mémoires, souvenirs

BARTHOU Louis : *Promenade autour de ma vie. Lettres de la Montagne*. Paris, les Laboratoires Martinet, 1933, in-8°, 232 pages.

CAILLAUX Joseph : *Mes Mémoires*. T. I (1863-1909), T. II (1909-1912). Paris, Plon, 1942 et 1943, in-8°, 306 p. et 261 p.

DUMOULIN Georges : *Carnets de route, 40 années de vie militante*. Lille, Editions de l'avenir, s.d. in-8°, 320 p.

GRAVE Jean : *Le mouvement libertaire sous la IIIᵉ République (souvenirs d'un révolté)*. Nevers-Paris, les Œuvres représentatives, 1930, in-8°, 311 p.

HERVE Gustave : *Mes crimes ou onze ans de prison pour délits de presse, modeste contribution à l'histoire de la liberté de la presse sous la IIIᵉ République*. Paris, Ed. de la « Guerre Sociale », 1912, in-8°, 382 p.

JOBERT Aristide : *Souvenirs d'un ex-parlementaire (1914-1919)*. Paris, Imprimerie spéciale, 1933, in-16°, 288 p.

LECOIN Louis : *De prison en prison*. Antony, Ed. par l'auteur, 1947, 253 p.

MALVY Louis : *Mon crime*. Paris, Flammarion, 1921, in-16°, 286 p.

MESSIMY Adolphe : *Mes souvenirs*. Paris, Plon, 1937, in-8°, XXVIII-428 p.

POINCARE Raymond : *Au service de la France. Neuf années de souvenirs*. T. III. *L'Europe sous les Armes, 1913*. Paris, Plon, 1926, in-8°, 367 p.

Romans

DESCAVES Lucien : *Sous-Off., roman militaire*. Paris, Tresse et Stock, 1889, in-16°, 522 p.

HERMANT Abel : *Le Cavalier Miserey, 21ᵉ Chasseurs, mœurs militaires contemporaines*. Paris, G. Charpentier, 1887, in-12°, III-403 p.

INDEX DES NOMS CITES [1]

---

(1) L'indication rapide portée après les noms les moins connus a pour seul but de permettre une identification du personnage cité, mais ne constitue pas évidemment une notice biographique complète.

TABLE DES ILLUSTRATIONS

TABLE DES ANNEXES

TABLE DES MATIERES

Deuxième Partie

LE CARNET B

Achevé d'Imprimer
en mars 1973
sur les presses de la
Société d'Impressions Typographiques
à 54000 NANCY

Dépôt légal : 1er trimestre 1973

N° d'Impression : 2858

Imprimé en France